LE MONDE DES SOCIÉTÉS SECRÈTES

John Lawrence Reynolds

LE MONDE DES SOCIÉTÉS SECRÈTES

Des druides à al-Qaida

traduit de l'anglais par
Jean Chapdelaine Gagnon et Richard Dubois

FIDES

Catalogage avant publication de Bibliothèque et Archives nationales du Québec et Bibliothèque et Archives Canada

Reynolds, John Lawrence

Le monde des sociétés secrètes. Des druides à al-Qaida

Traduction de : Shadow People.

Introduction et chapitres 1 à 6 traduits par Jean Chapdelaine Gagnon ; chapitres 7 à 13 et conclusion traduits par Richard Dubois.

ISBN 978-2-7621-2804-8

1. Sociétés secrètes - Histoire. I. Titre.

HS125.R4914 2007 366.09 C2007-941362-5

Dépôt légal : 4e trimestre 2007
Bibliothèque et Archives nationales du Québec

Titre original : Shadow People : Inside history's Most Notorious Secret Societies

Publié en accord avec Key Porter Books, Toronto, Ontario, Canada

Les Éditions Fides reconnaissent l'aide financière du Gouvernement du Canada par l'entremise du Programme d'aide au développement de l'industrie de l'édition (PADIÉ) pour leurs activités d'édition. Les Éditions Fides remercient de leur soutien financier le Conseil des Arts du Canada et la Société de développement des entreprises culturelles du Québec (SODEC). Les Éditions Fides bénéficient du Programme de crédit d'impôt pour l'édition de livres du Gouvernement du Québec, géré par la SODEC.

Les Éditions Fides reconnaissent l'aide financière du Conseil des Arts du Canada et du ministère du Patrimoine canadien par l'entremise du Programme d'aide au développement de l'industrie de l'édition pour la traduction de cet ouvrage.

Imprimé au Canada en octobre 2007

Pour Anne P.,
bien évidemment.

Cruauté porte un cœur humain,
Jalousie, un visage humain ;
Terreur, de Dieu l'humaine forme,
Et fourberie, l'humaine robe.

William Blake

Le vrai initié est celui qui sait
que le plus puissant des secrets
est un secret sans contenu,
parce qu'aucun ennemi
ne parviendra à le lui faire avouer,
aucun fidèle ne parviendra à le lui dérober.

Umberto Eco[1]

1. *Le pendule de Foucault,* traduction de Jean-Noël Shifano, Paris Grasset & Fasquelle [1990], « Le livre de poche », 2005, nº 4301, p. 627.

INTRODUCTION

Fadas, frayeurs et fanatiques

À LA FOIS REDOUTÉ ET DÉTESTÉ par les citoyens de l'Empire romain, ce groupe furtif figure parmi les plus effrayantes des toutes premières sociétés secrètes. Plusieurs suggèrent de tuer tous les hommes, femmes et enfants qui en sont membres. D'autres, qui ont entendu des récits de vengeance sanglante exercée contre les ennemis du groupe, recommandent la prudence. Certains appréhendent de plus en plus que leurs voisins puissent être membres de cette société, qu'ils corrompent leurs enfants avec leurs idées pernicieuses et les entraînent dans des pratiques révoltantes. D'aucuns sont fascinés par les excentricités scandaleuses qu'on prête à cette organisation secrète ; leur curiosité est piquée, leur imagination s'emballe et ils se demandent : ces gens-là peuvent-ils être réellement si dépravés ?

Les histoires que se répètent les Romains sont presque incroyables. Les membres de ce groupe secret pratiquent, dit-on, le cannibalisme, mangent de la chair humaine et boivent du sang humain pendant leurs rituels secrets, et leurs festins sanguinaires incluent parfois des nouveau-nés. Ils encouragent les orgies sexuelles entre frères et sœurs, se prêtent à des cérémonies bizarres, se réunissent en des lieux clandestins, évitent tout rapport avec la bonne société et se reconnaissent entre eux en esquissant l'image d'un instrument de torture quand ils se rencontrent.

> On présente, écrit un Romain, un enfant couvert de pâtes à celui qui doit être initié afin de lui cacher le meurtre qu'il va commettre, et le novice, trompé par cette imposture, frappe l'enfant de plusieurs coups de couteau : le sang coule, les assistants le sucent avec avidité et se partagent ensuite les membres palpitants de la victime. C'est ainsi qu'ils cimentent leur alliance ; c'est ainsi que par la complicité du même forfait ils s'engagent mutuellement au silence. Tels sont ces sacrifices plus exécrables que tous les sacrilèges.

Au premier siècle du premier millénaire, dans toute la région méditerranéenne, mais spécialement chez les Romains qui estiment la noblesse plus que toute autre vertu, ces relations repoussent autant qu'elles captivent. Des hommes politiques romains se mettent à réclamer l'élimination de la secte, sans discussion ni exception. Les citoyens sont pour la plupart du même avis et les foules commencent à affluer sur la place du marché où elles se répètent des histoires, étayent la preuve, brodent sur les aspects les plus sordides des procédés de cette société secrète. Avec le temps, un consensus se dégage : il faut faire quelque chose pour briser la cohésion au sein de ce culte, pour mettre au pas ces scélérats, ces pervers, ces insurgés, ces… chrétiens.

De notre point de vue, deux mille ans plus tard, ces récits de pratiques chrétiennes révoltantes ont des airs de propagande imaginée par les membres du sénat romain dans une stratégie pour éliminer la secte. Nous présumons que les sénateurs, en répandant ces histoires abominables parmi le peuple, comptent sur le fait que les citoyens seront dissuadés de joindre les rangs des chrétiens et qu'ils applaudiront au traitement brutal réservé par Rome aux adeptes de la nouvelle religion.

En réalité, le sénat romain a peu à voir avec ces récits scandaleux. Le petit peuple est peut-être scandalisé par les rumeurs de cannibalisme et d'inceste, mais l'opinion publique importe peu aux hommes politiques que préoccupent des questions plus pratiques, dont le refus des chrétiens de rendre un culte à l'empereur. Le principal reproche de Rome, généralement tolérante de la diversité religieuse, tient à cette seule attitude, inacceptable et considérée comme un acte de déloyauté envers l'empire. Quand les chrétiens entreprennent d'en gagner d'autres à leur point de vue, leurs activités confinent à l'insurrection qu'on ne saurait ignorer. Dès ce moment, les autorités romaines encouragent la diffusion des récits de leurs activités scandaleuses et en usent comme d'une arme pour écraser le mouvement.

Mais ni le sénat de Rome ni d'autres autorités ne sont à l'origine des anecdotes sur le comportement insolite des chrétiens. Ces sornettes, instillées dans l'imagination des citoyens ordinaires, se fondent sur des renseignements fournis par les chrétiens eux-mêmes – des renseignements déformés par l'enflure et la malveillance sorties tout droit des usines jumelles que sont l'ignorance et la suspicion. Voyez les indices qui inspirent ces histoires.

SECRET. Les chrétiens restent entre eux, n'acceptent pas d'étrangers à leurs cérémonies sans la caution d'un membre connu, et exigent que la foi des nouveaux membres soit mise à l'épreuve avant leur admission. Mais il y a de fort bonnes raisons à toutes ces précautions. Après la crucifixion du Christ, se dire chrétien est comme signer son arrêt de mort. Lorsque, par conséquent, les chrétiens se mettent à tenir secrètes leurs activités, la paranoïa quant à leurs desseins et leurs pratiques s'accentue et se généralise, ce qui provoque chez ses membres un besoin plus désespéré de masquer leur identité. Ainsi s'installe un cycle d'oppression qui induit à davantage de secret et engendre une plus grande paranoïa, à son tour génératrice de nouvelle oppression.

CANNIBALISME. Les chrétiens ne célèbrent-ils pas des cérémonies au cours desquelles ils consomment la chair d'un homme et en boivent le sang? Bien sûr que oui. Pour les chrétiens, le sacrement de la communion est une allégorie de l'unicité avec l'esprit. Pour les non-croyants, cela évoque étrangement une réalité répugnante.

BÉBÉS DÉVORÉS. Privés de méthodes de contraception et d'avortement efficaces, les Romains pauvres abandonnent les bébés non désirés qui meurent ainsi de faim et de froid. Si contraire aux sensibilités modernes qu'elle puisse être, cette coutume est acceptable dans une culture où les bouches à nourrir non désirées constituent pour la famille un lourd fardeau. Quand des chrétiens se mettent à sauver ces nourrissons d'une mort certaine, à les baptiser dans leur foi, les Romains en sont des plus perplexes. Pourquoi quelqu'un choisirait-il d'élever l'enfant d'un autre ? L'idée est contraire à la raison. Mais peut-être n'élève-t-on pas du tout les petits. Compte tenu de leur habitude de consommer de la chair et du sang, peut-être les chrétiens recueillent-ils les bébés abandonnés pour s'approvisionner en matière première en vue de leurs cérémonies écœurantes. L'hypothèse que les enfants soient pris en charge et élevés comme des chrétiens n'est pas jugée plausible. Et, bien sûr, elle n'est pas non plus – tant s'en faut – aussi déroutante.

ORGIES SEXUELLES ET INCESTE. Quand la nouvelle que les chrétiens s'adonnent à des agapes, ou banquets fraternels, commence à s'ébruiter chez les Romains, on n'est pas long à présumer que leur caractère « fraternel » n'est pas entièrement de nature spirituelle. Certains gnostiques, adhérents d'une autre société fermée, se livrent à des rites sexuels et considèrent le sperme comme un fluide sacré avec lequel le rang de chaque membre est consacré. Les croyances et les pratiques des chrétiens et des gnostiques diffèrent grandement, mais on peut aisément imaginer un simple citoyen de Rome haussant les épaules et lançant l'équivalent latin de : « Chrétiens, gnostiques, où est la différence ? C'est du pareil au même. »

Et l'ingrédient de l'inceste ? Il découle de l'habitude des chrétiens de s'appeler entre eux « frère » et « sœur » pour se manifester affection et sympathie. Dans les autres cultures, frères et sœurs sont nés des mêmes parents : c'est un fait avéré et ne s'y applique aucune connotation allégorique.

INSTRUMENT DE TORTURE COMME SYMBOLE ET IDENTITÉ. À l'époque romaine, la croix est un instrument de torture et de mort couramment employé. Pour les Romains, il n'y a rien de rassurant à exhiber une croix ou à en dessiner la forme dans l'air avec la main, geste qui peut être interprété comme une menace. Représentez-vous un groupe clandestin qui, de nos jours, utiliserait une corde de potence, une guillotine ou une chaise électrique comme symbole d'unité et de mérite, et imaginez votre réaction.

Cette perception des chrétiens comme une société secrète menaçante reste un enseignement aussi pertinent aujourd'hui qu'autrefois sur les peurs et les aversions collectives. Malgré les progrès technologiques et médiatiques, les sociétés secrètes exercent toujours sur nous une fascination puissante et durable. Quand elle est excitée et inspirée par la description déformée que donne la culture populaire d'organisations ésotérique, dans les films et les romans, notre certitude de leur existence et de leurs périls peut égaler ou même excéder les perceptions erronées qu'entretenaient les Romains sur le christianisme.

Comme le montre l'exemple chrétien, les réactions les plus communes aux sociétés secrètes chez les profanes sont la suspicion et la peur nées de la conviction que *tout ce qui est bon ne devrait pas être gardé secret, et que tout ce qui est gardé secret ne peut être bon.*

Nous raffolons des secrets et des sociétés qui les entretiennent et les perpétuent, autant que nous tenons à l'honnêteté dans nos rapports avec autrui. Nous trouvons normal que les décisions militaires et d'affaires se prennent dans le secret. Nous acceptons que, derrière des portes closes, des hommes politiques arrêtent des décisions sur des candidats et des politiques, et s'efforcent ce faisant à rester anonymes. Et nous préservons les secrets de nos amis, de nos enfants et de nos amants. Cependant, nous nous efforçons aussi de percer tous les mystères qui agissent sur notre existence en exigeant d'avoir accès à des renseignements qu'on nous a refusés, quel qu'en soit le motif. Si on nous cache des secrets, insistons-nous, il faut nous en faire part. Et s'il n'en est fait part qu'à un groupe déterminé, les motifs de ce groupe sont sûrement suspects.

Avec le temps, les sociétés secrètes changent, graduellement mais sensiblement. Dans l'Antiquité, elles sont essentiellement de nature philosophique et religieuse. À l'époque médiévale, le politique commence à remplacer l'élément philosophique, mais la religion reste l'ingrédient primordial. Dès le milieu du XVIIIe siècle, ces sociétés évoluent dans l'une des deux directions suivantes : soit vers des *associations fraternelles et politiques*, qui conservent quelques vestiges des apparats philosophiques et religieux de l'Antiquité ; soit dans la direction de la *pure et simple criminalité*, recourant au secret pour parvenir à des fins clandestines et acquérir de colossales richesses.

Des objectifs disparates influencent la manière dont ces sociétés sont constituées et gérées parce que le secret y devient nécessaire, soit comme moyen d'assurer aux membres l'exclusivité, soit comme outil de défense contre la dénonciation et le harcèlement. Pour les membres d'organisations fraternelles, l'exclusivité ajoute de la distinction ; pour les organisations sujettes au harcèlement par l'application de la loi ou par la société dans son ensemble, le secret devient un instrument d'autodéfense. Dans un cas comme dans l'autre, cela a pour effet de générer la méfiance du public. La méfiance engendre des conjectures ; les conjectures sont invariablement négatives ; les perceptions négatives excitent l'hostilité ; l'hostilité renforce le secret de l'organisation et la roue tourne *ad infinitum*. Cela n'a guère changé.

Le cercle vicieux de suspicion et de réaction déclenche la fièvre de conjectures qui résiste à toute tentative d'injection d'une dose de réalité – phénomène aussi agissant et prévisible de nos jours que du temps où Néron suivait des cours de musique. Les sociétés secrètes, vous serineront les tenants des théories de la conspiration, gouvernent les destinées du monde. Les déclarations de guerre, le déferlement d'épidémies planétaires, l'élection des chefs politiques et la présence d'extraterrestres sur Terre sont l'œuvre de ces sociétés dont le pouvoir et la finalité sont aussi sinistres et violents que ceux de n'importe quel scélérat imaginé par Hollywood pour un James Bond. Les fanatiques étalent et débitent leurs démonstrations avec toute l'autorité d'un procureur de la couronne plaidant devant un jury incorruptible, et ils transforment les objections sérieuses en preuves que le pouvoir du diable est si absolu qu'il pourrait vous convaincre de sa non-existence.

C'est le parfait divertissement pour ceux qui soupçonnent que leur existence est manipulée par des forces invisibles. Ils cherchent des preuves comme les jeunes plants réclament de la lumière, même quand la source de lumière est un tant soit peu moins éclairante que le soleil. Suivant les mordus de la conspiration, toute décision concernant votre bien-être économique, votre place dans la société, votre état de santé et l'institution qui gouverne votre existence est entre les mains d'hommes énigmatiques – il s'agit presque toujours d'hommes – dont l'identité se dérobe aux regards ou emprunte le masque d'un bienveillant service public. Rien de ce que vous pensez ou faites n'est le fruit de votre seule volonté, vous prêchera-t-on. Les francs-maçons ou les gnostiques, la Wicca (sorcellerie contemporaine) ou les druides, le Bilderberg Group ou les Illuminati de Bavière, la Mafia ou les membres des Skull and Bones règlent le destin du monde. Les débâcles économiques? L'épuisement des ressources? Les guerres, les famines? Seuls les fadas, les naïfs, croient qu'ils surviennent naturellement. Pour les théoriciens de la conspiration, ils sont le résultat d'actions prises délibérément par des grands maîtres en robes, des seigneurs de guerre siciliens, des rosicruciens conspirateurs, des adeptes de la kabbale ou d'autres groupuscules menaçants.

Les plus fanatiques défenseurs de cette thèse sont convaincus que tous ces groupes sont équivalemment engagés, qu'ils s'échangent des responsabilités comme des maquignons dans un marché des intrigants. Pour la plupart, les gens sont plus optimistes. Plusieurs sociétés secrètes, font-ils valoir, sont bienveillantes, voire salutaires. D'autres peuvent être trompeuses, bien que cela ne veuille pas dire qu'elles soient dangereuses mais simplement fraternelles. De l'aveu général, certaines nourrissent des desseins franchement fourbes, mais le risque qu'elles représentent peut être minime. Devrait-on, par exemple, se mettre en peine du Ku Klux Klan qui, de bande de lyncheurs redoutée, s'est métamorphosé en attroupement bigarré de fadas racistes ? Vraisemblablement pas.

Il serait toutefois follement insensé de traiter tout groupe clandestin comme s'il ne s'agissait de rien de plus que d'une bande d'adultes qui s'amusent à des jeux puérils. Si la vigilance est effectivement le prix de la liberté, alors les plus prudents d'entre nous devraient ne pas ignorer les sociétés susceptibles d'agir exclusivement dans leurs intérêts et totalement à l'encontre des nôtres. Le défi, c'est de savoir reconnaître qui est qui. Ou quoi.

Avec le recul nécessaire, ce livre passe en revue les sociétés secrètes les plus puissantes qui aient résisté à l'usure du temps. L'influence de chacune d'elles ou, à tout le moins, une trace de certaines de leurs interventions notoires, survivent aujourd'hui. Comme nous le verrons, elles sont pour la plupart fraternelles et bienveillantes ; plusieurs restent diablement louches ; quelques-unes méritent qu'on leur arrache leur noir manteau de secret, qu'on braque sur elles un éclairage cru et qu'elles se tortillent, qu'elles soient au supplice de se retrouver ainsi brutalement sous les projecteurs.

1

LES ASSASSINS

Rien n'est vrai, tout est permis

En l'an 1191 de notre ère, Conrad de Montferrat monte sur le trône du roi de Jérusalem, désigné à cette charge par Richard Cœur-de-Lion, l'illustre héros des croisades. Après avoir ordonné à Conrad de reconstituer les armées chrétiennes en vue de son retour, Richard rentre chez lui où il est écrit qu'il parviendra à l'immortalité sous les traits d'une vedette blonde dans les aventures de Robin des Bois et les fables de grands poèmes héroïques.

Conrad, qui a fait campagne pour ce trône contre Henri, comte de Champagne, projette de magnifier son règne comme roi de Jérusalem en chassant à tout jamais de Terre sainte les musulmans, et de s'assurer ainsi dans l'histoire une place glorieuse en tant que héros chrétien et, au ciel, un siège à la droite de Dieu.

Il ne disposera que de peu de précieux temps pour ce faire. Peu après que Richard eut quitté la Terre sainte, trois moines chrétiens s'introduisent dans le campement de Conrad en saluant et en bénissant tous ceux qu'ils croisent. Leurs gestes pieux persuadent Conrad et ses guerriers de baisser la garde – erreur fatale. Dès que

Conrad est à leur portée, les moines sortent de sous leurs manteaux des dagues pour le mettre en pièces ; ils le lacèrent et le poignardent dans une violente démonstration de cruauté avant que les gardes puissent intervenir. Une fois Conrad expédié dans l'autre monde, les jeunes hommes, qui ne sont pas des moines chrétiens, mais de fervents musulmans, ne tentent pas de s'enfuir. Ils se rendent aux gardes de Conrad et subissent en silence un supplice effroyable qui consiste premièrement à être écorchés vifs, puis rôtis lentement jusqu'à ce que mort s'ensuive. Tels sont les châtiments en usage dans ce monde impitoyable.

Plus tard, pleurant la perte de leur chef, les hommes de Conrad s'étonnent à voix basse du singulier comportement de ses meurtriers, spécialement de leur passivité une fois leur mission accomplie. Comme il est étrange qu'ils aient jeté leurs armes et simplement attendu, debout, qu'on se saisisse d'eux tandis que s'éteignaient les râles du roi. Même alors qu'on les informait du supplice qui les attendait, les jeunes hommes semblaient vraiment se réjouir d'avance de la macabre expérience d'une mort atroce. Personne n'avait jamais vu pareille attitude. Personne ne pouvait se l'expliquer. Personne n'en comprenait le sens.

Henri, comte de Champagne, ne perd pas de temps à méditer sur la conduite des jeunes tueurs. La mort prématurée de Conrad s'avère peut-être tragique pour certains, mais c'est une occasion pour Henri qui, s'il était né huit siècles plus tard, aurait pu devenir un directeur général d'entreprise hors pair. Peu après qu'a été lancée la dernière pleine pelletée de sable de Terre sainte sur le cercueil de Conrad, Henri pose un geste stratégique : il épouse la veuve dans l'espoir d'hériter du titre qui lui a échappé plus tôt et qui a coûté la vie au mari précédent. Soit par manque d'appuis à la cour de Conrad, soit simplement par déveine, Henri ne réussit pas à obtenir la couronne du roi de Jérusalem et doit se contenter en lieu et place d'un poste administratif qui l'oblige à multiplier les voyages à l'est de Jérusalem, en Perse. Pendant l'un de ces périples, il fait inopinément la connaissance du commanditaire de l'assassinat de Conrad et découvre l'une des sociétés secrètes les plus terrifiantes de l'histoire.

Cela survient alors qu'Henri et son entourage empruntent une route rarement fréquentée qui sillonne les monts redoutables de l'Elbourz, au nord de Téhéran, dans l'Iran actuel. Du temps des croisades, ce territoire est occupé par des musulmans chiites qui permettent aux chrétiens de le traverser dans une relative sécurité. À l'approche d'une énorme forteresse dressée en bordure d'un haut escarpement, Henri et ses gardes sont rejoints par des envoyés du résident du château, le dâ'i al-Khidr (ou al-Khadir[1]). D'abord appréhensifs, les chrétiens se sentent rassurés quand les serviteurs ne ménagent pas les marques de politesse avant de leur transmettre l'invitation de leur maître à visiter la forteresse et à goûter l'hospitalité du dâ'i al-Khadir. Impossible d'ignorer pareille invitation sans insulter l'hôte. En outre, la forteresse impressionnante excite l'intérêt d'Henri. Comment résister à la perspective d'une visite guidée de l'étonnant ouvrage et d'un bon repas ?

Henri et ses hommes suivent les serviteurs jusqu'à la hauteur de l'entrée du château où leur hôte les accueille avec chaleur et magnificence. Homme manifestement riche et puissant, le dâ'i al-Khadir prend plaisir à faire voir la forteresse à ses invités, à les escorter dans de vastes jardins et à attirer leur attention sur les nombreuses tours de pierre qui surplombent de très haut la vallée rocheuse. À un moment donné, il montre d'un geste la plus élevée des tours en demandant à Henri s'il est impressionné par sa hauteur et sa splendeur.

Henri convient que sa vue en impose, puisqu'elle culmine à presque cent coudées au-dessus d'un vertigineux escarpement rocheux. Au sommet de la tour, deux sentinelles vêtues de robes d'un blanc immaculé guettent chaque geste du dâ'i al-Khadir. Henri a remarqué la présence de pareils jeunes hommes postés sur

1. Pour ce qui a trait aux titres et noms musulmans et arabes, voir la note à la fin du livre [NDT].

d'autres tours de la forteresse, tous souriants, saluant leur maître et ses invités en inclinant la tête, tous clairement heureux et comblés. « Ces hommes, dit le dâ'i al-Khadir, m'obéissent bien mieux que les sujets chrétiens n'obéissent à leurs maîtres. »

L'invité paraît déconcerté par les paroles de son hôte. Aucun de leurs échanges n'a eu trait à l'armée ni à l'obéissance.

Voyant l'expression perplexe d'Henri, le dâ'i al-Khadir sourit et dit : « Regardez. » Puis il fait du bras un signe manifestement convenu. Sur-le-champ, les hommes au faîte de la plus haute tour se précipitent dans le vide depuis la plateforme et leurs corps se fracassent sur les rochers d'en bas.

Henri est atterré. Les deux jeunes hommes, comblés et en bonne santé, n'en sont pas moins morts sans hésitation sur un caprice de leur maître.

« Si vous le souhaitez, dit le dâ'i al-Khadir, j'ordonnerai aux autres d'agir de même. Sur un signal de moi, tous les hommes au sommet de mes tours en feront autant. »

Ébranlé par le spectacle de ces vies absurdement perdues, Henri décline courtoisement l'offre et remercie.

« Un prince chrétien peut-il espérer semblable obéissance de ses sujets ? » demande le dâ'i al-Khadir.

Le comte répond qu'aucun chef chrétien de sa connaissance ne saurait exercer une telle autorité sur ses hommes. Ses propres soldats, comme les soldats des autres chefs, se jettent dans la bataille avec le courage qu'ils puisent dans leur attachement à l'honneur, à la foi, à la loyauté, prêts à se sacrifier pour un plus grand bien. Ils sont prêts à mourir pour défendre leur vie et leur honneur, s'il y a possibilité de victoire et de gloire. Mais nul d'entre eux n'agirait avec un plaisir aussi patent que les deux jeunes hommes en réponse au simple geste de la main de leur maître.

« Grâce à ces serviteurs fidèles, dit le dâ'i al-Khadir avec un air d'indubitable supériorité, j'ai débarrassé notre société de ses ennemis. »

Henri, comte de Champagne, vient de découvrir l'organisation qui a trucidé son prédécesseur et qui terrorisera pendant plus de cent ans les contrées s'étendant de la Perse à la Palestine. Il vient de faire la connaissance des Assassins.

Les Assassins ne comptent pas parmi les plus anciennes sociétés secrètes, ni les plus répandues ni les plus durables. Leur pouvoir ne subsiste guère plus d'un siècle, puis décline devant l'avancée des hordes mongoles et, dès le XIVe siècle, les Assassins ne sont déjà plus une force politique viable au Moyen-Orient. Mais leur réputation de cruauté est si terrifiante que plusieurs nations européennes croient ces tueurs responsables de meurtres politiques jusque dans les années 1600, et certains indices laissent croire que des descendants des Assassins sont encore actifs en Inde aussi tardivement qu'en 1850. Leur héritage se fait toujours sentir de nos jours par deux réalités d'importance.

La première est leur nom. En anglais, le mot assassin désigne le tueur, généralement violent, d'un personnage de premier plan. La seconde fournit un motif opportun de fouiller les origines de la secte parce que les méthodes et les motivations des Assassins, instituées voilà presque un millénaire, servent de modèles au groupe terroriste le plus meurtrier et le plus puissant en liberté de nos jours. Des descendants spirituels du dâ'i al-Khadir et des hommes souriants en robe blanche qui se précipitent allègrement dans la mort forment une petite société secrète qui terrorise la planète. Ses membres se déplacent à la vitesse de l'éclair dans les collines et les oueds d'Afghanistan, se regroupent en cellules clandestines de Karachi jusqu'à Cologne, et menacent la seule superpuissance mondiale subsistante. Cette société secrète s'appelle al-Qaida.

Les Assassins sont issus d'un schisme, chez les musulmans, qui donne naissance, au VIIe siècle, à deux factions ennemies : les chiites et les sunnites. Aucun événement dans quelque autre religion, même la Réforme luthérienne, n'engendre une haine comparable à celle que suscite cette division postérieure à la mort de Mahomet.

Les musulmans croient que Mahomet, né en 570 de notre ère, est le dernier messager de Dieu – à la suite d'Adam, d'Abraham, de Moïse et du Christ. Ses visions et révélations, reçues dans une caverne près de La Mecque, aux environs de l'an 610, constituent la base du Coran et les assises de l'islam. Chassé de La Mecque en 622 pour ses convictions, il se réfugie dès lors à Yathrib, aujourd'hui appelée Médine («Ville du prophète»), et retourne conquérir La Mecque au nom de l'islam en 630. Les musulmans comptent les années à partir de l'arrivée du prophète à Médine. Au moment de la mort de Mahomet, en 632 de l'ère chrétienne, l'islam s'est propagé dans toute l'Arabie, et jusqu'en Syrie et en Perse.

Mahomet disparu, ses disciples doivent résoudre la question de sa succession. Les sunnites, qui tirent leur nom de l'expression arabe *ahl al-sunnah wa-l-jamâ'a* («partisans de la Sunna et de l'union communautaire») sont considérés de nos jours comme la branche orthodoxe de l'islam. Ils estiment que l'autorité doit revenir aux plus proches et plus sûrs conseillers, qui deviendront les califes. Les chiites («du parti d'Ali») exigent que soit rigoureusement respectée l'hérédité et proposent Ali, cousin et gendre de Mahomet, comme successeur du prophète.

On ne saurait surestimer les conséquences de ce fossé chez les musulmans, parce qu'elles se répercutent bien au-delà de la question de la succession légitime. Les deux partis sont en désaccord sur de nombreuses traditions culturelles et sociales, dont la date et le sens de cérémonies sacrées, la légitimité des mariages temporaires et le recours au compromis religieux – principe dit de précaution – pour échapper à la persécution et à la mort (les chiites l'acceptent, mais les sunnites y voient une apostasie).

Les guerres de la Réforme entre chrétiens sont de simples escarmouches, comparées aux combats entre chiites et sunnites – des combats qui se concluent habituellement par la défaite des chiites, toujours surpassés en nombre à environ dix contre un. Peu après la mort d'Ali, son fils al-Husayn est brutalement tué avec tous les membres de sa famille par les Omeyyades, un clan rival. Cet événement qui consacre la cassure entre sunnites et chiites horrifie tous les musulmans ; les chiites en acquièrent un sens du tragique et de la persécution qui colore leurs croyances et leur imprime jusqu'à aujourd'hui une humeur mélancolique. En langage occidental, les chiites se perçoivent eux-mêmes comme des défavorisés, comme une minorité opprimée prête à se sacrifier, au besoin, pour ses convictions. Et, comme le démontrent des événements récents, ils ne se privent pas de le faire.

Dans la période qui précède les croisades, les chiites vivant isolés parmi les sunnites risquent la mort s'ils sont découverts. Forcés de se retrancher dans la clandestinité pour survivre, ils prennent l'habitude du secret et exigent que leurs membres obéissent aveuglément aux ordres de leurs chefs. Avec le temps, les chiites se divisent à leur tour et essaiment dans tout le Proche-Orient pour promouvoir leurs croyances et protéger leurs adhérents ; si les différences entre leurs factions peuvent sembler vétilleuses, elles alimentent l'inimitié et la suspicion qui aident les Assassins à se propager.

Deux des plus importants groupes schismatiques sont les duodécimains et les ismaïliens. Les duodécimains croient que seulement douze véritables imams (ce mot arabe signifie « guide ») ont existé dans la foi musulmane et que le douzième, caché depuis plus de mille ans, vit encore. Les ismaïliens se subdivisent à leur tour en diverses sectes, dont celle des septimains (ou septimaniens), qui croient en seulement sept imams, et celle des nizaris (nizariens ou nizarites) convaincus que les imams ne disparaîtront jamais de la surface de la Terre et qui donnent à leur imam le nom d'Aga Khan. Si les duodécimains sont considérablement plus nombreux que les ismaïliens et représentent 90 % de la population actuelle de l'Iran et peut-être 60 % des Iraquiens, les ismaïliens ont tendance à se montrer plus violents en réaction à leur statut minoritaire au sein d'une autre minorité plus nombreuse.

Ces divisions, inouïes et déroutantes pour les non-musulmans, sont même exacerbées par le moindre différend de nature pratique ou philosophique, souvent jusqu'à dégénérer en affrontement violent. Par exemple, pour se préparer à la prière, il faut s'acquitter de rituels de purification. Les chiites jugent suffisant de s'essuyer les pieds avec les mains humides, mais les sunnites estiment nécessaire le bain de pieds intégral. Pour la prière en station debout, les chiites croient que les mains doivent être pointées vers le sol ; les sunnites (à l'exception des malikites) veulent que les mains soient jointes. Soucis frivoles ? Pas pour de sincères musulmans. Ces questions et des dizaines d'autres soulèvent encore des querelles ; dans le monde musulman d'il y a mille ans, elles alimentent une haine qui s'exprime souvent dans de meurtrières batailles rangées, une réalité dont il faut s'aviser pour mieux saisir comment les Assassins acquièrent et entretiennent leur nature impitoyable.

Aux environs de l'an 1000, un groupe d'ismaïliens (du clan fatimide) fonde la maison de la Sagesse et entreprend de se gagner des adeptes par des promesses de techniques secrètes qui permettent aux croyants de mener des missions divines au nom d'Allah. Le mouvement se fait connaître sous le nom d'ismaïlisme et les professeurs de la maison de la Sagesse agissent directement sous les ordres du maître de l'Égypte, le calife fatimide, un descendant direct de Mahomet.

Pour l'essentiel, le corps enseignant de la maison de la Sagesse se compose de gens issus de la cour même du calife ; il comprend, entre autres, le commandant en chef des armées et plusieurs ministres. Pour assurer le succès de l'institution, le calife la pourvoit d'une collection d'instruments scientifiques de pointe et d'une dotation annuelle de cent mille pièces d'or. À ses débuts, le mouvement accueille indifféremment dans ses rangs les hommes et les femmes, mais en maintenant la ségrégation des sexes.

En plus de la possibilité d'y acquérir de la formation, les étudiants de l'institution se font promettre qu'en accédant aux plus hautes sphères du savoir ils jouiront d'autant de considération que leurs professeurs. Dans une culture où représentants du gouvernement et professeurs proviennent de la même classe, cette possibilité exerce une énorme fascination sur les jeunes gens qui aspirent à s'élever au-dessus de leur modeste extraction, et la perspective d'améliorer leur sort tout en apprenant à répondre aux coups de leurs tourmenteurs sunnites doit être particulièrement excitante pour de jeunes exaltés.

Quels que soient les objectifs qu'avait en tête le calife pour la maison de la Sagesse, elle échoue à les réaliser directement. Rien à l'intérieur du monde musulman n'est transformé par son existence. Son retentissement se fait cependant encore sentir aujourd'hui, et la structure dont elle a été la pionnière et qu'elle a mise en œuvre est devenue un modèle imité au fil des siècles, avec des variantes mineures, par les sociétés secrètes.

Les organisations gouvernementales et les grandes sociétés épousent traditionnellement la configuration d'une pyramide dont la cime est occupée par un individu unique. Immédiatement sous lui se trouve un petit groupe de conseillers, généralement solidaires – pensez au cabinet des ministres, dans une démocratie, et au conseil d'administration, dans une entreprise. Depuis le sommet jusqu'à la base, dans une succession d'échelons d'influence et d'autorité continûment décroissants, les strates de bureaucratie s'élargissent jusqu'à la vaste base qui se compose des travailleurs les plus bas salariés et les moins reconnus. Cette manière banale de s'emparer du pouvoir et de le contrôler nous reste connue et compréhensible aujourd'hui. Ce n'est toutefois pas la seule façon de structurer une organisation et, dans le cas des sociétés secrètes, c'est loin d'être la plus appropriée.

Au lieu de se constituer en pyramides, plusieurs sociétés secrètes et sectes religieuses tendent à s'organiser à l'épicentre d'une série de cercles concentriques, à l'hypocentre ou foyer desquels réside ultimement le pouvoir suprême. Les organisations de configuration sphérique ne se laissent pas saisir ni percer à jour aussi facilement que les structures pyramidales, parce que leur mécanique interne reste occultée. En outre, le nombre de cercles peut varier de telle façon que le profane ne peut jamais s'aviser de la distance qui le sépare du véritable centre du pouvoir. Depuis la base d'une pyramide, on peut voir son sommet; de quelque point que ce soit à l'intérieur d'une organisation de type sphérique, jamais on ne peut juger avec précision de sa proximité avec l'autorité. Les organisations de constitution sphérique occultent et protègent donc ainsi leur centre nerveux plus efficacement que les structures pyramidales.

La configuration sphérique de la maison de la Sagesse, copiée par les sociétés secrètes à caractère religieux au cours des siècles, commence avec les groupes d'étude appelés conseils de la Sagesse et destinés à écarter les candidats dépourvus de l'abnégation nécessaire.

Ceux qui passent avec succès l'épreuve des conseils de la Sagesse entament une démarche initiatique en neuf étapes inspirée de la caractéristique structure sphérique. Cette démarche initiatique est un moyen classique d'assurer la loyauté à la cause commune et d'asseoir les fondements d'une obéissance aveugle.

À la première étape de l'initiation, on sème le doute dans l'esprit des élèves sur les valeurs et les idées qu'on leur a appris à respecter toute leur vie. En usant de fausses analogies, les professeurs s'emploient à démolir le système de croyances de leurs élèves; quiconque est incapable de désavouer ses croyances et valeurs est renvoyé. Ceux qui acceptent les enseignements – essentiellement en se vidant l'esprit – sont chaudement félicités par leurs moniteurs. Aujourd'hui, nous qualifions cette technique de *lavage de cerveau*. Dépouillés de leur système de valeurs, les élèves sont forcés de s'en remettre à leurs professeurs pour accéder à la connaissance et aux moyens de l'appliquer. Les élèves les plus zélés jurent totale obéissance à leurs maîtres, ce qui les hisse au deuxième degré.

Les élèves qui atteignent le deuxième degré sont informés de ce que sept grands imams incarnent la source de la sagesse et de la connaissance révélée par le prophète Mahomet, connaissance que ces imams ont personnellement transmise aux professeurs. Les professeurs de la maison de la Sagesse sont tous des personnages haut placés dans l'administration du calife, et cela signifie que les élèves peuvent trouver des traces de l'inspiration divine provenant directement du Prophète en ceux-là mêmes qui leur communiquent Sa sagesse. Conscients de ce fait, les élèves franchissent avec enthousiasme le deuxième degré.

Au troisième degré de l'initiation, on leur divulgue les noms des sept imams et les paroles secrètes pour obtenir d'eux aide et protection.

Les révélations se poursuivent au quatrième degré : alors les professeurs ajoutent, à ceux des sept imams, les noms des sept prophètes « Parleurs », et précisent les pouvoirs magiques attribués à chacun d'eux. Les prophètes « Parleurs » ont pour nom Adam, Noé, Abraham, Moïse, Jésus, Mahomet et Ismaïl ; ils sont secondés par des interprètes, les sept « Silencieux » : Seth, Cham, Ismaël, Aaron, Simon, Ali et Mahomet, fils d'Ismaïl. Au fil des leçons suivantes, on divulgue encore de nouveaux noms, dont ceux des douze apôtres placés sous l'autorité des sept prophètes, sans oublier leurs fonctions et pouvoirs magiques individuels. Finalement, les étudiants apprennent l'existence d'un mystérieux suppléant (imam occulté, ou mahdi), connu sous le nom de Seigneur du temps, qui ne s'exprime que par le calife.

Les étudiants reçus passent au cinquième degré de l'initiation, où ils acquièrent l'habileté d'influencer les autres par la force de leur concentration personnelle. Des documents permettent de déduire qu'il s'agit d'une forme de méditation profonde pendant laquelle les élèves doivent inlassablement répéter un seul et unique mot : *ak-zabt-i*. La méditation peut s'avérer un instrument de relaxation efficace en ce qu'elle bloque effectivement le processus de la pensée. Si le procédé est suffisamment prolongé et intense, la capacité de l'individu à penser par lui-même pourra toutefois s'en trouver gravement altérée, ce qui est précisément l'objectif du cinquième degré.

Le sixième degré consiste en des cours de raisonnements analytiques et destructeurs, technique dont usent les professeurs pour désarmer les élèves au cours du premier degré. Les étudiants qui passent l'examen avec succès se qualifient pour le septième degré : on leur apprend alors que toute l'humanité et toute la création sont un, y compris les forces positives et négatives. Les élèves peuvent se servir de leur pouvoir soit pour créer soit pour détruire, mais le pouvoir n'est dispensé que par le mystérieux Seigneur du temps.

Ils sont maintenant prêts à recevoir les enseignements des huitième et neuvième degrés, même si, à nos yeux, *ces enseignements paraissent en totale contradiction avec les valeurs spirituelles qui ont été, à l'origine, le moteur du mouvement.*

Pour accéder au huitième degré, les élèves doivent reconnaître que toute religion ou philosophie est fallacieuse ; que la force primordiale sur cette Terre réside dans la volonté et l'abnégation de l'individu ; et que l'individu ne peut parvenir au parfait épanouissement que dans la soumission aux imams. Ce qui prépare les élèves au neuvième degré, où ils apprennent que les croyances sont du vent : tout ce qui compte dans la vie, c'est l'action entreprise sans délai sur l'ordre du chef, qui est seul à connaître les raisons d'exécuter cet ordre.

La leçon des neuf degrés, une fois les étapes de formation traversées, peut se résumer en un simple énoncé : *Rien n'est vrai, tout est permis.*

La maison de la Sagesse donne ainsi naissance à une organisation peuplée de membres désireux de s'acquitter de toute tâche que leur assigneront leurs chefs. Sa plus éclatante victoire est la prise de Bagdad en 1058 par un diplômé de l'institution, qui se couronne lui-même sultan et frappe de la monnaie au nom du calife d'Égypte[2]. Nul autre fait d'arme d'un élève de la maison de la Sagesse ne se compare à cette prouesse. Ébranlée entre autres par

2. NDT : Il s'agit de Tughrilbeg, qui pénètre dans Bagdad en 1055 et reçoit du calife le titre de sultan, puis est couronné « roi de l'Orient et de l'Occident » en 1058, toujours par le calife… Voir *Dictionnaire historique de l'Islam.*

le fléchissement du soutien moral et de l'aide pécuniaire venant des descendants du calife, la société doit se résoudre à réduire ses activités avant de fermer définitivement ses portes en 1123.

La fermeture de l'institution marque peut-être la fin du programme officiel de formation au sein du mouvement, mais pas celle de la société secrète dont les membres se réfugient longtemps dans la clandestinité, chacun décrivant les activités et les réalisations du mouvement à la génération suivante. L'un de ceux qui s'émerveillent à les écouter est un homme remarquable appelé Hassan (Hasan-i Sabbâh), fils de Sabah, dont la famille est originaire de Khorasan, région sise dans la partie est du plateau iranien, à la frontière de l'Afghanistan. Savant, homme politique influent et descendant de membres de la maison de la Sagesse parvenus au neuvième degré de l'ismaïlisme, Sabah transmet au moins une partie de son savoir à son fils.

Jeune homme, Hassan a pour précepteur l'imam Muwafiq, qui n'accepte de former que les élèves les plus prometteurs, auxquels il enseigne les secrets du pouvoir. Les méthodes d'enseignement de l'imam sont sûrement efficaces, puisque parmi les condisciples de Hassan figurent le futur poète et astronome Omar Khayyam et un brillant jeune homme nommé Nizâm al-mulk voué à devenir premier ministre de la Perse. Tandis qu'ils étudient auprès de l'imam, les trois jeunes gens conviennent que le premier d'entre eux à se hisser au pouvoir prêtera son concours aux deux autres.

Nizâm tient promesse. Après avoir accédé à un poste d'autorité et d'influence chez les Perses, il assure une pension à Khayyam, ce qui permet au poète de mener une vie aisée dans sa bien-aimée région de Nichapour, où il composa ses *Ruba'iyât* (quatrains). Pour son ami Hassan, Nizâm obtient une fonction ministérielle au palais du chah.

Hassan se révèle un excellent administrateur et gagne d'abord la faveur, puis la confiance du chah, qui lui assigne la tâche de gérer les trésors du régime. Ou bien Hassan est un filou patenté ou bien l'éclat de l'or et des pierres précieuses aveugle son sens moral, toujours est-il que la confiance du chah est trompée : Hassan détourne d'énormes quantités des richesses du royaume. Il échappe de justesse aux gardes du chah et file au Caire, se remémorant les récits de son père sur la maison de la Sagesse où, croit-il, il sera à l'abri d'une exécution certaine. Sur place, il fait la connaissance d'un groupe d'ismaïliens qui se compose du noyau subsistant de l'ancienne société. Depuis des générations, ils espèrent à la fois un chef et la possibilité de restaurer le pouvoir de leur société. Hassan est leur homme.

Charismatique, rusé, impitoyable et intelligent, Hassan rallie de nombreux partisans en les convainquant qu'il possède des pouvoirs magiques conférés par le Prophète lui-même. Leur ferveur s'exalte encore quand, dans un voyage en mer à destination de l'Afrique, Hassan et ses gens affrontent une violente et soudaine tempête. Bientôt les vagues surpassent en hauteur le petit navire, les éclairs étincellent, le tonnerre gronde et les vents menacent de fracasser l'embarcation contre les rochers si les flots n'engloutissent pas plus tôt le navire et ses occupants.

Tout le monde à bord, pris de panique, se met à gémir et à prier. Tous, sauf Hassan qui reste calme et imperturbable. Quand ils lui demandent comment il peut rester serein alors que l'attend une mort presque certaine, Hassan sourit et répond : « Notre Seigneur a promis qu'aucun mal ne devait m'arriver. »

Et aucun mal ne lui arrive. La tempête est bientôt passée, la mer redevient calme et les admirateurs de Hassan le considèrent avec encore plus de respect et de vénération. À leur retour au Caire, ils répètent à satiété le récit du comportement stoïque de Hassan. Hassan est un saint homme protégé du mal, un homme à écouter, un homme à suivre. Hassan lui-même entretient l'anecdote avec tout le soin et toute la patience d'un sagace fermier qui escompte une abondante moisson.

Simultanément, il continue à assimiler les techniques de formation utilisées à la maison de la Sagesse : il pressent que le pouvoir dont disposera quiconque saura raffiner les techniques de l'institution pourra être employé dans un contexte différent et à des fins différentes. Après quelques mois, accompagné de ses partisans les plus fiables, Hassan retourne dans la région où son père est né. Il a trouvé sa destinée. Investissant les richesses subtilisées au chah et recourant aux techniques de lavage de cerveau de la maison de la Sagesse, il crée une société meurtrière autour d'une spectaculaire tromperie.

Le plan de Hassan repose sur l'obtention de la confiance et de la loyauté d'une poignée de jeunes disciples en adaptant les méthodes dont la maison de la Sagesse est l'instigatrice. Après être arrivé dans les montagnes de l'Elbourz, il fait route vers une forteresse monumentale à l'ombre de hauts pics montagneux, au nord-ouest de ce qui est aujourd'hui la ville iranienne de Qazvin. La contrée exceptionnellement accidentée, avec l'aiguille volcanique du Demavend à proximité qui s'élève à presque six mille mètres d'altitude, constitue une barrière naturelle entre la mer Caspienne et les plaines mollement ondoyantes du centre de l'Iran. Depuis de nombreuses années, les chiites fuyant les persécutions des sunnites se réfugient dans l'Elbourz pour leur sécurité. Téhéran, la capitale, est à peine à cent kilomètres de distance, mais la région reste isolée même de nos jours.

Couronnant une crête rocheuse accidentée de presque un demi kilomètre de long et, en certains endroits de seulement quelques mètres de large, la forteresse a l'apparence, de loin, d'un mur de roc naturel – d'une blancheur aveuglante dans le soleil d'après-midi, d'un gris bleuté au crépuscule, mais d'un rouge sanguin à l'aurore. À l'approche du bâtiment, les voyageurs se heurtent à une pente raide et caillouteuse qui contrecarre toute tentative d'atteindre les murailles verticales. En fait, la forteresse est inaccessible si ce n'est par un abrupt escalier hélicoïdal dessiné de telle façon qu'un seul archer posté à son sommet peut le défendre.

Hassan connaît bien les lieux et le château, et il sait que plusieurs de ses gardiens sont en affinité avec les extrémistes chiites. Avec le concours de ces sympathisants, Hassan pénètre dans la forteresse et en affronte le propriétaire dont il exige qu'il lui cède la place forte. Fait étonnant, considérant la suite, Hassan verse à l'homme une somme raisonnable pour sa propriété, le congédie et prend ainsi le contrôle total du bastion sans avoir dû dégainer son glaive. Hassan renomme la forteresse Alamut, qui signifie Nid de l'aigle, et entreprend de la transformer en un centre de formation et de commandement voué à l'assassinat de ceux de ses ennemis qu'il choisit d'éliminer.

L'étape suivante consiste en l'aménagement, dans un coin retiré de la vallée, d'un jardin muré hors de portée de vue du château. Détournant par le jardin le cours de ruisseaux, Hassan y érige plusieurs fontaines et y installe quelques jeunes et belles *houris.* Selon le *Siret-al-Hakem* (*Mémoires de Hakem*), une geste arabe datant de l'époque, Hassan

> est le créateur d'un vaste jardin dont il assure l'irrigation. Au milieu du jardin, il construit un pavillon dont le toit s'élève à une hauteur de quatre étages et dont chacun des quatre côtés est percé de fenêtres richement ornementées, reliées par quatre cintres sur lesquels sont peintes des étoiles d'or et d'argent. Il a à son service vingt esclaves, dix hommes et dix femmes, venus avec lui de la région du Nil et qui ont tout juste atteint l'âge de la puberté. Il les vêt de soieries et du lin le plus fin, les couvre de bracelets d'or et d'argent [...].
>
> Il divise le jardin en quatre lots. Dans le premier, il y a des poiriers, des pommiers, des vignes, des cerisiers, des mûriers, des pruniers et d'autres arbres fruitiers. Dans le deuxième, il y a des oranges, des citrons, des olives, des grenades et d'autres fruits. Dans le troisième, il y a des concombres, des melons, des légumineuses et ainsi de suite. Dans le quatrième, il y a des roses, du jasmin, des tamarins, des narcisses, des violettes, des lys et des anémones [...].

Quelques années plus tard, Marco Polo traverse la région et décrit les lieux avec force détails :

> Entre deux montagnes, dans une vallée, il avait fait fortifier le plus grand jardin et le plus beau qui fût jamais, plein de tous les fruits du monde. Il y avait là les plus beaux palais et maisons qui jamais fussent vus, tout dorés et peints très joliment de tout ce qu'il y a de beau.

> Il y avait des conduits où couraient lait, vin, miel et eau. Le jardin était plein des dames et des demoiselles les plus belles du monde, qui savaient jouer de tous les instruments, dansaient et chantaient si bien que c'était un régal. Et le Vieux laissait entendre que le paradis se trouvait dans ce jardin. S'il l'avait fait ainsi, c'est parce que Mahomet dit que leur paradis sera de beaux jardins, pleins de conduits de vin, de lait, de miel et d'eau, qu'il sera plein de belles femmes dont chacun prendra sa jouissance – tout comme celui du Vieux. [...] Il y avait à l'entrée de ce jardin un château si fort que personne n'aurait pu le prendre et on ne pouvait entrer au jardin que par là. [...] Le Vieux dont je vous ai parlé a une cour grande et magnifique ; il fait croire à ces naïfs qui l'entourent qu'il est un grand prophète et c'est ce dont ils sont sûrs. [...] Et quand le Vieux veut faire tuer quelque grand personnage, il leur dit : « Allez et tuez ce personnage. Quand vous serez de retour, je vous ferai porter par mes anges au paradis et, si vous mourez, je commanderai à mes anges qu'ils vous reportent en paradis. »

Son paradis terrestre achevé, Hassan attire à Alamut de jeunes hommes de 12 à 20 ans et choisit ceux qui, estime-t-il, pourront devenir des tueurs. Il achète aussi à leurs parents des enfants non désirés et les forme avec autant de détermination qu'un éleveur de chevaux dresse aujourd'hui un futur gagnant du Derby. Parallèlement aux méthodes empruntées à la maison de la Sagesse, qui assurent la progression de l'étudiant jusqu'au rang promis à l'intérieur de la structure de commandement sphérique, Hassan propose une autre motivation aux jeunes hommes par des descriptions répétées des plaisirs du paradis. Une fois la curiosité des jeunes gens suffisamment aiguisée, Hassan leur révèle qu'il est capable de les transporter au paradis pendant un court laps de temps pour qu'ils puissent goûter ses plaisirs sans avoir à subir l'inconvénient de mourir au préalable.

Ceux qui semblent croire à cette histoire sont drogués avec du haschich et d'autres stupéfiants, jusqu'à ce qu'ils sombrent dans un sommeil profond, presque comateux. Dans cet état, on les transporte par un passage dérobé dans le pavillon du jardin secret. Dès que Hassan et ses loyaux acolytes sont rentrés à la forteresse, les *houris* aspergent les jeunes hommes de vinaigre pour les réveiller, obéissant ainsi aux ordres de Hassan. Elles informent les jeunes gens hébétés qu'ils sont entrés au paradis – une notion qui leur paraît plausible vu leur état d'intoxication. Dans une débauche de fruits et de vin, ils s'allongent sur des coussins de satin pendant que les *houris* comblent tous leurs fantasmes adolescents et probablement les excèdent. Les jeunes filles murmureraient alors à l'oreille de chacun des candidats :

> Nous souhaitons votre mort, parce que ce lieu vous est destiné. Ce n'est là qu'une des demeures du paradis, et nous sommes les *houris*, les enfants du paradis. Si vous étiez morts, vous seriez à jamais avec nous. Mais vous n'êtes qu'endormis et vous vous réveillerez bientôt.

Après un jour de ce leurre, les jeunes hommes sont une nouvelle fois drogués jusqu'à l'inconscience et retournés à la forteresse où on les laisse lentement se réveiller.

Lorsque Hassan et, par la suite, les chefs qui le remplacent leur demandent où ils étaient, ils répondent « Au paradis, par la grâce de Votre Grandeur ». Puis, à l'invitation de leur chef, ils décrivent minutieusement aux autres leur expérience. La convoitise de ceux qui boivent ces récits de belles jeunes femmes complaisantes, et de provisions inépuisables de fruits et de vin, doit sauter aux yeux.

« Nous avons l'assurance du Prophète, leur promettent Hassan et plus tard ses successeurs, que celui qui défend son seigneur héritera du paradis pour l'éternité et, si vous vous montrez obéissants à nos ordres, cet heureux sort sera le vôtre. » Les plus crédules ne s'en peuvent pas d'attendre.

Jusqu'à quel point le subterfuge est-il convaincant ? Assez pour que quelques adeptes se suicident, persuadés qu'ils accéderont instantanément au paradis et à tous ses prétendus délices – une pratique à laquelle Hassan met un terme en expliquant que seuls ceux qui meurent par obéissance à ses ordres reçoivent la clé du paradis. Tels sont les jeunes gens qui, se faisant passer pour des moines chrétiens, ont massacré Conrad de Montferrat et supporté en silence d'horribles tortures après leur capture. Tels sont les hommes qui se sont jetés d'une haute tour sur l'ordre de leur chef en signe de leur indomptable obéissance. Ils sont les premiers que l'on connaisse sous le nom de *haschischins* ou Assassins, instruments de vengeance et expédient politique dans tout le Proche-Orient.

Quelques historiens doutent de la vraisemblance que des hommes du XIIe siècle aient pu être aussi crédules et confiants; le récit, avancent-ils, serait allégorique ou, au mieux, apocryphe. D'autres leur rétorquent que les jeunes hommes en cause étaient impressionnables; ils invoquent aussi les relations d'Henri, comte de Champagne, et de Marco Polo comme preuves que la supercherie de Hassan a vraiment réussi. Dans une perspective contemporaine, certains événements récents permettent de déduire que ces procédés ont non seulement réussi à Hassan, mais qu'ils continuent d'être efficaces sur une base régulière, quasi quotidienne. Dans les rues de Bagdad, de Beyrouth et de Tel-Aviv, des jeunes hommes et de plus en plus de jeunes femmes commettent des actes terroristes en se sacrifiant comme bombes humaines, convaincus, pour plusieurs d'entre eux, qu'ils seront instantanément transportés au paradis. Sachant cela, il nous est difficile de douter de l'authenticité de ces récits sur Hassan et ses adeptes fanatiques. Le jeune musulman d'il y a un millénaire se trouvait rarement en présence d'une femme nubile hors du cercle familial. Un après-midi en compagnie d'une fille à peine vêtue et prête à l'initier aux plaisirs charnels produisait sûrement l'effet escompté sur un garçon pubère, effet que son état d'esprit induit par le stupéfiant ne pouvait qu'exacerber.

La manipulation par Hassan de ses jeunes partisans engendre plus que d'efficaces machines à tuer, elle génère de nouvelles fables qui prennent peut-être racine, ou peut-être pas, dans la réalité.

Comme le relate l'ouvrage ancien de Rahman de Damas, *L'art de l'imposture*, Hassan raffermit son emprise sur ses naïfs disciples en creusant une fosse étroite et profonde dans le plancher de ses appartements. Un jeune homme, que connaissent les autres résidents de la forteresse, est installé dans la fosse d'une manière telle que seule sa tête est visible au ras du sol. Après avoir rempli le vide autour du corps du jeune homme, Hassan pose à même le plancher une assiette composée de deux pièces et trouée en son centre qu'il passe au cou du jeune homme pour créer l'illusion que la tête repose sur un plateau. Et pour rendre l'attrape plus convaincante, on verse du sang frais dans le plat, ce qui parfait l'impression réaliste de tête tranchée.

On amène dans la salle des recrues, peut-être droguées au haschich, et la « tête » explique en leur présence qu'elle a suivi les ordres du maître, ce qui a valu à son propriétaire une place au paradis. Pendant que ses compagnons l'écoutent estomaqués, le jeune homme toujours vivant décrit tous les plaisirs qu'il y a goûtés : les fruits et le vin à volonté, les décors somptueux et les belles jeunes vierges empressées. Aux spectateurs qui écarquillent assurément les yeux, Hassan dit : « Vous voyez la tête d'un homme mort en exécutant mes ordres. Vous connaissez tous cet homme. J'ai voulu qu'il vous décrive de vive voix les plaisirs dont jouit son âme en ce moment même. Allez et accomplissez mes volontés. » Fort persuasif, le spectacle est rendu encore plus plausible quand, après le départ des recrues, Hassan tranche la tête bavarde – sans nul doute à la surprise de son propriétaire – et l'expose sur le parapet de la forteresse pour que chacun la voie. Ainsi leur ex-compagnon, croient alors les partisans de Hassan, goûte en vérité les plaisirs du paradis tandis qu'eux restent sur Terre. Quand pourront-ils enfin le rejoindre ?

Aucun des procédés employés par Hassan et ceux qui lui succèdent n'étonne les experts contemporains. Dans son livre *Thought Reform and the Pyschology of Totalism*, le psychiatre Robert Jay Lifton expose trois caractéristiques primordiales des sociétés secrètes, aussi efficaces de nos jours que du temps de Hassan. Les voici :

1. Un chef charismatique qui devient l'objet d'un culte quand les principes généraux qui ont cimenté le groupe à l'origine perdent leur efficacité.
2. Un procédé apparenté à la persuasion coercitive ou au conditionnement de l'esprit.
3. L'exploitation économique, sexuelle ou autre des membres du groupe par le chef et la clique dirigeante.

Les Assassins ne se montrent pas extrêmement sélectifs dans le choix de leurs victimes. Du temps des croisades, ils soutiennent sans discrimination le parti qui sert leurs intérêts, en poursuivant toujours leur vendetta contre les sunnites. Au moins en une occasion, ils conjuguent leurs forces avec celles des chevaliers du Temple, ennemis jurés de Saladin et de ses défenseurs islamiques de Jérusalem. Et en percevant des honoraires dans un commerce du meurtre sur commande, les Assassins se dotent d'une source de revenus substantiels au fil des ans.

Quand leur règne de terreur contre des cibles choisies est à son apogée, la simple rumeur qu'un individu a de quelque façon offensé Hassan ou a été élu comme victime suffit pour que l'homme prenne la fuite dans l'espoir de rester en vie. Mais peu réussissent à lui échapper.

À la certitude de la mort s'ajoute l'incertitude de l'heure et du lieu de l'exécution. Même Nizâm al-mulk, premier ministre du sultan, est découpé en pièces par un assassin se faisant passer pour un derviche alors que Nizâm, dans une litière, se dirige vers son harem, l'esprit probablement distrait par l'expectative de délices charnels au moment précis où la dague s'enfonce dans sa poitrine. Prévenu que les Assassins l'ont pris pour cible, l'*atabeg*[3] de Homs s'entoure en permanence d'un détachement

3. Atabeg est un titre de noblesse communément employé en Mésopotamie à compter du XIIe siècle. Le terme désigne le gouverneur d'un État – de rang inférieur à un empereur ou un roi, mais supérieur à celui d'un khan – ou le conseiller militaire d'un jeune prince inexpérimenté.

de gardes armés. Au moment où l'atabeg entre à la mosquée pour y prier, les gardes relâchent leur surveillance : en effet, qui oserait offenser Allah en commettant un meurtre en pareil instant ? En un clin d'œil, l'atabeg est encerclé par des Assassins qui le découpent en lanières. Et quand est décrété l'assassinat du marquis chrétien Conrad de Montferrat, deux Assassins déguisés en moines l'assaillent tandis qu'il converse avec l'évêque de Tyr à un banquet. Ils ne réussissent qu'à le blesser avant que l'un d'eux ne soit tué. Le second parvient à s'esquiver et à se dissimuler dans une chapelle où il sait que se rendra le marquis pour remercier d'avoir échappé à une mort certaine. De fait, le marquis se pointe et s'agenouille pour prier ; l'assassin sort de sa cachette, derrière l'autel, et finit le travail avant de mourir transporté de bonheur sous les coups des gardes.

Quand cela sert leurs fins, les Assassins optent pour l'intimidation plutôt que pour le meurtre pur et simple. Après qu'ils eurent expédié son fils dans l'autre monde à coups de dagues, Nizâm almulk fait serment de prendre la tête d'une armée comme on n'en a jamais vu, de marcher sur Alamut et d'annihiler la place forte et tous ses habitants. Un soir, arrivant en vue de la forteresse, Nizâm al-mulk établit son campement dans les avant-monts de l'Elbourz et se met au lit, confiant de se lever et de lancer, le lendemain, ses guerriers contre les Assassins qu'il rayera de la surface de la Terre. Quand il se réveille, au matin, il trouve dans le sable, près de sa tête, une dague enfoncée jusqu'à la garde, dont la lame traverse une note l'avertissant qu'il ne doit espérer rien d'autre, pour lui-même et son armée, que l'anéantissement.

Aucun membre de l'entourage de Nizâm al-mulk ne peut expliquer comment la dague et la note se sont retrouvées là. On n'a vu personne approcher de sa tente. S'agirait-il de fantômes ou d'esprits ? Quoi qu'il en soit, Nizâm al-mulk décide de contremander l'attaque, donne ordre à ses armées d'éviter la région dans l'avenir et laisse à Hassan et ses partisans entière liberté d'action dans tout le monde musulman.

À mesure que grandissent son pouvoir et sa fortune, Hassan étend son autorité, acquiert et renforce dans les abrupts de l'Elbourz des fortifications inexpugnables, sauf par les armées les plus nombreuses et les plus dévouées. Les années passant, le portrait que l'on trace de Hassan accuse de plus en plus, nous semble-t-il, les traits d'un père. Lui-même et chacun de ses successeurs à la tête d'un groupe d'Assassins, y compris le dâ'i al-Khadir, sont connus sous le nom de Vieux de la montagne.

Les Assassins ne s'en prennent pas exclusivement aux personnalités politiques ou spirituelles, pas plus qu'ils ne mésestiment le pouvoir de la psychologie pour parvenir à leurs fins, comme le démontre leur intimidation du sultan. L'imam Fakhr al-dîn al-Râzi, un des grands esprits de son temps, est assez inconséquent pour insulter les Assassins en répétant qu'ils ne sont pas des théologiens qualifiés – jusqu'à la visite d'un délégué du groupe qui offre à l'imam de choisir ou la mort d'un coup de dague ou une pension annuelle de mille pièces d'or. Les réprobations de l'imam cessent promptement, ce qui incite un confrère à demander au savant pourquoi il ne s'en prend plus aux Assassins. Le vieil homme jette un regard furtif autour de lui et murmure : « Parce que leurs arguments sont fort pénétrants. Et pointus. »

La crainte qu'inspirent les Assassins est nourrie non seulement par leur férocité, mais aussi par l'imprévisibilité de leurs interventions et la virtuelle impossibilité de prévenir leurs coups, une fois qu'un ordre leur a été donné. Hassan et ses successeurs créent et perfectionnent la stratégie des « cellules dormantes » : des tueurs entièrement dédiés à la cause, dépêchés dans des communautés éloignées de centaines de mille de leur point d'origine, avec pour mission de se fondre dans la société locale jusqu'à ce que leur soit donné l'ordre d'agir. Ces fidèles peuvent attendre des années avant qu'un envoyé se mette en rapport avec eux. Dès lors, ils peuvent approcher la victime sans éveiller de soupçons sur leur identité ou leurs intentions. Et s'ajoute à la difficulté l'attitude de l'assassin – flegmatique, presque affable, ne redoutant pas les représailles, en fait les souhaitant comme son ticket pour le paradis.

Sous la férule de Hassan et de ses lieutenants, les Assassins terrorisent le Proche-Orient jusqu'au XIIIe siècle inclusivement. Le fils de Hassan et ses loyaux disciples prennent le commandement après la mort du fondateur, dont au moins trois générations des descendants poursuivent l'œuvre. Mais même les assassins ne résisteront pas à la brutalité des Mongols.

Le petit-fils de Hassan se permet le premier accroc à la tradition au sein du mouvement meurtrier. Dès son accession au poste d'imam, en 1210, Jalâl al-dîn Hasan III pose un geste inconcevable: il se convertit à la foi sunnite, restaure la loi islamique et invite même des professeurs sunnites à séjourner à Alamut. Sa prétendue conversion a moins à voir avec la théologie qu'avec le pragmatisme et la survie: des hordes de Mongols, dont la légendaire férocité donne des sueurs froides même aux Assassins, commencent à déferler dans les steppes de la Perse. En face d'un ennemi commun, chiites et sunnites mettent de côté leurs différends pour assurer mutuellement leur défense.

Muhammad III, appelé aussi 'Alâ al-dîn (sommet de la foi) et dont le nom est occidentalisé en Aladin, n'hérite malheureusement pas le discernement de son père Hasan III. Muhammad ramène ses gens à la foi chiite et surpasse en cruauté tous les chefs des Assassins, à un point tel que, pour la plupart, les historiens le considèrent dément. Il est si insupportable que ses partisans lui retirent rapidement leur allégeance pour l'offrir à son fils Rukn al-dîn Khûrshâh, qui tente de négocier un accord avec les Mongols de plus en plus nombreux à infiltrer la région montagneuse.

C'est trop tard. Au milieu du XIIIe siècle, le chef mongol Hülegü khan entreprend d'attaquer méthodiquement chaque place forte des Assassins en montagne. Usant de tromperie, de brutalité et de la force de frappe d'armées écrasantes, les Mongols s'emparent des forteresses une à une, en massacrent les habitants, et du paradis sur Terre savamment aménagé ne laissent que ruines.

Les Assassins sont trop zélés, trop fanatiques et trop nombreux pour être totalement éliminés, même par les Mongols qui balaient la région comme un tsunami de carnage. Quelques-uns réussissent à se réfugier en Inde, où on les connaît peu à peu sous le nom de *khojas* (honorables convertis) et où ils reprennent leurs activités sur une plus petite échelle. Des vestiges de la secte subsisteraient toujours en Iraq, en Iran et en Syrie, mais ne seraient guère plus que des groupuscules de chiites militants.

La secte des Assassins est plus que le prototype précoce de « Murder Inc. ». Son influence se fait encore sentir de nos jours sous des formes bénignes et malignes. La configuration en cercles concentriques de la maison de la Sagesse, reprise par Hassan, est devenue le prototype d'organisations fermées et de sociétés secrètes. La plus célèbre d'entre elles est la franc-maçonnerie, dont la structure organisationnelle s'inspire de celle des chevaliers du Temple, réputés s'être alliés aux Assassins pendant les croisades.

Les adeptes les plus extrémistes et les plus loyaux de Hassan et de ses successeurs sont ensuite connus sous le nom de *fedayin*, nom toujours accolé aux fanatiques islamistes en guerre contre les ennemis du Prophète – qu'il s'agisse des Occidentaux infidèles ou de musulmans qui dévient du droit chemin. La motivation de la plupart d'entre eux, y compris des jeunes hommes fanatiques qui détournent des avions américains pour les lancer sur les tours du World Trade Center le 11 septembre 2001, continue d'être la promesse d'un éternel paradis, aiguillon qui semble efficace même sans l'effet persuasif des « bandes-annonces » imaginées par Hassan.

La tactique qui consiste à implanter, comme « agents dormants » dans une société ciblée, des partisans fanatiques candidats au suicide et prêts à supprimer autant de gens que nécessaire au nom de la cause, découle aussi d'un héritage vieux de mille ans. Mais la promesse du paradis et la réalité du fait que des adeptes s'immergent volontairement des années durant dans la culture même qu'ils ont juré de détruire sont bien connus de tous ceux qui ont entendu parler d'al-Qaida.

Al-Qaida ne reproduit pas intégralement le modèle institué par les Assassins. Leur présumé chef, Oussama ben Laden, est sunnite, et non chiite, même si des éléments extrémistes des deux factions font front commun contre une bonne partie du monde occidental. Et alors que les Assassins recrutaient de jeunes hommes pour en faire des tueurs suicidaires sur la promesse qu'ils se retrouveraient instantanément au paradis et dans les bras de *houris* languissantes, des factions musulmanes violentes sont récemment parvenues à recruter des jeunes femmes pour de semblables missions, en faisant vraisemblablement fond sur leur seul dévouement en vue de la victoire du groupe. De toute évidence, cependant, le lien entre les Assassins de Hassan et l'al-Qaida de ben Laden reste inentamé. Si Hassan, le Vieux de la montagne, devait faire la connaissance d'Oussama ben Laden, le chef d'al-Qaida, ils se regarderaient comme des compatriotes, des frères dans l'âme.

2

TEMPLIERS, ILLUMINATI ET FRANCS-MAÇONS

Le centre secret du pouvoir

QUELS SONT, parmi les membres des diverses sociétés secrètes qui s'affairent furtivement à la surface de la Terre, les plus dangereux, ceux-là qui ont le pouvoir de changer notre existence et d'orienter le cours de l'histoire ? Selon des sources qui se réclament d'une connaissance intime de la véritable finalité du groupe, il s'agirait des francs-maçons. Entre autres applications de leurs pouvoirs occultes, si l'on en croit les ouï-dire, les conspirateurs maçonniques choisiraient les chefs politiques internationaux, déclencheraient les guerres, contrôleraient les monnaies et infiltreraient la société. Dès que quiconque remet en cause cette prémisse, les théoriciens de la conspiration débitent une impressionnante ribambelle de preuves, à commencer par l'énumération des hommes influents dans l'histoire qui ont incontestablement été associés à la franc-maçonnerie, dont plusieurs signataires de la déclaration d'Indépendance américaine. Qui surpasse, au panthéon des héros et grands penseurs américains, les Benjamin Franklin, George Washington et Andrew Jackson ? Tous francs-maçons. En fait, au moins vingt-cinq présidents et vice-présidents des États-Unis ont été des membres actifs et enthousiastes de la franc-maçonnerie. Deux d'entre eux – Harry Truman et Gerald Ford – pouvaient s'enorgueillir d'être parvenus au trente-troisième grade, le plus haut niveau de reconnaissance au sein de l'organisation.

Qu'un club privé aux rituels secrets se soit élevé au rang d'incubateur de chefs, de visionnaires et d'intellectuels, est en soi un remarquable accomplissement. Selon toute apparence, la franc-maçonnerie semble inspirer les hommes d'un talent exceptionnel bien davantage que toute autre organisation – des Boy Scouts jusqu'aux boursiers Rhodes. Qu'est-ce qui, dans ses valeurs et ses structures, engendre d'aussi précoces génies ?

Pour quelques rares historiens fanatiques – presque tous maçons eux-mêmes – les prouesses de cette société prennent racine dans son affiliation historique et inspiratrice aux chevaliers du Temple qui, d'abord défenseurs de la foi chrétienne, sont devenus les banquiers de l'Europe médiévale et les victimes des machinations d'un roi cupide et d'un pape complice.

Jadis acclamés et admirés pour leurs exploits chevaleresques et leurs bonnes œuvres au nom du christianisme, les chevaliers du Temple protègent en effet les pèlerins en route vers la Terre sainte et combattent les armées islamiques pour le contrôle de Jérusalem. Authentiques chevaliers à une époque où ce titre impose le respect et suscite l'admiration, ils se plient aux règles de chevalerie et d'ascétisme, vouent leur existence à la gloire de Dieu et à la protection des pèlerins chrétiens.

Voilà pour le côté admirable de cette société. Son côté plus sombre recèle des rumeurs d'associations entre templiers et Assassins, la substitution d'une criante cupidité à de nobles valeurs morales, le dépérissement de traits de caractère dignes d'éloge, et la poursuite d'obscènes et blasphématoires pratiques. Des particularités non exemplaires pour une organisation bien en vue qui veut inspirer le respect, et encore moins pour une organisation qui se pique d'apporter au monde des chefs et, à la communauté, des bienfaits. Mais nature ténébreuse et suspicion fournissent la trame et la couleur nécessaires à un groupe ultérieur dont l'objectif originel est de sauvegarder les secrets d'artisans. En cours de route, le chef spirituel des templiers s'arrange pour qu'on le compare au Christ, et peut-être même pour qu'on le confonde avec lui.

Les templiers sont un produit des croisades. Et, contrairement à la croyance populaire, les croisades ne sont pas le fruit d'un idéal chevaleresque ou d'une totale abnégation à la foi chrétienne, mais celui d'un impératif féodal.

Les historiens, comme c'est leur habitude, discourent autant sur la définition de la féodalité que sur sa structure, et quelques-uns rejettent même maintenant le concept d'« âge féodal ». Les Européens vivant dans la période qui s'étend de l'an 800 à l'an 1300 après Jésus-Christ, quel que soit le qualificatif qu'on lui appose, connaissent un mode de vie qui sert de pont entre la fruste barbarie et les origines de la démocratie. Pendant cet âge, les rois ont beau revendiquer l'entière autorité sur des contrées que nous connaissons maintenant comme la France, l'Allemagne ou la Grande-Bretagne, les régions rurales sont dans les faits gouvernées par des seigneurs et des barons, non par les monarques. Imposant leur volonté sur les terres qu'englobe leur domaine, les seigneurs rendent la justice, lèvent des impôts et des droits de passage, frappent leur propre monnaie et soumettent au service militaire les citoyens habitant leurs terres. En fait, les seigneurs peuvent pour la plupart réunir de plus grandes armées que le roi, souvent souverain de nom seulement.

La structure de la société comporte plusieurs strates clairement définies. Les serfs constituent la couche inférieure : ils exécutent les tâches essentielles et n'ont aucun droit sur la richesse qu'ils créent. Les vassaux exploitent la terre pour le compte des seigneurs ; les chevaliers, dont les vertus premières consistent en des avoirs suffisants pour posséder cheval et armure, s'acquittent de missions pour le compte des seigneurs ; et le clergé dispense, au besoin, les secours spirituels. À leur tour, les seigneurs sont considérés comme des vassaux par de plus puissants suzerains et tous sont officiellement vassaux du roi.

La loyauté féodale s'exerce dans les deux sens. Les citoyens font serment de fidélité au seigneur, paient les impôts qu'il lève et se présentent à la cour quand ils y sont convoqués. L'une des obligations du seigneur est la protection de ses vassaux contre les envahisseurs, un devoir qui est bien évidemment autant à son avantage qu'à celui de ses vassaux.

De cet ordonnancement linéaire, assujetti à l'influence du christianisme, naît l'idée de chevalerie. Peut-être inspirés par les récits bibliques des actions du Christ, vassaux et chevaliers qui veillent sur les intérêts et les biens de leur suzerain ennoblissent le concept par des expressions comme « fière soumission » et « sublime obéissance ». Formulé de la sorte, un comportement qui semble mimer la relation maître/esclave se convertit en quelque chose de plus honorable et de plus estimable. Aussi contradictoire que cela puisse paraître, un individu peut alors gagner en stature en s'abaissant pour servir une noble cause. La littérature populaire laisse voir que l'incitation à une conduite chevaleresque part d'un intérêt sentimental pour une élégante dame qui a ravi le cœur du chevalier et à laquelle ce dernier jure une éternelle vénération. En réalité, le chevalier n'engage sa « fière soumission » qu'envers Dieu, ou le seigneur dont dépend son sort. L'aspect sentimental de la conduite chevaleresque, qui exalte la féminité en conjuguant le culte de la Vierge et un désir sexuel réprimé, reste une source d'inspiration pour bien des œuvres romanesques, mais il est à l'origine le sous-produit d'une motivation plus profonde.

Les exigences de la chevalerie sont rigoureuses. On s'attend à ce que soient remplies les obligations; ainsi vassaux et chevaliers acceptent le devoir sacré de défendre par les armes l'honneur et les biens de la classe qui leur est supérieure. Comme la structure pyramidale de la société médiévale pose le Christ à son sommet, seigneurs, chevaliers et vassaux sont pareillement tenus de défendre Son droit et Son honneur.

Une fois la féodalité solidement établie dans toute l'Europe, seigneurs et chevaliers, suivis du cortège de leurs serviteurs, prennent l'habitude des pèlerinages à Jérusalem pour exprimer leur foi chrétienne. Reprenant un usage des anciens Grecs, qui se tapaient le long et pénible voyage jusqu'à Delphes en quête de sagesse, les chrétiens d'Europe se mettent à faire des pèlerinages en Terre sainte, d'abord en l'honneur du Christ, ensuite comme moyen de se purifier de leurs péchés et, plus tard, sur les ordres exprès du pape.

Parmi les premiers pèlerins de marque désireux de retrouver une âme sans souillure, mentionnons Frotmond de Bretagne, qui a tué son oncle et son jeune frère, et Foulques dit Nerra (« le Noir »), comte d'Anjou, qui a fait brûler sa femme vivante – preuve d'un grave désaccord conjugal et d'une violence abusive même en cette tumultueuse époque antérieure au féminisme. Les deux hommes tâchent d'obtenir la rémission de leurs fautes par un pèlerinage en Terre sainte ; ils y réussissent tous deux, bien que de manière fort différente.

Après des années à parcourir les côtes de la mer Rouge et à explorer les montagnes d'Arménie à la recherche de reliques de l'arche de Noé, Frotmond rentre chez lui, enveloppé dans le réconfort du pardon pour le meurtre de ses proches, et passe le reste de ses jours au couvent de Redon. Pour racheter ses fautes, Foulques arpente les rues de Jérusalem escorté de serviteurs qui le frappent à coups de verge pendant qu'il répète : « Seigneur, aie pitié d'un chrétien parjure et infidèle, d'un pécheur errant loin de chez lui. » Son évidente sincérité impressionne tellement les musulmans qu'ils le laissent entrer dans le tombeau sacré, dont l'accès est normalement interdit aux chrétiens, où il se prosterne à même le sol incrusté de pierreries. Tout en gémissant sur son âme scélérate, Foulques trouve tout de même le moyen de détacher quelques pierres précieuses qu'il glisse dans sa poche, mine de rien.

L'exemple montré par Frotmond, Foulques et d'autres a un retentissement sur les chrétiens fervents. Vers l'an 1050, se rendre en pèlerinage en Terre sainte est considéré, pour tout chrétien en mesure de l'accomplir, comme un devoir qui soulage sa conscience et apaise le courroux de Dieu, et l'Église se met à imposer couramment un pèlerinage comme pénitence. Dès 1075, les routes des pèlerinages sont déjà aussi bien tracées et fréquentées que les routes commerciales.

L'itinéraire des pèlerins, qui longe habituellement la côte de l'Adriatique avant de se poursuivre par voie terrestre jusqu'à Constantinople et de traverser l'Asie Mineure jusqu'à Antioche, n'est ni plus ni moins périlleux que tout autre voyage sur une distance comparable. Ce parcours consacré est un facteur décisif quand l'empereur byzantin Alexis Ier Comnène prie le pape Urbain II de l'aider à écraser les tribus musulmanes turques connues sous le nom de Seldjoukides. Après s'être emparés de l'Anatolie, province la plus riche de l'empire byzantin, les Seldjoukides occupent Antioche, Tripoli et finalement Jérusalem. Ils semblent maintenant vouloir jeter leur dévolu sur Constantinople. Si le pape peut rassembler une armée de chrétiens zélés pour seconder les troupes byzantines, avance Alexis, les effectifs réunis réussiront à reprendre Antioche et à ramener Jérusalem sous autorité chrétienne.

La promesse d'un gouvernement chrétien pour la Terre sainte, étayée par la perspective de richesses soustraites au trésor personnel de l'empereur de Byzance, suffit à donner à Urbain II l'idée de lancer la première guerre sainte sanctionnée par la papauté. Ainsi, presque deux cents années d'horribles massacres de part et d'autre découlent-elles d'un objectif aussi bien mercantile que spirituel, et la première de neuf croisades se met-elle en branle en 1096, fouettée par le cri de ralliement d'Urbain: *Deus vult!* (Dieu le veut!).

Même pour le plus pieux des chrétiens, prendre part à une croisade est une grave décision. Cela signifie au moins deux années de voyage, par des contrées accidentées et souvent hostiles, voyage dont la durée est cependant écourtée lors des croisades ultérieures par la traversée à la voile de la Méditerranée depuis la Provence. Pour se nourrir et se loger pendant le long trajet, de l'Europe à la Palestine et au retour, pèlerins et croisés se heurtent à la franche hostilité des musulmans aussi bien que des administrateurs grecs orthodoxes. Pour cette raison, Gérard de Martigues fonde à Jérusalem un hôpital qui sert aussi d'asile. Constituées de douze demeures contiguës, les installations abritent des jardins et une imposante bibliothèque. Bientôt, les marchands de la région créent à proximité une place du marché pour y faire le commerce avec les pèlerins et versent aux administrateurs de l'hôpital deux pièces d'or pour le droit de monter leurs étals.

L'occasion est trop belle pour que les entrepreneurs médiévaux la laissent filer. Quand le flot de pèlerins s'enfle et devient une marée constante, un groupe de marchands italiens de la région d'Amalfi fonde près de l'église du Saint-Sépulcre un deuxième hôpital, tenu par des moines bénédictins et doté de sa propre et lucrative place du marché. Bientôt, cette deuxième institution est débordée, ce qui incite les moines à créer un troisième hôpital qu'ils dédient à saint Jean l'hospitalier.

Les hommes de saint Jean l'hospitalier donnent au concept une nouvelle et plus haute vocation spirituelle. Ils vouent leur existence à assurer la sécurité et le confort des pèlerins, traitent leurs clients comme leurs propres maîtres et créent ainsi le prototype de toutes les organisations charitables qui lui succéderont, sans jamais que soient égalés le dévouement et l'humilité de ses membres. Cette façon de faire, bien sûr, est le reflet des véritables origines et idéaux de la chevalerie et elle séduit plusieurs chevaliers qui mettent de côté leurs ambitions militaires pour imiter plutôt les plus charitables enseignements de Jésus-Christ. Ils ne se départissent toutefois jamais totalement de leur port et de leur discipline militaires. Avec ceux qu'ils servent, les chevaliers sont généreux et compatissants ; entre eux, ils sont stricts et austères. Ils prononcent des vœux de pauvreté, de chasteté, d'obéissance, et ils ont pour habit un manteau noir orné d'une simple croix blanche sur la poitrine. Ils se donnent le nom d'Ordre souverain militaire et hospitalier Saint-Jean-de-Jérusalem, de Rhodes et de Malte, mais on les connaît simplement comme les hospitaliers.

Les vœux de pauvreté, de chasteté et d'obéissance des hospitaliers s'accordent peut-être à leurs obligations de conduite chevaleresque (ils préfigurent et facilitent sans nul doute leur entrée au paradis), mais ils ne les protègent guère contre les dangers d'une attaque par divers groupes factieux actifs en Terre sainte. Avec le temps, les hospitaliers se consacrent presque autant à leurs occupations militaires pour la défense de l'ordre qu'à leurs activités de bienfaisance. Ils sont après tout pour la plupart des chevaliers armés, nobles de naissance et attachés aux hautes exigences de la vraie chevalerie.

Ils sont aussi humains que n'importe qui d'autre, de cette époque ou de la nôtre, et quand de puissants duchés européens manifestent leur admiration pour les hospitaliers en leur cédant de vastes terres en Europe, ils les acceptent avec plaisir. En plus de cette source de revenus, ils s'arrogent le droit de saisir le butin confisqué aux combattants musulmans vaincus. Au moment où meurt Gérard, en 1118, les hospitaliers jouissent d'actifs substantiels provenant de leurs protecteurs et d'une exceptionnelle indépendance à l'égard des autorités ecclésiastiques. Ce qui, au départ, est l'expression d'un dévouement désintéressé pour les pauvres, les blessés et les morts, se transforme en une organisation plus apparentée à un comité d'entraide des temps modernes, dont les membres bien nantis sont intéressés au moins autant à fraterniser entre eux et à accroître leur prestige social qu'à aider leurs voisins.

Les hospitaliers sont peut-être des militaires très capables, mais leur raison d'être reste tout de même le service social. Combattre les musulmans tout en remplissant leurs obligations les détourne de leur objectif premier ; les hospitaliers ont besoin que d'autres consacrent autant d'énergie à lutter contre l'ennemi qu'ils en investissent à prendre soin des chrétiens.

Il peut sembler cynique de supposer que la fortune accumulée par les hospitaliers, dans le sillage de leurs services charitables, ait aiguillonné leurs frères les plus renommés, mais l'histoire laisse croire qu'elle aurait joué un rôle. Quoi qu'il en soit, une nouvelle société voit le jour moins de dix années après le décès de Gérard. Elle est constituée à l'origine de neuf chevaliers dirigés par Hugues de Payns, et ses membres se revendiquent des mêmes caractéristiques pieuses et ascétiques par lesquelles se sont signalés les premiers hospitaliers. Le nouveau groupe concentre toutefois son attention sur les périls que courent pèlerins et croisés – à une époque où la frontière entre les deux devient de plus en plus floue et presque futile – pendant leur long et pénible voyage jusqu'en Terre sainte et leur séjour à Jérusalem.

Les risques découlent de plusieurs menaces. Égyptiens et Turcs s'irritent de ce qu'on s'introduise dans leurs contrées et les traverse ; les musulmans qui habitent Jérusalem s'opposent à la présence des pèlerins ; les tribus arabes nomades assaillent et détroussent les voyageurs ; enfin, les chrétiens syriens manifestent de l'hostilité à l'endroit des étrangers.

À ses débuts, le groupe doit pour une bonne part sa réputation d'humilité et de bravoure à la personnalité d'Hugues de Payns, décrit comme « doux de caractère, entièrement dévoué à la cause, et sans merci au nom de la foi ». Le concept d'une personne à la fois douce de caractère et sans merci peut sembler contradictoire au lecteur de sensibilité moderne, mais pour l'observateur médiéval, ces traits sont parfaitement compatibles. Vétéran de la première croisade, aguerri au combat, de Payns prend grand plaisir à rappeler le nombre de musulmans qu'il a occis sans apparemment qu'en soit altérée sa disposition charitable au quotidien. Et pourquoi en serait-il autrement ? Même le très pieux Bernard de Clairvaux déclare que tuer des musulmans n'est pas un homicide, mais un « malicide » : c'est tuer le mal. Des milliers de musulmans tombés en Terre sainte auraient pu se permettre de différer d'opinion, mais on leur demandait rarement leur avis.

Totalement dévoué à l'adoration de Dieu et à l'extermination des musulmans, Hugues de Payns rassemble donc autour de lui des hommes qui s'engagent à protéger les pèlerins du danger aussi bien que les hospitaliers les soignent et les nourrissent. Les membres du nouveau groupe, annonce de Payns, allieront les vertus des moines ascétiques et des valeureux guerriers, mèneront une vie de chasteté et de piété, et mettront leur épée au service de la chrétienté. Pour les aider à remplir leurs fonctions quelque peu contradictoires, ils choisissent comme patronne La Dolce (Douce) Mère de Dieu et font vœu de vivre selon la règle de saint Augustin.

Alors roi de Jérusalem, Baudoin II est suffisamment impressionné par la nature et les objectifs du groupe pour lui allouer une aile de son palais comme quartiers et un traitement annuel pour le soutenir dans sa mission. On accède à leur logement par un étroit passage attenant à l'église et au couvent du temple, aussi se désignent-ils comme la milice du Temple ou les templiers.

Avec le temps, les templiers font grande impression sur bien des nobles qui leur offrent le même genre d'aide pécuniaire que celle dont ont profité les hospitaliers. Quand un comte français annonce qu'il contribuera annuellement une somme de trente livres d'argent pour soutenir les activités des templiers, d'autres lui emboîtent le pas et bientôt le mouvement naissant croule sous le genre de richesses qu'il avait à l'origine l'intention de repousser.

Il faut concéder aux templiers que, pendant les premières années de leur existence, ils résistent à la tentation d'utiliser leur fortune grandissante à quelque autre fin que le secours et la défense des pèlerins. Sept années après la création de la milice, Bernard de Clairvaux écrit des templiers :

> Ils vont et viennent au commandement de leur chef. [...] Ils vivent rigoureusement en commun dans une douce mais modeste et frugale société, sans épouses et sans enfants ; bien plus, suivant les conseils de la perfection évangélique, ils habitent sous le même toit, ne possèdent rien en propre et ne sont préoccupés que de la pensée de conserver entre eux l'union et la paix.

> Aussi dirait-on qu'ils ne font tous qu'un cœur et qu'une seule âme, tant ils s'étudient, non seulement à ne suivre en rien leur propre volonté, mais encore à se soumettre en tout à celle de leur chef.
>
> Jamais on ne les voit rester oisifs où se répandre çà et là poussés par la curiosité; mais quand ils ne vont point à la guerre, ce qui est rare, ne voulant pas manger leur pain à ne rien faire, ils emploient leurs loisirs à réparer, raccommoder et remettre en état leurs armes et leurs vêtements, que le temps et l'usage ont endommagés ou mis en pièces ou en désordre; ils font tout ce qui leur est commandé par leur supérieur, et ce que réclame le bien commun de la communauté.
>
> On n'entend, parmi eux, ni parole arrogante, ni éclats de rire, ni plus léger bruit, encore moins des murmures, et on n'y voit aucune action inutile; d'ailleurs aucune de ces fautes ne demeurerait impunie.
>
> Ils ont les dés et les échecs en horreur; ils ne se livrent ni au plaisir de la chasse ni même à celui généralement si goûté de la fauconnerie. Ils détestent et fuient les bateleurs, les magiciens et les conteurs de fables, ainsi que les chansons bouffonnes et les spectacles, qu'ils regardent comme autant de vanités et d'objets pleins d'extravagance et de tromperie.
>
> Ils se coupent les cheveux, car ils trouvent avec l'Apôtre que c'est une honte pour un homme de soigner sa chevelure.
>
> Négligés dans leur personne et se baignant rarement; on les voit avec une barbe inculte et hérissée et des membres couverts de poussière, noircis par le frottement de la cuirasse et brûlés par les rayons du soleil.
>
> […]
>
> Il est aussi singulier qu'étonnant de voir comment ils savent se montrer en même temps, plus doux que des agneaux et plus terribles que des lions, au point qu'on ne sait s'il faut les appeler des religieux ou des soldats, ou plutôt qu'on ne trouve pas d'autres noms qui leur conviennent mieux que ces deux-là, puisqu'ils savent allier ensemble la douceur des uns à la valeur des autres.

Leur vie n'est pas exactement rose. Même les moines cisterciens, qui sont des modèles pour les templiers, prennent plaisir à l'existence tout en veillant à éviter de courir le risque de mourir au champ de bataille. Vu ces conditions, seuls des hommes de la nature la plus noble et de la plus authentique vertu peuvent embrasser la vocation de templier, mais il est difficile aux jeunes gens pieux et ambitieux de résister à l'appel de la chevalerie. Un nombre impressionnant d'entre eux aspirent à devenir membres des templiers, grossissent les rangs et accroissent la notoriété de l'ordre parmi la noblesse européenne qui lui signifie son appui en s'engageant à lui donner argent et terres, parfois même ses fils.

Comme les effectifs des templiers augmentent, l'organisation se dote formellement d'une structure. On institue trois classes : les chevaliers, hommes de familles nobles, ni mariés ni fiancés, exempts de dette personnelle ; les aumôniers, tenus de faire vœu de pauvreté, de chasteté et d'obéissance ; et les frères servants, hommes fortunés et talentueux, mais à qui manque la haute naissance nécessaire pour être reçu chevalier. Dans la suite, les derniers se diviseront en frères d'armes, ou écuyers, qui combattent aux côtés des chevaliers, et en frères convers, ou lais, qui vaquent aux tâches domestiques (cuisine, forge, soins des bêtes), dont on fait très peu de cas au sein de l'ordre.

Tant les chevaliers que les aumôniers doivent se soumettre à un rigoureux processus d'initiation dont l'usage, qui s'est perpétué sous une forme modifiée jusqu'à nos jours, est à la racine même de la perception des templiers et de leurs « descendants » comme des membres d'une société secrète.

Le soir de son admission dans l'ordre, le postulant est introduit dans une chapelle en présence des autres chevaliers. Personne d'autre ne peut assister à la cérémonie, pas plus que le candidat ne peut divulguer à quel moment ou en quel lieu elle se tiendra, ni même si elle aura lieu.

Le rituel consiste essentiellement à prévenir le postulant des difficultés qui l'attendent et à exiger qu'il jure devant Dieu fidélité à la mission des templiers. En lisant aujourd'hui un compte rendu de la cérémonie, on a l'impression que l'initiation est une espèce de camp d'entraînement médiéval. Quand il souhaitera aller au lit, dit-on au candidat, il lui sera ordonné de monter la garde. Quand il souhaitera monter la garde, on lui ordonnera d'aller au lit. Lorsqu'il souhaitera manger, on lui ordonnera de travailler. Peut-il se plier à ces conditions ? Il lui faut donner à chaque question, d'une voix forte et claire, la réponse : « Oui, monsieur, avec l'aide de Dieu ! » L'initié doit promettre de ne jamais frapper ni blesser un chrétien ; de ne jamais accepter assistance ou service d'une femme sans l'approbation de ses supérieurs ; de ne jamais embrasser une femme, même sa mère ou sa sœur ; de ne jamais tenir un enfant sur les fonts baptismaux ni être parrain ; et de ne jamais calomnier ni invectiver un innocent, mais de se montrer toujours courtois et poli.

Qui pourrait résister à un ordre qui se dédie à une conduite aussi chevaleresque et à de si héroïques vertus chrétiennes ? Pas l'Église. En 1146, le pape Eugène III décrète que les chevaliers du Temple pourront porter une croix rouge sur leur tunique blanche (couleur choisie pour se démarquer des hospitaliers) en signe du martyre auquel ils s'exposent, et ils seront désormais affranchis de toute supervision papale, y compris du risque d'excommunication. Ce qui augmente encore l'afflux, dans leur trésorerie, de terres, de châteaux et d'autres biens offerts par des protecteurs impressionnés.

Mais la résistance aux perpétuelles tentations a ses limites, et sont bientôt semés dans l'ordre les germes de la décadence. Des rumeurs veulent que les templiers extorquent les Assassins. Le bruit découle de la liquidation de Raymond, comte de Tripoli, présumée être l'œuvre des Assassins. En guise de riposte, les templiers infiltrent le territoire sous contrôle des Assassins dont ils exigent un tribut de douze mille pièces d'or au lieu de les provoquer au combat. Si aucun document ne prouve que les Assassins consentent un tel paiement, ils dépêchent à quelque temps de là un envoyé à Amaury, alors roi de Jérusalem, et offrent de se convertir au christianisme si les templiers renoncent au tribut. Il semble de toute évidence qu'ils parviennent à une sorte d'accommodement.

Plus tard, des templiers interceptent dans le désert le sultan Abbas d'Égypte en fuite avec son fils, son harem et une bonne partie du trésor égyptien. Après avoir tué le sultan et s'être emparés du trésor, les templiers proposent un marché à ses ennemis: ils retourneront le fils au Caire, en échange de soixante mille pièces d'or. Cela aurait pu être considéré à l'époque comme un troc banal, n'eût été le fait que le fils avait déjà convenu de se convertir au christianisme, motif suffisant pour lui laisser la vie sauve. Au lieu de quoi, une fois le marché bâclé entre templiers et Égyptiens, le fils est renvoyé dans une cage de fer en Égypte où, comme les templiers et lui-même le savent, il mourra dans d'interminables tortures.

Des incidents comme celui-ci marquent le déclin de la milice du Temple qui, d'ordre ascétique voué à la défense du pauvre et du faible, se transforme en une organisation obnubilée par les gains matériels comme n'importe quelle entreprise privée des temps modernes. En fait, les templiers créent un vaste réseau bancaire à seule fin d'acheminer de l'argent et des trésors entre la Palestine et l'Europe, activité totalement incompatible avec leurs présumés vœux de charité et de pauvreté.

Leur corruption ne s'arrête pas à l'argent, et leur conversion d'un ascétisme strict à un matérialisme débridé a son équivalent dans n'importe quelle anecdote contemporaine de pauvres devenus riches. Ils se montrent de plus en plus hautains et cupides plutôt que modestes et humbles, et recourent à tout subterfuge à leur disposition pour enrichir toujours davantage leur trésor impressionnant. En 1204, le bruit se répand en Palestine qu'une image de la Vierge, près de Damas, exsude de sa poitrine un jus ou une liqueur dont la consommation efface miraculeusement les péchés de l'âme des pieux affligés. L'endroit est malheureusement à bonne distance de Jérusalem, en bordure d'une route où des bandits font souvent des razzias. Les templiers proposent une solution. Ils s'exposeront au risque du périple et, sur place, exprimeront de l'image la liqueur miraculeuse qu'ils rapporteront aux pèlerins – contre une somme d'argent, bien entendu. Comme on peut s'y attendre, la demande et les prix grimpent en flèche et l'élixir magique rapporte de substantiels revenus à une organisation fondée sur la prémisse d'une vie de pauvreté totale.

Tous les trésors des templiers n'ont pu être dépensés à secourir le pauvre et à combattre les musulmans. Ils semblent avoir été en bonne partie investis en vins et autres plaisirs de la chair. Bientôt, « boire comme un templier » devient une expression populaire pour décrire quiconque a un penchant excessif pour la vigne et les langues germaniques s'enrichissent, avec le mot *templehaus*, d'une nouvelle appellation pour désigner une maison de mauvaise réputation.

Qui, menant une vie facile et comblée, voudrait porter le cilice au milieu des musulmans en Palestine ? Pas les templiers, qui semblent plus intéressés à acquérir des biens qu'à défendre la foi chrétienne. Leurs frères d'armes des premières heures, les hospitaliers, redéfinissent également leurs valeurs en fonction de motifs mercenaires plutôt que spirituels. Eux aussi n'insistent plus sur le sacrifice, la charité, et ils sont devenus aussi efficaces sur le champ de bataille que les templiers eux-mêmes. Plusieurs années durant, les deux groupes de chevaliers ferraillent l'un contre l'autre jusqu'à ce que s'engage entre eux, en 1159, une lutte à finir déclenchée par les templiers qui en ont censément après le présumé trésor de leurs rivaux. Plus ardents (et peut-être plus nombreux), les hospitaliers ont le dessus et réduisent en pièces tout templier qui leur tombe entre les mains. Peu après, les templiers se replient en Europe où, après tout, se trouve l'argent.

Dès 1306, les Templiers sont confortablement installés à Chypre, suffisamment près de la Palestine pour entretenir la prémisse de la fidélité à leur mission première, et assez loin des musulmans en maraude pour jouir en toute sécurité des avantages de leurs richesses. Cette année-là, le pape Clément V, qui n'a accédé à la chaire de Pierre que quelques mois plus tôt, décide d'en finir avec les rumeurs selon lesquelles les templiers se rendraient coupables d'« inqualifiable apostasie de Dieu, détestable idolâtrie, exécrable vice, et plusieurs hérésies ». Il convoque à Rome, pour une explication, le grand maître des templiers, un homme charismatique nommé Jacques de Molay.

Personnage historique des plus originaux, de Molay mesure plus de un mètre quatre-vingts et, par le port et l'allure, pourrait se qualifier comme une célébrité médiatique médiévale. Né en Bourgogne aux alentours de 1240, dans une famille de petite noblesse, de Molay se joint aux templiers à 25 ans et se bat vaillamment à Jérusalem pendant les vingt années suivantes avant d'être élu grand maître à 55 ans.

De Molay arrive à Rome avec soixante chevaliers du Temple ; il apporte aussi cent cinquante mille florins d'or et de considérables quantités d'argent acquis par les templiers dans leurs diverses incursions au Proche-Orient. Il repart quelques jours plus tard avec l'équivalent d'une apologie papale dans laquelle Clément explique sa décision :

> Parce que il n'a pas semblé vraisemblable ni croyable que des hommes d'une telle foi, qui [...] ont montré d'aussi nombreux et grands signes de dévotion, tant dans les offices divins que dans les jeûnes, [...] aient pu être assez oublieux de leur salut pour faire ces choses, nous refusons de prêter oreille à pareille insinuation.

De Molay repart peut-être de Rome en entendant tinter à ses oreilles l'approbation de Clément, mais il y laisse les florins d'or et l'argent.

Flairant la prébende, le roi de France Philippe le Bel est indigné. Jadis défenseur des templiers, il se retourne maintenant contre eux en partie à cause de leur train de vie scandaleux, en partie également à cause de leur puissance et de leur richesse grandissantes – il redoute la première et convoite la seconde. Les templiers, décrète Philippe, doivent être dissous et leur trésor, pour l'essentiel stocké à l'intérieur du royaume de Philippe, se retrouver entre les mains de la Couronne. Pour parvenir à ses fins, Philippe a recours à un stratagème connu des amateurs de romans policiers : la dénonciation par un codétenu.

Un ancien templier nommé Squin de Flexian, écroué sous l'inculpation d'insurrection et à coup sûr destiné à être exécuté, a vent de ce que Philippe a pris l'organisation en grippe. De Flexian appelle son geôlier, lui annonce qu'il veut révéler au roi d'affreux et lugubres secrets des templiers. Cela suffit à lui valoir, aux frais de la princesse, un voyage à Paris où il débite une litanie d'accusations contre les templiers : pactes secrets avec les musulmans ; rites d'initiation aux cours desquels on crache sur la croix, engrosse des femmes et tue des nouveau-nés ; cérémonies où l'on s'adonne à divers actes de débauche et au blasphème. Comme prévu, de Flexian enchante par ses récits le monarque et sa cour qui ne sont jamais rassasiés de détails fascinants. Débauche ? Blasphème ? Pactes avec l'ennemi ? Cérémonies secrètes ? Quel monarque refuserait de prendre des mesures contre ces suppôts de Satan, spécialement quand plusieurs milliers de florins d'or, de prodigieuses montagnes d'argent et d'immenses terres et châteaux attendent la saisie ?

Le 13 octobre 1307[1], dans le cadre d'une opération digne d'un fin stratège militaire, les templiers sont appréhendés par des commandos qui procèdent simultanément à des rafles par toute l'Europe, mais les plus brutales arrestations se déroulent en France. Plusieurs templiers, dont Jacques de Molay, avouent sous la torture s'être livrés à des activités semblables à celles décrites par de Flexian (qui est pendu pour sa peine). Des années durant, les templiers incarcérés tentent de se défendre contre d'infâmes accusations portées contre eux par le roi de France, jusqu'à ce que le pape annonce, en 1313, l'abolition de leur ordre. Compte tenu de leur rang, de leurs aveux de culpabilité et de leur sincère regret des fautes commises, les membres sont soit bannis soit remis en liberté, sauf Jacques de Molay et trois de ses plus proches acolytes.

1. Un vendredi, d'où la superstition que des événements malheureux surviennent les vendredis 13.

Amenés devant une commission pontificale, sur une estrade dressée en face de la cathédrale Notre-Dame, les quatre templiers sont sur le point d'être condamnés à passer le reste de leur existence en prison lorsque de Molay se lève pour prendre la parole. Dans un langage direct et inspiré, le grand maître templier proteste de son innocence et récuse les confessions arrachées sous la torture, dont plusieurs incriminent d'autres templiers. Le frère du dauphin d'Auvergne, l'un des trois autres templiers de haut rang inculpés de crimes semblables, seconde le refus catégorique d'admettre son erreur et la requête pour faire valoir son innocence devant le pape.

La commission pontificale reste muette de stupeur. Ses membres espéraient des templiers qu'ils acceptent leur sort en silence et se montrent reconnaissants d'avoir la vie sauve. En apprenant la nouvelle, le roi de France ne reste pas du tout muet de stupeur. Il est indigné et ordonne que les deux templiers soient non seulement brûlés sur le bûcher, mais que l'on y procède lentement, de telle façon qu'ils endurent le plus de souffrances possible.

Le lendemain, de Molay et Guy d'Auvergne sont amenés dans une brouette à la pointe en aval de l'Île de la Cité, lieu connu aujourd'hui comme le square du Vert-Galant, l'un des endroits les plus attrayants de tout Paris. Protestant encore de leur innocence, ils sont dépouillés de leurs vêtements et ligotés à des pieux. Alors, pour reprendre les mots d'un spécialiste des templiers,

> Les flammes sont d'abord appliquées sur leurs pieds, puis sur leurs parties plus vitales. L'odeur fétide de leur chair carbonisée empuantit l'air environnant et ajoute à leurs tourments ; ils n'en persévèrent pas moins dans leurs protestations [d'innocence]. À la longue, la mort met fin à leur supplice. Les spectateurs versent des larmes à la vue de leur constance et, pendant la nuit, on recueille leurs cendres pour les conserver comme des reliques.

Philippe confisque le trésor des templiers, revendique l'essentiel du butin pour couvrir les dépenses encourues pour le procès et l'exécution des membres de la milice. Il répartit le reste entre les hospitaliers et Édouard II d'Angleterre qui, avec quelque mauvaise grâce, accepte de bannir les templiers de son royaume.

La légende veut que de Molay, au moment où on l'attache sur le bûcher pour le mettre à mort, prédit que le pape Clément le suivra en moins de quarante jours et que le roi les rejoindra dans l'année. Si tel est le cas, il a vu juste. Clément meurt de coliques le mois suivant et, tandis que sa dépouille est exposée en chapelle ardente, un incendie ravage l'église et consume la plus grande partie de son corps. À quelques mois de là, Philippe tombe de cheval et se rompt le cou.

Dans un autre événement, celui-là plus contemporain, on reconnaît de Molay dans le personnage dont les traits sont imprimés sur le mystérieux suaire de Turin. On prétend que ce suaire, montré pour la première fois en 1357, aurait été rapporté de Constantinople par des croisés qui ont pillé la ville en 1307. Et on attribuait au Christ l'empreinte du personnage barbu qui se dessine nettement sur le tissu, induisant par là que le suaire avait servi à envelopper son corps après qu'on l'eut détaché de la croix. La datation au carbone 14 a toutefois révélé que l'étoffe du suaire date tout au plus du XIIIe siècle, d'où la récente hypothèse selon laquelle de Molay aurait été enveloppé dans cette pièce de tissu après une séance de torture pendant ses années d'incarcération. La taille et la prestance de l'image imprimée sur le suaire pourraient être aussi aisément celles de Jacques de Molay que de n'importe qui d'autre, ce qui amplifie le mystère entourant le martyre du grand maître.

Les mesures prises par Philippe, Édouard et d'autres monarques persuadés de suivre l'exemple français ne réussissent pas à annihiler les templiers, et des vestiges de l'organisation en préservent la structure dans la plus grande clandestinité par crainte de partager le sort de Guy d'Auvergne et de Jacques de Molay. Les activités secrètes menées sous la houlette de Jacques de Molay sont alors valorisées et sacralisées. Quelques sources soutiennent que des documents rédigés par de Molay peu avant sa mort désignent Bertrand du Guesclin pour lui succéder comme grand maître, et la haute direction de l'ordre sera occupée au fil des siècles par une succession d'éminents citoyens français, dont plusieurs princes de la maison de Bourbon.

Plus persistant, surtout parmi les citoyens français, sera le soupçon que Philippe a échoué à mettre la main sur tous les trésors des templiers. Pendant des siècles foisonnent les histoires d'immenses magots d'or et de pierres précieuses attendant d'être exhumés. L'une de ces fables concerne la charmante Rosslyn Chapel, près d'Édimbourg, dont certains prétendent que les ciselures enchevêtrées dans la pierre sont un code secret que seuls comprennent templiers et francs-maçons. Une fois déchiffré, le code indiquerait l'emplacement du saint Graal et de la fortune des templiers, tous deux cachés à proximité. Le lien entre la chapelle et les templiers est cependant problématique : elle a en effet été construite cent soixante-dix ans après la mort de Jacques de Molay et, bien que des recherches et des fouilles exhaustives autour ou sous la chapelle n'aient rien révélé de la moindre valeur ou du moindre intérêt, l'histoire persiste. Une autre légende veut que le gros de la fortune des templiers soit enfoui sur l'île Oak, dans l'océan Atlantique, au large de la Nouvelle-Écosse.

Les contes sur le trésor du Temple abondent encore de nos jours, mais pas les templiers en chair et en os – si ce n'est peut-être par une filiation qui mène jusqu'aux francs-maçons des temps modernes. Les maçons se divisent en deux écoles de pensée quant à leur apparentement avec les templiers. D'une part, l'idée que les maçons soient des descendants directs des templiers morts martyrs ajoute une aura de mystère et de grandeur à l'organisation : l'image des templiers, quels qu'aient été leurs travers, s'est bonifiée avec le temps et on les perçoit maintenant généralement comme de nobles chevaliers sacrifiés par un roi filou et un pape perfide. D'autre part, on ne peut établir d'association historique directe entre templiers et francs-maçons – ce qui, bien sûr, n'a pas empêché la spéculation populaire et l'affabulation tapageuse de les relier. Une organisation comme la franc-maçonnerie, qui se démène pour qu'on reconnaisse et admire sa conduite en tout temps hautement irréprochable, devrait-elle soutenir l'existence d'un lien qui n'a dans les faits aucun fondement ? Ce second point n'est plus désormais un sujet de préoccupation parce que, compte tenu de leurs déconfitures récentes et du nombre décroissant de leurs effectifs, les maçons auraient avantage à s'auréoler de la gloire des templiers.

Le mouvement maçonnique a terriblement déchu, surtout aux États-Unis d'où lui venaient jadis son plus grand lustre et sa vigueur la plus soutenue. Tout survol de l'histoire américaine ne peut que relever la présence de maçons derrière chaque traité, bataille et ordonnance, et des membres de l'organisation ont d'ailleurs occupé les fonctions de secrétaire d'État, général des armées et juge à la Cour suprême. De George C. Marshall aux juges de la Cour suprême Earl Warren et Thurgood Marshall, en passant par les généraux John J. Pershing et Douglas MacArthur, les francs-maçons ont monopolisé les centres de pouvoir américains en plus grand nombre que toute autre organisation. Pas moins de seize présidents américains ont fièrement déclaré leur appartenance maçonnique.

Le phénomène n'est d'ailleurs pas exclusivement américain. Sir Winston Churchill, le premier ministre canadien John Diefenbaker et au moins quatre présidents du Mexique ont occupé de hauts rangs au sein de la franc-maçonnerie. Quelle autre société fermée peut se réclamer d'une influence aussi considérable sur les centres de pouvoir pendant d'aussi nombreuses années ?

La preuve que les maçons exercent un énorme empire sur les événements mondiaux, si l'on en croit les mordus de la conspiration, se retrouve dans des poches, des sacs à main et des porte-feuilles partout sur la planète. Au verso de chaque billet de un dollar américain figure le revers du grand sceau des États-Unis, un symbole qui, estiment plusieurs, confirme la domination et l'emprise de la franc-maçonnerie sur ce pays. Le dessin du revers du sceau comprend un œil à l'intérieur d'un triangle qui flotte au-dessus d'une pyramide manifestement inachevée. Sur l'assise de la pyramide est gravé en chiffres romains (MDCCLXXVI) le nombre 1776; deux locutions latines encadrent le dessin: *Annuit Coeptis* (Il [Dieu] a favorisé notre entreprise) et *Novus Ordo Seclorium* (Un nouvel ordre des siècles). Selon ceux qui craignent les maçons, l'œil et la pyramide sont des symboles maçonniques et la manière dont l'emblème est exhibé prouve que leur pouvoir reste incontesté.

Le serait-il, au contraire? Les francs-maçons utilisent depuis longtemps le triangle comme symbole de leurs effectifs, mais seulement parce qu'il représente une équerre, un outil dont se servaient les maçons qui ont créé l'organisation. Quoi qu'il en soit, le grand sceau des États-Unis ne dépeint pas un triangle, mais une pyramide, figure choisie parce qu'elle incarne solidité et stabilité, des qualités importantes pour un pays naissant. L'œil symbolise la vision omnisciente de Dieu, rien de plus, et s'il s'inscrit effectivement dans un triangle, les formes triangulaires sont depuis des siècles populaires parmi les sociétés chrétiennes en ce qu'elles évoquent la Trinité du Père, du Fils et du Saint-Esprit.

Une donnée historique corrobore cette interprétation. Écrivant à l'acquit des francs-maçons en 1821, Thomas Smith Webb observe que ces derniers n'ont adopté l'œil et le triangle comme symboles qu'en 1797, quatorze années *après* que le Congrès américain eut approuvé le grand sceau dont Webb explique la composition dans une subtile prose protovictorienne:

> Si nos pensées, nos paroles, nos actes peuvent être soustraits aux yeux des hommes, l'Œil Qui Voit Tout, à qui obéissent le Soleil, la Lune et les étoiles, et sous la vigilante bienveillance duquel même les comètes exécutent leurs révolutions prodigieuses, sonde cependant les replis les plus intimes du cœur humain et nous rétribuera selon nos mérites.

Quelques sceptiques ont cru Webb. Pas la majorité.

Les francs-maçons tentent en vain depuis deux siècles de se dégager de cette analogie avec le grand sceau des États-Unis. Ils s'efforcent aussi de réfuter la théorie selon laquelle les francs-maçons seraient résolus à venger les affronts dont les templiers ont été victimes il y a presque huit cents ans. Dans cette démarche, ils démentent aussi toute association avec les Illuminati (une organisation d'intellectuels libres-penseurs dont l'objectif, deux siècles avant CNN, était rien de moins que de contrôler à l'échelle planétaire la pensée politique et sociale) ou qu'ils installent des figures populaires à des postes de pouvoir pour mettre en œuvre des stratégies maçonniques secrètes.

Des croisés, des descendants mus par le désir de vengeance, une monnaie subversive, des tyrans planétaires, des insurgés de renom – qu'y a-t-il vraiment derrière le mouvement maçonnique? Comme pour toutes les sociétés secrètes, la réalité propose à la fois plus et moins que ce que l'œil perçoit.

Si quelques commentateurs déphasés soutiennent qu'Adam a été le premier maçon (ce sont les mêmes qui prétendent que les survivants de la garde rapprochée de Jacques de Molay se sont enfuis en Amérique deux cents ans avant Colomb), l'origine des francs-maçons est aussi simple et limpide que l'est leur nom. Dans l'Angleterre du XVIIe siècle, des organisations d'ouvriers commencent à se former pour cacher le savoir spécialisé de leur métier aux profanes qui pourraient le mettre à profit. Les guildes affirment édicter des normes de qualité pour les artisans; elles sont moins loquaces quant à leur objectif d'assurer de meilleurs revenus à leurs membres en limitant le nombre de personnes autorisées à joindre leurs rangs, ce qui a pour effet de hausser leurs salaires.

Les maçons sont parmi les hommes de métier les plus puissants de leur temps en ce qu'ils possèdent les outils et les compétences nécessaires pour construire des murs droits et résistants. La preuve de leurs talents est partout manifeste en Grande-Bretagne, où de nombreuses structures de pierre restent aussi solides aujourd'hui que le jour de leur érection, voilà quatre cents ans. Les compétences maçonniques sont évaluées selon trois degrés: apprenti, compagnon et maître. Chaque niveau de compétence assure au maçon un plus haut échelon, ou degré, de reconnaissance qui l'autorise à exiger un salaire congrûment supérieur. Le secret devient de la plus haute importance chez les maçons qui choisissent précautionneusement leurs confrères et font jurer aux nouveaux initiés de garder le silence sur les techniques perfectionnées au fil des siècles. Pour assurer le contrôle sur leurs membres et veiller à ce que leurs secrets restent occultés, les maçons s'organisent sur une base communautaire en petites loges dont chacune élit un chef ou maître.

Ce qui commence comme une organisation d'ouvriers évolue vers quelque chose de fort différent, en juin 1717, lorsque les chefs de quatre loges londoniennes se réunissent à l'Apple Tree Tavern pour former la Grande Loge de Londres. Les objectifs de la Grande Loge, qui se donne des airs de pseudo-religion reflétant les valeurs protestantes établies, excèdent de loin ceux de la guilde d'artisans originelle. Les membres font vœu de travailler dans le respect de préceptes chrétiens, de rationaliser les enseignements du Christ et de vider le christianisme de son mystère par l'application de l'analyse logique et scientifique. Tels sont les débuts de la franc-maçonnerie comme puissance internationale.

Le concept de franc-maçonnerie se répand en France, puis dans le reste de l'Europe et, dans le processus, l'organisation élargit son filet de recrutement pour attraper une plus grande diversité de membres. Comme elle ne se limite plus aux seuls gens de métier, la franc-maçonnerie accueille volontiers tous les hommes d'une certaine stature sociale, leur offre une organisation fraternelle au sein de laquelle ils peuvent échanger des idées, développer des intérêts communs, lier d'importantes relations d'affaires et professionnelles. À la prestation du serment du secret toujours imposé à ses membres, le mouvement ajoute une mystérieuse cérémonie d'initiation. Peu après commence à se propager le bruit des méandres historiques rattachant les maçons aux templiers.

Le rapprochement historique avec des martyrs héroïques valait autant de prestige il y a trois cents ans qu'aujourd'hui aux organisations et aux individus. Pour ajouter de la couleur aux bases fraternelles de leur organisation, les francs-maçons se mettent à se prétendre héritiers des chevaliers du Temple. Ce problématique commerce transforme une organisation fondée à l'origine sur les soucis d'ordre pratique d'ouvriers en une confrérie d'hommes d'affaires et de professionnels de la haute société.

Une fois que s'est imposée leur association avec les Templiers, plusieurs maçons enthousiastes entreprennent d'entretenir une aura de mystère autour de leur groupe. Comme tous les mystères, le leur acquiert avec le temps un vernis d'authenticité. Les francs-maçons écossais prétendent que plusieurs des disciples les plus dévoués de Jacques de Molay ont fui la France et se sont réfugiés en Écosse après l'exécution de leur chef. D'autres vont même jusqu'à affirmer que de Molay lui-même a échappé à la mort et débarqué en Écosse, où il a combattu aux côtés de Robert Bruce à la bataille de Dupplin, en 1332, et à la bataille de Durham en 1346[2].

Des archives maçonniques datent l'apparentement templier/maçon d'une allocution prononcée en 1737, à la Grande Loge de France, par un maçon nommé le chevalier de Ramsay. Ramsay soutient que la franc-maçonnerie remonte à « l'étroite association de l'ordre avec les chevaliers de l'hôpital Saint-Jean de Jérusalem », du temps des croisades, et que les « vieilles loges d'Écosse » ont préservé l'authentique maçonnerie abandonnée par les Anglais. De cet apparentement historique plutôt douteux serait issu le rite écossais ou, comme le désigne la constitution maçonnique, l'*Antiquus Scoticus Ritus Acceptus*, le rite écossais ancien et accepté. Selon une explication plus vraisemblable, il serait issu de l'émigration, au milieu du XVIIIe siècle, de maçons écossais et irlandais dans la région bordelaise de France, où on les qualifie dès lors d'*Écossais*.

2. En reconnaissance du martyre et du *leadership* de Jacques de Molay est fondé l'Ordre international Jacques de Molay, une organisation fraternelle qui s'adresse aux jeunes hommes de 13 à 21 ans. Pour l'organisation mère, il s'agit essentiellement d'un instrument de recrutement, d'ailleurs administré par des conseillers maçonniques.

Les *Écossais* portent le nombre de degrés maçonniques, de trois qu'ils sont à l'origine, à sept, et plus tard à vingt-cinq, pour aboutir finalement aux trente-trois grades (plutôt que degrés) connus de nos jours. Les maçons qui choisissent de poursuivre au-delà des trois premiers degrés du mouvement joignent le rite écossais.

Les colons américains fondent une loge en 1733 à Boston, dans le Massachusetts. Les effectifs de cette première loge américaine croissent spectaculairement et, au moment de la Révolution américaine, on dénombre plus de cent loges sur le territoire. D'ailleurs les membres de la loge maçonnique St. Andrew donnent effectivement le coup d'envoi de la révolution avec le Boston Tea Party, lorsqu'ils se costument en Amérindiens mohawks et répandent le thé britannique dans le port pour protester contre une taxe inique. Comme ceux d'Angleterre, les francs-maçons américains sont les hommes les plus puissants, doués et ambitieux de leur société; on ne se surprend donc pas que cinquante et un signataires de la déclaration d'Indépendance se soient prétendument eux-mêmes déclarés maçons. Parce qu'ils ont compté dans leurs rangs tant de rebelles influents activement engagés, il est raisonnable d'affirmer que, plus que tout autre groupe particulier, les francs-maçons ont été les instigateurs de la révolution. La liste comprend des éminences grises comme George Washington, Benjamin Franklin, John Adams, Patrick Henry, John Hancock, Paul Revere, John Paul Jones, Ethan Allen, Alexander Hamilton et, au déplaisir ultérieur de ses frères maçons américains, Benedict Arnold. Une fois l'Indépendance réalisée, les francs-maçons rompent tout lien avec la Grande-Bretagne et créent une grande loge exclusivement américaine en 1777.

Plus que ceux de tout autre pays, les francs-maçons des États-Unis consolident leur organisation, raffinent leurs méthodes et étendent leur influence au-delà des murs de la loge. Leur expansion et leur prestige, sans oublier leur insistance sur les rituels et le secret, font qu'on s'interroge sur leurs véritables motifs, une situation que favorisaient dès le départ les usages et méthodes maçonniques ; plus s'épaissit le mystère entourant l'ordre, plus ses membres sont perçus comme des hommes puissants engagés dans de ténébreuses entreprises. La décision est prise de ne pas atténuer cette perception, mais de la renforcer de toutes les manières possibles. On choisit par exemple d'implanter le Conseil suprême de la franc-maçonnerie de rite écossais à Charleston, en Caroline du Nord, parce que la ville se trouve sur le 33e parallèle, pour faire écho aux trente-trois grades de l'ordre maçonnique.

Aux yeux des profanes, ce genre d'effort conscient pour créer l'inscrutabilité s'avère soit rigolo soit menaçant et, au fil des ans, se multiplient les assertions incongrues sur les objectifs réels des francs-maçons. On leur attribue quelques agissements et exploits assez étonnants, dont les suivants.

LES FRANCS-MAÇONS SONT DE CONNIVENCE AVEC LES ILLUMINATI. Comme les poupées russes, les sociétés secrètes ont la réputation de s'emboîter les unes dans les autres, et les grands groupes d'abriter, par d'antiques alliances, des groupes plus petits et plus sélectifs. Parmi les élucubrations les plus persistantes des mordus de la conspiration et des antimaçons en général, mentionnons l'allégation voulant que les loges franc-maçonniques abriteraient secrètement des membres des Illuminati.

Du point de vue de ces alarmistes, les Illuminati sont les gens qui manipulent des marionnettistes qui se croient eux-mêmes en train de manipuler des marionnettes. Ombres parmi les ombres, les membres des Illuminati rôderaient en coulisses chez les maçons et d'autres groupes, dont le prieuré de Sion, les adeptes de la kabbale, les rosicruciens et, dans un véritable test des antipodes théologiques, les sages de Sion.

Créés en 1776 par Adam Weishaupt, un docte jésuite bavarois dépeint comme « un rat de bibliothèque peu pragmatique et sans l'expérience nécessaire du monde », les Illuminati de Bavière voient le jour comme une société secrète dont les objectifs réels sont révélés à ses membres seulement après qu'ils sont parvenus au degré « sacerdotal » d'éveil et de compréhension. Ceux qui survivent au processus de sélection et de préparation de Weishaupt apprennent graduellement qu'ils sont les rouages d'une machine politique/philosophique régulée par la raison, extrême prolongement de la devise du fondateur inspirée par sa formation jésuite : « la raison avant la passion ». Grâce aux Illuminati, les gens seraient libérés de leurs préjugés et deviendraient à la fois adultes et vertueux, se déferaient des entraves religieuses et politiques que sont l'Église et l'État.

La concrétisation de cette utopie ne se fera toutefois pas sans peine. Les membres des Illuminati doivent observer tous ceux avec qui ils entretiennent des relations en société, recueillir de l'information sur chaque individu et remettre des rapports scellés à leurs supérieurs. Par ces moyens, les Illuminati contrôleront l'opinion publique, limiteront le pouvoir des princes, des présidents et des premiers ministres, feront taire ou élimineront les subversifs et les réactionnaires, instilleront la peur dans le cœur de leurs ennemis.

> Au creux des plus profondes ténèbres, écrit l'un des premiers critiques du mouvement, une société a pris forme, une société d'êtres nouveaux qui se connaissent les uns les autres, même s'ils ne se sont jamais vus, qui se comprennent les uns les autres sans explications, qui s'entraident sans liens d'amitié. De la règle jésuite, cette société adopte l'obéissance aveugle ; des maçons, elle emprunte les épreuves et les cérémonies ; et des templiers, elle hérite les mystères chtoniens et la suprême audace.

C'est à coup sûr une force dont il faut tenir compte.

L'une des toutes premières stratégies de Weishaupt est de s'allier aux francs-maçons, une initiative qui s'avère initialement heureuse. En quelques années, des « francs-maçons Illuminati » sont à l'œuvre dans plusieurs pays européens. À mesure que filtrent des détails sur leurs véritables visées, l'opinion publique se retourne cependant contre eux jusqu'à ce que la Bavière décrète, en août 1787, que le recrutement de membres chez les Illuminati est un crime capital. Ce qui incite la société à s'enfoncer davantage dans la clandestinité, mais persuade aussi Weishaupt que son intuition était gravement lacunaire. Après avoir désavoué son propre ordre et écrit plusieurs apologies du genre humain, Weishaupt se réconcilie avec la religion catholique et consacre ses dernières années à la construction d'une nouvelle cathédrale à Gotha.

Pendant la courte existence des Illuminati de Bavière, la rumeur publique tient l'ordre responsable de l'éclatement et de la marche de la Révolution française, une affirmation pratiquement ridicule vu l'accent que met le groupe sur la raison plutôt que sur la passion. Or, peu d'événements dans l'histoire ont été davantage animés par la passion à l'état brut que le renversement de la royauté française.

Le bref pas de deux des Illuminati et des francs-maçons est à l'origine d'une fable toujours vivace aujourd'hui chez certains accros de la conspiration. Maints commentateurs antimaçonniques continuent de soutenir que des maîtres des Illuminati, décidés de donner réalité au projet initial de Weishaupt de dominer le monde, exercent encore leur empire sur les francs-maçons et d'autres sociétés secrètes. Pourtant, si les Illuminati se manifestent comme une présence fantomatique à l'intérieur ou parmi d'autres sociétés secrètes, personne ne semble en mesure de montrer du doigt des actions qui leur seraient spécifiquement imputables. Et contrairement aux membres de toute autre société secrète examinée dans ces pages, aucun illuminé n'a jamais trahi son serment du secret pour en révéler le fonctionnement interne. Qui s'en remet uniquement à la logique sera enclin à estimer que les Illuminati sont une organisation fantôme sans ambitions ni membres. Qui craint les sociétés secrètes les croira assez puissants pour nier leur propre existence.

LES FRANCS-MAÇONS ONT TUÉ LE PRÉSIDENT AMÉRICAIN GEORGE WASHINGTON. Selon cette théorie, Washington se serait retiré des francs-maçons et aurait eu l'intention de révéler au monde les activités les plus répréhensibles du groupe. Il aurait supposément été indigné par le projet des maçons d'ériger un monument à son nom, sous une forme que les conspirateurs qualifiaient d'obélisque, mais que le président voyait d'un œil fort différent et qu'il décrivait comme le phallus de Baal. Pour réduire au silence le père de la nation, continue la légende, des médecins maçons l'auraient saigné à quatre reprises le jour de sa mort. Les francs-maçons avaient déjà convenu que cela surviendrait le 31 décembre 1799, dernier jour du XVIIIe siècle. Malgré les protestations de Washington, le phallique Monument à Washington a été érigé et il culmine à une hauteur de cinq cent cinquante-cinq pieds – nombre qui, coïncidence, signifierait assassinat dans le code de la religion luciférienne.

Cette thèse fantaisiste est presque assez grossière pour en être désopilante. La saignée est une pratique médicale courante au XVIIIe siècle; Washington est décédé le 14 décembre 1799, et non pas le 31 décembre; les discussions relatives au Monument à Washington ne sont amorcées qu'au moins une semaine après sa mort; enfin, il n'existe aucune référence crédible ni à une religion luciférienne ni à l'emploi du nombre 5 comme symbole de mort et du nombre 555 comme code d'assassinat.

LES RUES DE WASHINGTON DESSINENT DES SYMBOLES MAÇONNIQUES ET SATANIQUES. Comme la plupart de ses collègues, l'architecte Pierre Charles L'Enfant est franc-maçon lorsqu'on lui demande de concevoir le siège du gouvernement fédéral à Washington, D.C., en 1791. Plusieurs sources prétendent que Washington et Jefferson pressent tous deux L'Enfant de reproduire une série d'occultes symboles sataniques pour représenter la franc-maçonnerie et signifier à jamais son hégémonie sur la politique américaine. Parmi les symboles dessinés par le tracé des rues de Washington se retrouvent le pentagramme, la classique pyramide maçonnique et une icône du diable lui-même, qui manifesteraient tous les trois les intentions malveillantes des francs-maçons et leur pouvoir absolu sur les États-Unis.

L'absurdité de pareilles prétentions saute pourtant aux yeux. Le pentagramme n'est pas un symbole exclusivement funeste, pas plus qu'il ne joue le moindre rôle dans la documentation maçonnique. En outre, comment sa seule présence exercerait-elle quelque influence sur les affaires américaines ou, qui plus est, sur les grandes préoccupations planétaires ? Des triangles – les pyramides sont des figures tridimensionnelles que les plans de rues ne peuvent reproduire –, on peut en découvrir dans le plan des rues de n'importe quelle communauté sur la planète ; quant à la présumée évocation de Satan, elle a peut-être sa place dans un cours d'arts plastiques à la maternelle, mais pas entre adultes d'âge mûr.

LES FRANCS-MAÇONS LIQUIDENT CEUX QUI MENACENT DE RÉVÉLER LEUR PROGRAMME ET LEURS PLANS SECRETS. On connaît peu de choses de William Morgan, mais on peut présumer que c'était un homme aux multiples défauts. Né en 1774 dans le Culpepper County, en Virginie, il émigre au Canada avec sa jeune femme où ils ouvrent une distillerie. Un mystérieux incendie rase ces installations, ce qui ramène Morgan aux États-Unis, où il se fixe dans le nord de l'État de New York et où, après plusieurs tentatives infructueuses, il réussit à joindre les rangs des francs-maçons. Mais quand on refuse de l'admettre comme membre de la nouvelle loge franc-maçonnique de Batavia, dans le même État – on l'accuse, non sans fondements, d'être un escroc –, il se venge en écrivant et en publiant un livre qui attaque la franc-maçonnerie. Ce qui déclenche une longue succession d'événements, à commencer par un curieux incendie dans l'atelier d'imprimerie qui a produit l'ouvrage, suivi par l'emprisonnement de trois francs-maçons accusés d'incendie criminel, puis par une série d'arrestations relativement à des menaces proférées par Morgan contre les maçons et par une interminable guérilla entre Morgan et l'organisation.

Morgan disparaît en 1826 et l'événement réjouit manifestement la plupart des résidents du coin, qui espèrent un retour à la vie normale. Un mois plus tard, quand on découvre un corps en état de décomposition avancée flottant sur le lac Ontario, plusieurs citoyens affirment que c'est le cadavre de Morgan. Sa femme nie d'abord qu'il s'agisse de son mari, puis reconnaît que c'est lui, pour finalement le nier encore avant de fuir l'État de New York et de devenir l'une des nombreuses épouses dont se réclame Joseph Smith, fondateur de l'Église des Mormons. Plus tard, des témoins rapporteront avoir vu Morgan à Boston, à Québec et en d'autres lieux où il aurait pris une nouvelle identité et une nouvelle femme.

Qu'importe de qui est la dépouille flottant à la dérive, l'incident suffit à alimenter les présomptions voulant que Morgan ait été prêt à révéler les noirs secrets bien gardés des activités maçonniques dont ne fait pas état son livre. Rien ne captive davantage l'imagination populaire qu'une bonne énigme, spécialement si elle défie toute solution, et l'énigme de William Morgan est assez vivace pour entretenir la thèse des maçons meurtriers depuis presque deux cents ans.

LES RITUELS MAÇONNIQUES SONT SATANIQUES ET SUBVERSIFS. Une description plus fidèle de leurs rituels pourrait paraître ridicule et puérile à bien des gens qui ne partagent pas les objectifs fraternels des francs-maçons.

Les maçons définissent leur rang par degrés et grades qui s'échelonnent de 1 à 33, le trente-troisième grade représentant le summum de l'accomplissement personnel en tant que franc-maçon. Le premier degré, qui confère le titre de membre, est octroyé à l'initié après qu'il a revêtu un costume particulier, s'est résigné à avoir les yeux bandés et s'est laissé conduire jusqu'à une porte verrouillée. Le coup sur la porte et le passage de la porte symbolisent pour lui qu'il prend congé du monde extérieur et accède au saint des saints de la franc-maçonnerie. Après avoir répondu à des questions sur sa capacité à observer les principes maçonniques et promis de ne jamais divulguer les secrets de l'organisation, l'initié sent la pointe d'un compas pressée contre sa poitrine tandis qu'on lui demande : « Que désires-tu ? » À la réponse rituelle « Plus de lumière », on lui retire le bandeau et le candidat peut voir ses confrères pour la première fois, détail lui aussi fort symbolique.

Les Shriners, qui constituent un groupe au sein de la franc-maçonnerie et dont les origines datent de la fin du XIXe siècle, poussent à l'extrême l'excentricité. Les Shriners ne cherchent qu'à s'amuser et ils légitiment leurs bouffonneries par des œuvres de bienfaisance à l'acquit d'hôpitaux pour enfants. Récemment, leur image a été ternie par des révélations insinuant qu'à peine 25 % des huit milliards de dollars de leur fondation sans but lucratif seraient effectivement consacrés à des activités philanthropiques.

LES FRANCS-MAÇONS PRENNENT PLAISIR À TROMPER LE PUBLIC. « Tromper » veut dire dans ce cas-ci « en mettre plein la vue » et, pour une fois, l'accusation est fondée, même si la réalité n'est pas ce qu'elle semble être.

La cérémonie d'initiation, qui comprend l'imposition d'un bandeau sur les yeux du candidat pendant l'interrogatoire, exigeait à l'origine qu'on lui recouvre la tête d'une cagoule. Le mot « vue », façon archaïque de désigner l'« œil », était associé à cette modalité ; on disait par conséquent qu'on allait « en mettre plein la vue » aux initiés. Au fil du temps, la signification de l'expression a évolué pour signifier une tromperie, d'où la présomption répandue que les francs-maçons se font uniformément passer pour ce qu'ils ne sont pas.

Le succès rapide des francs-maçons fait se lever des critiques, alarmés devant le pouvoir collectivement exercé par les très nombreux maçons détenant de hauts postes politiques, et des imitateurs comme les Oddfellows, qui s'approprient le *modus operandi* secret des maçons dont ils ignorent les origines mystiques et pseudo-historiques.

L'Église catholique qui, presque dès le début, fait grimper les niveaux d'animosité et de suspicion entre francs-maçons et catholiques, prend place parmi les critiques les plus virulents de la maçonnerie. Si tôt qu'en 1738, le pape Clément XII condamne en ces termes la franc-maçonnerie : « Nous commandons aux fidèles de s'abstenir de tout commerce avec ces sociétés [...] s'ils veulent éviter l'excommunication, car telle sera la peine imposée à quiconque contreviendra à cet ordre.» L'Église est manifestement plus que contrariée; elle est indignée et peut-être même se sent-elle menacée.

Quelques années plus tard, le successeur de Clément, Benoît XIV, énumère six dangers que représente la franc-maçonnerie pour les catholiques: (a) le caractère multiconfessionnel (ou interreligieux) des francs-maçons; (b) leur culte du secret; (c) leur serment; (d) leur contestation de l'Église et de l'État; (e) l'interdit dont ils sont frappés dans plusieurs États par les dirigeants desdits pays et (f) leur immoralité.

Il ne s'agit pas là d'un différend purement théorique ou théologique; depuis près de trois cents ans, l'Église catholique assimile pratiquement les maçons à une horde déferlante de démons. À la fin du XIXe siècle, Léon XIII décrit les loges maçonniques comme « d'insondables abysses de détresse creusés par des sociétés conspiratrices, où les hérésies et les sectes ont, pourrait-on dire, vomi comme en des lieux d'aisance tout ce que leurs entrailles contenaient de sacrilège et de blasphème». Le concept de charité chrétienne a visiblement des limites, pour Léon.

Cette acrimonie du XVIIIe siècle n'est pas tempérée par les lumières du XXIe siècle et elle ne se limite pas à la traditionnelle animosité catholique. En novembre 2002, l'archevêque de Cantorbury et docteur en théologie Rowan William condamne la maçonnerie, la disant incompatible avec le christianisme à cause de son culte du secret et de croyances «potentiellement inspirées par Satan». Plus tôt, une déclaration de la Convention baptiste du Sud américain accuse les francs-maçons de se prêter à des rituels païens d'inspiration occulte et invite sa communauté forte de seize millions de fidèles à stigmatiser comme «sacrilège» la franc-maçonnerie.

Les chefs religieux ne sont pas les seules personnes promptes à condamner les maçons. D'un point de vue laïque, la franc-maçonnerie prête le flanc à des accusations de ségrégation raciale et de discrimination sexuelle. Des provinces du mouvement continuent de maintenir des loges blanches et noires séparées ; plusieurs groupes blancs résistent non seulement à l'intégration, mais à la pleine et entière reconnaissance de leurs frères noirs : ils ignorent commodément le fait que les maçons noirs ont compté parmi leurs membres, outre Duke Ellington, des individus aussi illustres que le chanteur Nat « King » Cole, le juge à la Cour suprême Thurgood Marshall, l'auteur Alex Haley et le fougueux pasteur et politicien Jesse Jackson.

Les hommes noirs aussi bien que blancs écartent toute proposition que les maçons inscrivent des femmes sur leurs listes d'effectifs, comme y a été contraint le Rotary Club par la Cour suprême des États-Unis, en 1987.

> La franc-maçonnerie est une fraternité, bredouille Douglas Collins, un maçon texan parvenu au grade de vénérable. *Frater*, ça veut dire frères. Point à la ligne. Toute grande loge orthodoxe qui osera outrepasser cette borne [admettre des femmes] aux États-Unis se verra priver de tout rapport fraternel avec les autres. Elle sera une grande loge déchue.

Peut-être aussi le mouvement périclitera-t-il sur une vigne qui s'étiole rapidement. Dans toutes les associations de bienfaisance masculines d'Amérique du Nord, le recrutement a été à son apogée dans les années 1920 et 1930, pour amorcer un long déclin dans les années suivant la Deuxième Guerre mondiale. Dans les années 1960, on évaluait le nombre de francs-maçons américains à quatre millions ; en l'an 2000, ce nombre avait chuté à environ 1,8 million, alors que la société tournait le dos aux loges pour chercher d'autres instruments d'identification collective : équipes de sport professionnelles et groupes de musique populaire, par exemple. En nombre et spécialement en autorité, les francs-maçons ne sont plus que l'ombre de l'organisation qui a exercé son ascendant sur tout le XIXe siècle et la plus grande partie du XXe.

Malgré leur nombre réduit et leur moindre prestige, les francs-maçons incarnent toujours aux yeux de certains une menace, pour le monde en général et pour les États-Unis en particulier, et restent pour bien des gens la première organisation qui leur vient à l'esprit quand on leur demande de définir une « société secrète ». À quel point, cependant, une organisation peut-elle être secrète quand ses divers lieux de réunion et ses membres les plus éminents sont clairement identifiés ? Et jusqu'à quel point les intentions d'une société secrète peuvent-elles être meurtrières quand elle s'enorgueillit de ce que le grand Duke Ellington, l'un des hommes les moins susceptibles d'exécuter rien de plus subversif qu'un solo de piano, ait figuré parmi les membres les plus hauts gradés de son histoire ?

La vague association des francs-maçons avec les templiers et les Illuminati, ajoutée au grand nombre de leurs membres qui ont occupé de hauts postes politiques, alimente de folles hypothèses parmi ceux qui sont enclins à présumer que tout ce qui est caché ne peut être que mauvais. C'est là pourtant pure spéculation. Presque personne n'impute de sombres forfaits ou intentions aux Shriners, ces maçons de haut rang dont les bouffonneries peuvent en agacer certains et dont les activités de bienfaisance pourraient être bien moins exemplaires que ne l'avancent leurs membres.

Les grands médias traitent rarement des aspects négatifs de la maçonnerie ou des prétendus pouvoirs planétaires qu'on lui attribue. En vérité, la franc-maçonnerie ne fait l'objet de couverture médiatique que dans le sillage d'événements atterrants comme l'incident survenu au sous-sol de la loge maçonnique de Long Island, en mars 2004. Ce soir-là, William James se retrouve à la loge avec environ une douzaine de maçons reçus qui doivent procéder à son initiation au sein de l'ordre. Sachant que la démarche est à la fois destinée à l'effrayer et à affermir sa confiance en ses frères de loge, James arrive ce soir-là plein d'expectative et d'excitation.

Après avoir, sans fléchir, frappé un coup à la porte, les yeux bandés, et demandé « Plus de lumière ! », James est prié de poser le nez sur une fausse guillotine. La guillotine laisse son nez intact et on lui ordonne alors de se faufiler précautionneusement entre des pièges à rat éparpillés, puis de marcher sur une planche.

Tout se déroule normalement jusqu'à la partie la plus dramatique de la cérémonie: on installe alors James devant une tablette sur laquelle reposent deux boîtes de conserve vides. À un signal, un frère maçon doit faire feu avec un pistolet en direction de James et les deux boîtes de conserve tomberont bruyamment de la tablette, ce qui convaincra James que l'arme était réellement chargée.

Les coups doivent être tirés par Albert Eid, un homme de 77 ans qui se présente à la cérémonie avec un revolver de calibre 22 dans une poche et un revolver de calibre 32 dans l'autre. Le plus petit pistolet est chargé à blanc et le calibre 32 l'est de vraies balles. Au signal d'un des frères, Eid met la main dans sa poche, en retire un pistolet et, au lieu de viser les boîtes de conserve vides, il pointe directement William James et fait feu. Il s'est trompé de pistolet. La balle se loge dans la tête de James qui meurt instantanément.

Les chefs des francs-maçons se dégagent rapidement de la tragédie en observant que ce procédé n'avait rien à voir avec les authentiques traditions et cérémonies maçonniques. Au début, les anti-francs-maçons se montrent réservés. Après pareille tragédie, comment pourrait-on encore sérieusement considérer la franc-maçonnerie comme une société dangereuse? Puis s'amènent les révisionnistes. En moins d'un an, des histoires circulent sur Internet et ailleurs: la mort de James n'aurait rien d'un accident. Eid aurait reçu l'ordre d'exécuter James, sur le point d'être initié maçon, parce que ce dernier avait planifié d'infiltrer l'organisation et d'en révéler les véritables activités clandestines. Non informés de ce qu'Albert Eid était l'un des plus proches et des plus vieux amis de James, et par conséquent la dernière personne susceptible d'être chargée du meurtre, les faiseurs de théories insistent quant à eux sur la manière indulgente dont Eid est ensuite traité par les tribunaux qui qualifient cette mort de tragédie absurde et prononcent une sentence suspendue de cinq ans. Cela, disent-ils, est la preuve que les maçons contrôlent à la fois les médias et le système judiciaire.

Une nouvelle légende était née. Si les francs-maçons survivent encore quelques siècles, William James pourrait bien être associé à William Morgan comme une autre victime des francs-maçons et des machinations de leur société secrète.

3

LE PRIEURÉ DE SION

Les gardiens du saint Graal

Si toutes les familles ont des secrets, certains secrets sont plus communs que d'autres. Le mariage clandestin (ou la liaison hors mariage) qui engendre un enfant dont l'existence n'est jamais reconnue, compte sûrement parmi les secrets de famille les plus usuels. C'est le cas du prieuré de Sion, dont les membres sont légion, dont les adhérents sont des fanatiques et dont l'histoire, selon des chercheurs sérieux, est ou triviale ou absurde.

Notez bien pourtant que sa légende exerce une fascination très compréhensible. Qui pourrait résister à un récit où il est question d'une mort simulée, d'une prostituée repentie et d'une lignée à laquelle se rattachent des individus aussi illustres et talentueux que Léonard de Vinci, sir Isaac Newton, Claude Debussy, Jules Verne et Victor Hugo ? Ajoutez les templiers, les nazis, un gigantesque trésor caché et la promesse de mettre la main sur une relique tangible de la crucifixion du Christ (le Graal), et la geste épique devient plus affriolante encore que tout ce qu'un scénariste hollywoodien pourrait inventer. Pour cette seule raison, le prieuré de Sion s'enorgueillit de milliers d'adhérents qui disent être la preuve de son existence et certifient qu'il influence depuis deux mille ans les événements mondiaux.

Malgré les nombreux noms célèbres associés au prieuré, la réalité dicte que la fable tourne autour de trois protagonistes : un pauvre prêtre en paroisse à court d'explications pour la fortune personnelle qu'il a accumulée ; un Français antisémite à la recherche d'un moyen de réaliser ses rêves de temps de guerre ; et une charmante princesse médiévale. Sans parler de Jésus Christ, de sa femme et de leur enfant.

Voici l'essentiel du conte, qui comporte plus de variations qu'une œuvre de Mozart :

> En dépit de la certitude des chrétiens en la matière, Marie-Madeleine n'était pas une putain de Jérusalem, mais l'épouse juive petite-bourgeoise de Jésus ; soit leur union n'a jamais été rendue publique soit elle a été vécue d'une manière que l'on décrirait aujourd'hui comme une union de fait. Dépendant de la source, ou la crucifixion du Christ a été une simulation et Jésus a fui Jérusalem avec sa femme pour échapper à la mort, ou Marie-Madeleine s'est enfuie seule de Palestine après la mort du Christ. Dans un cas comme dans l'autre, Marie-Madeleine a débarqué sur la côte méditerranéenne de la France, ce qui suppose qu'elle a fait le voyage en bateau, et elle était enceinte. Au surplus, la grossesse s'est conclue par la naissance d'un enfant en santé dont les descendants, que l'on peut suivre à la trace sur deux millénaires d'histoire, ont influencé la marche du monde à un degré considérable, même quand leur existence était cachée aux masses[1].

Difficile d'imaginer histoire plus susceptible de pulvériser virtuellement le fondement dogmatique du christianisme que l'hypothèse d'une Marie-Madeleine donnant naissance, par le Christ, à une postérité de Dieu lui-même. Cette seule prémisse a généré des douzaines d'explications à des événements historiques,

1. Selon les défenseurs de l'existence du prieuré, l'expression « saint Graal » fait référence non pas à un calice ou à quelque autre vase utilisé à la Dernière Cène, mais à une dynastie issue du Christ qui se continue dans ses descendants.

même à ceux pour lesquels aucune « explication » n'aurait été autrement estimée nécessaire. À titre d'exemple, la fondation et le succès initial des templiers seraient, selon certains, l'œuvre du rameau français de la descendance du Christ. Les tenants de cette théorie font valoir, d'une part, que la France était le foyer reconnu de la puissance des templiers et, d'autre part, que leur destruction a été orchestrée par un monarque français peut-être informé de la vraie nature du sang qu'ils avaient hérité. En accord avec un pape nouvellement élu et conscient des dangers qui menaçaient l'Église si la vérité éclatait, le roi de France aurait résolu d'éliminer les templiers. Il y aurait été incité non par la crainte du pouvoir des templiers ni par la convoitise de leurs richesses, mais par la nécessité d'expurger le christianisme.

De fait, on peut trouver une longue liste de descendants de Jésus dans les « dossiers secrets » rédigés sur d'antiques parchemins et confiés aux soins de la Bibliothèque nationale de France à Paris. Plusieurs noms sur ces dossiers sont cependant obscurs. Certains des personnages en cause, spécialement de l'époque médiévale, étaient associés aux sciences occultes, si l'on en croit les experts. Et quelques-uns sont des célébrités historiques de premier plan : Robert Boyle, Isaac Newton, Victor Hugo, Claude Debussy, Jean Cocteau et, bien sûr, Léonard de Vinci.

Pourquoi conserver des preuves d'un si prestigieux lignage et les garder secrètes pendant vingt siècles pour les rendre finalement publiques à la fin du deuxième millénaire ? Peut-être pour restaurer la dynastie née de Marie-Madeleine, une lignée qui s'étend non seulement au trône de France, mais aux trônes d'autres pays européens, à l'origine d'une coterie internationale que soude un lignage commun et qui s'emploie à contrôler les événements mondiaux. Cette lignée connue sous le nom de dynastie mérovingienne, qui prend les rênes de la France aux environs de l'an 475 de notre ère, comble le vide politique créé par l'effondrement de l'Empire romain et déploie depuis lors son influence dans l'histoire.

L'épithète « mérovingien » dérive de Mérovée, père de Childéric Ier, qui devient le premier souverain non romain de la Gaule aujourd'hui connue comme la France. La légende veut que Mérovée puisse remonter dans son arbre généalogique jusqu'au Christ, par Joseph d'Arimathie. Ou peut-être pas. Si certains documents monastiques déclinent ainsi l'identité de Mérovée, l'historien Priscus spécifie qu'il a été procréé par une mystérieuse créature de la mer, ce qui expliquerait ses connaissances ésotériques et ses compétences en sciences occultes. Cette filiation avec un animal marin est interprétée comme un preuve que : (a) Marie-Madeleine a débarqué d'un bateau à voile sur les côtes de France où elle a donné naissance au fils de Jésus ; (b) on a voulu occulter ce fait historique en le noyant dans un conte ; (c) on a tenté à l'inverse de fondre en un seul être l'ancêtre de Mérovée et le Christ, puisque le poisson est une allégorie du christianisme[2].

Le conte reste imprécis jusqu'en 671, année où le prince mérovingien Dagobert II épouse Gisèle de Razès, fille du comte de Razès et nièce du grand roi des Wisigoths ; ainsi s'unissent deux grandes puissances qui se disputaient depuis longtemps le contrôle de la France.

Dagobert semble être un érudit, pour son époque. Éduqué dans un monastère irlandais, il épouse Mathilde d'York, une princesse celtique, et s'installe en Angleterre où il se lie d'amitié avec saint Wilfrid, évêque d'York. À la mort de Mathilde, l'évêque l'incite à prendre Gisèle pour femme. Si l'on en croit un portrait de Gisèle, qui la dépeint comme une ravissante beauté versée dans les arts et bien davantage instruite que les femmes de son temps, on pourrait voir là un mariage scellé en paradis – à tout le moins en Languedoc, région de France qui borde la Méditerranée, entre Marseille et la frontière espagnole. C'est là, dans une chapelle dédiée à Marie-Madeleine, près de Rhedae, qu'ils s'épousent.

2. Ou, si vous préférez : (d) les Mérovingiens sont les descendants d'extraterrestres qui se sont accouplés avec des Israélites choisis pour créer une véritable race supérieure.

Grâce à plusieurs avantages géographiques, Rhedae s'enorgueillit à l'époque d'une population de plus de trente mille habitants. Sise à la croisée de routes qui traversent les vallées adjacentes, pourvue de plusieurs sources d'eau fraîche à proximité, la ville remonte à l'époque préromaine. C'est le lieu tout naturel pour célébrer l'union de deux puissantes familles.

Au début, les choses vont raisonnablement bien, en particulier pour un guerrier du haut Moyen Âge. Dagobert réussit à arracher ce qui est maintenant la France moderne des griffes de trois frères qui revendiquent le territoire après la mort de leur père, et Gisèle le récompense en lui donnant un fils et héritier, exploit peu banal pour l'époque. Entre-temps, Dagobert consolide peu à peu son pouvoir, ce qui irrite l'Église et son vieil ami Wilfrid. Comme la plupart des monarques de son temps, Dagobert se fait de si nombreux ennemis que rares sont ses sujets étonnés par son assassinat au cours d'une expédition de chasse; Gisèle et son fils Sigebert, escortés par un petit groupe de chevaliers loyaux, ne doivent qu'à de la chance, de l'intuition et une intervention divine d'échapper à un sort semblable. À compter de ce moment, Sigebert et ses descendants gardent le secret sur leur lignage, même s'ils se le rappellent entre eux de manière que les membres de la famille puissent reconnaître la sainteté de leur race et la mettre au service d'une autre sorte de grandeur.

Peu après, Rhedae amorce son lent déclin en tant que centre prestigieux. Après que la ville eut été ravagée dans les guerres contre l'Espagne, ses habitants sont terriblement éprouvés par les années de peste. Rhedae est mise à sac et incendiée à répétition par des bandits catalans, ce qui persuade ses derniers résidents de l'abandonner définitivement. Ils se réfugient pour la plupart dans les terres, tandis qu'une poignée d'irréductibles reconstituent la collectivité sous la forme d'un village appelé Rennes-le-Château.

Entre-temps, un ordre monastique voit le jour à Jérusalem. Connu sous le nom de Notre-Dame du mont Sion, l'ordre déménage ensuite ses quartiers généraux à Saint-Léonard-d'Acre, en

Palestine, et plus tard se fixe en Sicile. Il y est actif quelque temps avant d'être annexé par les jésuites en 1617; son existence historique est confirmée par d'authentiques archives de l'Église. Tout ce que nous en savons semble corroborer le fait que le prieuré de Sion est géré comme des dizaines d'autres institutions semblables de l'époque. En tant que centre de méditation et de sanctification, il est en interaction avec la communauté qui l'entoure, remplit comme on s'y attend son rôle médiéval/féodal de pivot social, de lieu de retraite inspirant et de foyer culturel. Rien ne permet de croire qu'il grouille de conspirateurs, qu'il héberge des templiers mijotant leur vengeance contre l'Église, ni qu'il serve de banque généalogique pour les Mérovingiens de la fin des temps. Son seul rôle dans l'histoire est de fournir un nom à une société qui se revendique de deux mille ans d'existence menacée, mais influente.

Le chapitre suivant du conte s'ouvre en 1885, quand un prêtre catholique nommé François Bérenger Saunière est envoyé dans la paroisse qui englobe le village de Rennes-le-Château. Plus de mille ans se sont écoulés depuis que les noces de Dagobert et de Gisèle ont allié le royaume wisigoth et la lignée mérovingienne. L'antique cité stratégique de Rhedae, qui a été le théâtre de cette union, est depuis devenue un village isolé comptant à peine deux cents résidents.

Saunière[3] est un personnage historique intéressant, que rend plus intéressant encore son apport à la légende de la société secrète potentiellement la plus troublante de notre temps. Ambitieux et bien formé, le séduisant Saunière a pu non seulement être déçu, mais atterré en découvrant sa nouvelle cure. Situé à environ quarante kilomètres de Carcassonne, à l'ombre des Pyrénées, Rennes-le-Château pourrait tout aussi bien se trouver sur la lune, pour ce prêtre qui a de hautes aspirations. Âgé de 36 ans, Saunière

3. Les lecteurs attentifs du *Code da Vinci* se rappellent sûrement que l'auteur de ce roman utilise le même nom pour désigner le mystérieux individu dont la mort, au début du livre, amorce l'intrigue narrative.

perçoit probablement cette nomination comme la fin de la route, sinon la fin de ses rêves.

Et, pour comble de malheur, Saunière hérite non pas d'une église paroissiale, mais d'une pitoyable ruine. La chapelle a perdu en grande partie sa toiture et la pluie tombe donc directement sur l'autel. Les fenêtres ne sont pas couvertes de vitraux, mais de planches de bois rugueux. Le presbytère est pratiquement inhabitable. On ne lui a pas affecté de gouvernante et son salaire mensuel de soixante-quinze francs suffit à peine à acheter du pain pour garnir sa table. La seule chose qui soit plus surprenante que l'état de l'église de Saunière est sa décision de rester.

Sa décision est peut-être au moins en partie dictée par des motifs charnels plutôt qu'ecclésiastiques. Si on autorise alors les prêtres à recruter une femme comme gouvernante, l'Église suggère que trente années ou plus les séparent l'un de l'autre : dans le cas de Saunière, cela signifierait une gouvernante en résidence âgée d'une soixantaine d'années. Mais Saunière applique l'écart d'âge en sens inverse et, bientôt, Marie Denarnaud, 16 ans, partage avec lui le presbytère délabré. Avec le temps, on se fait à l'idée que le couple partage à la fois le bâtiment et un seul lit, une situation que les ouailles et le supérieur de Saunière, l'accommodant et indulgent évêque de Carcassonne, semblent tolérer.

Marie Denarnaud est peut-être séduite par le prêtre pour d'autres raisons que sa fière allure. Peut-être l'est-elle par la nature passionnée dont Saunière fait montre, quelques mois à peine après être entré dans ses nouvelles fonctions. Pendant les élections nationales d'octobre 1885, le curé Saunière se révèle un farouche opposant du parti Républicain au pouvoir : il harangue ses paroissiens et leur ordonne quasiment de voter contre ce parti. Mais ses sermons enflammés ont peu d'effets sur les résultats : les Républicains l'emportent et, quand ils entendent parler des sermons véhéments de Saunière, ils réclament vengeance et l'obtiennent. Pour punir son imprudence politique, on suspend le versement de son petit traitement. Il en appelle à l'évêque qui, ayant pardonné le mode de vie blâmable du prêtre et de sa gouvernante nubile, pousse la charité jusqu'à offrir à Saunière un poste de professeur au proche Petit Séminaire de Narbonne, où le pasteur impétueux arpente les couloirs et les salles de cours pendant six mois, jusqu'à ce qu'on lève la suspension de son traitement.

Si les autorités ecclésiastiques croient avoir mis Saunière au pas, elles sont dans l'erreur. Saunière retourne au village et à ses bâtiments décrépits, cette fois avec le soutien d'un riche mécène et des plans pour améliorer le sort de sa paroisse et le sien.

Peut-être par admiration pour ses prises de position politiques, qui coïncident sans doute avec les siennes, l'influente comtesse de Chambord adjuge trois mille francs à Saunière dès son retour à sa paroisse. La somme est d'importance, parce que Saunière a prétendument obtenu un devis de deux mille huit cents francs pour les travaux de réfection de l'église. À son honneur, il semble qu'il consacre toutes les largesses de la comtesse à la restauration et à la reconstruction de la chapelle.

Quelque part dans le cours des travaux, Saunière se découvre une fascination pour la légende entourant la présumée valeur historique de son église. Quelques sources affirment que l'histoire de l'église est déjà bien connue des citoyens de la région ; d'autres disent que personne n'est conscient de son importance historique jusqu'à ce que les travaux de restauration soient bien avancés. Compte tenu de la suite des événements, ni l'une ni l'autre de ces explications n'est pertinente.

Dédiée à Marie-Madeleine, l'église de Saunière est érigée sur les lieux mêmes du mariage de Dagobert II et de Gisèle de Razès, si l'on en croit l'histoire, et Saunière fait une découverte stupéfiante alors qu'il assiste à sa reconstruction. La lourde pierre qui sert de table d'autel dans l'édifice original s'appuie sur quatre colonnes. Saunière déplace lui-même la pierre pour découvrir qu'une des colonnes est creuse. Il extraie délicatement de la cavité quatre parchemins anciens, les dissimule aux regards des autres qui s'affairent autour de lui. Deux des parchemins dessinent un arbre généalogique ; les deux autres portent un texte rédigé dans un mystérieux code que des experts de Paris mettront quelque temps à déchiffrer. Les mots qu'ils décryptent sont électrisants. *À Dagobert II Roi et à Sion est ce trésor et il est là mort :* tel est le message qu'on lui renvoie. Au roi Dagobert II, mort ici, et à Sion appartient ce trésor.

Un trésor ? Quel trésor ? La réponse vient quand on dégage une deuxième pierre. Quelque chose est cachée derrière, quelque chose que le curé Saunière est seul à voir. En un coup d'œil, il comprend que ses rêves d'être nommé à Bordeaux ou à Paris, voire à Rome, ne sont rien en comparaison de la fortune qui se trouve là, devant lui. Bientôt, Saunière et deux loyaux assistants sont occupés comme des marmottes à des fouilles, autour de l'église et à la périphérie du village.

Le curé Saunière a peut-être, au départ, dû mendier de l'argent pour réparer sa vieille église, mais à compter de ce moment les travaux à l'église de Saunière s'intensifient et sont assez extravagants pour susciter l'envie de tous les prélats – depuis l'archevêque de Paris jusqu'au dernier d'entre eux. La petite église est reconstruite avec magnificence, ornée de tableaux et de sculptures achetés par Saunière dans ses expéditions à Paris. Certaines de ces œuvres sont traditionnelles, comme *Les Bergers d'Arcadie* qui représente un groupe de personnes réunies autour d'un sarcophage, dans un paysage d'une étrangeté mystérieuse semblable à celui de Rennes-le-Château. D'autres sont d'un style et d'un sens obscurs, dont une statue, près de l'entrée de l'église, qui porte l'inscription latine *Terribilis est locus iste* – Ce lieu est terrible.

Le prêtre amasse suffisamment de richesses pour se procurer plus que des œuvres d'art pour son église. Il achète une terre de plusieurs acres, adjacente à la cure, et entreprend la construction de la tour Magdala, en l'honneur de Marie-Madeleine, et d'une vaste demeure, pour lui-même et Marie, qu'il nomme villa Bethania. La dépense est princière – quarante mille francs pour la tour, quatre-vingt-dix mille francs pour la demeure, et vingt mille francs pour le jardin attenant. Au total, Saunière dépense quelque deux cent mille francs, somme payée par un homme qui, quelques années plus tôt seulement, recevait un traitement mensuel de soixante-quinze francs. En argent d'aujourd'hui, deux cent mille francs de 1900 équivaudraient à presque sept millions de francs, soient environ un million deux cent cinquante mille dollars américains[4].

Saunière a peut-être été envoyé dans un patelin isolé d'un coin de France peu inspirant, il n'en mène pas moins un train de vie comparable à celui d'un cardinal au Vatican et d'un potentat oriental, lui dont tous les appétits – matériels, spirituels, culturels et charnels – semblent satisfaits grâce à une source de capitaux manifestement intarissable. Il nourrit de biscuits bien spéciaux son troupeau de canards pour obtenir, après rôtissage, une saveur plus délicate, s'enorgueillit d'une cave à vin bien garnie et se fait livrer chaque mois soixante-dix litres de rhum de Jamaïque. En juin 1891, Saunière met en scène une procession dans le village pour exhiber une statue de la Vierge de Lourdes nouvellement acquise qu'il fiche sur un socle dans les élégants jardins de la nouvelle église. L'année suivante, s'ajoutent un confessionnal et une chaire flambants neufs, et un chemin de croix d'une singulière conception dont les stations sont étrangement disposées en cercle – une manière, croit-on, de transmettre un message codé. Au bénitier s'adjoignent bientôt un fantaisiste diable tutélaire, une statue de Marie-Madeleine produite sur commande et de nombreuses autres pièces qui exhaussent la minuscule église bien au-dessus du niveau de bon goût et de culture qu'on s'attend à trouver dans une localité par ailleurs insipide.

Le prêtre ambitieux se met à décorer plus que son église bien-aimée. Les villageois se réjouissent de son projet de construction d'une grotte près d'un Christ en croix grandeur nature sur la

4. D'autres estiment que la valeur des dépenses engagées par Saunière pourrait s'élever à deux cent cinquante millions de francs (plus de cinquante millions de dollars américains), une somme qui étire à l'extrême la crédulité.

place du village. Marie Denarnaud est tout aussi ravie d'exhiber ses dernières toilettes parisiennes quand elle flâne sur la place du marché avec au bras, parfois, un sac à main contenant les titres des propriétés achetées par Saunière en son nom.

Les citoyens de l'endroit s'interrogent sur l'origine des richesses de Saunière, mais pas plus qu'il ne faut. Il fournit après tout de l'emploi aux artisans du coin et apporte à la collectivité une touche de distinction qui manquait douloureusement. En outre, leur curiosité est amplement satisfaite par un conte qui explique raisonnablement les choses tout en flattant leur nature quelque peu rebelle. Voici ce que croient les gens du pays.

Dans ses excavations, Saunière a déterré quelque chose de plus précieux que de l'or et des pierreries : le trésor de Dagobert ; l'identité de l'homme inhumé (« et il est là mort ») qui n'est pas le roi mérovingien lui-même, depuis longtemps décédé, mais le corps du Christ dont un parchemin codé, dissimulé dans une colonne sous l'autel, indiquait l'emplacement.

Mesurez l'importance de la découverte. La présence du corps du Christ dans un village français de rien du tout réduirait à néant la doctrine chrétienne, ruinerait les fondements de la foi et démolirait l'institution, à commencer par le Vatican. Alors soit le Christ n'est pas mort sur la croix soit il n'est pas ressuscité des morts, ni monté au ciel le troisième jour. Il faut repenser et récrire toute la théologie du christianisme, voire carrément la répudier et, avec elle, deux mille ans de piété et de sacrifice.

Que fait Saunière ? Un homme profondément religieux pourrait garder à jamais le secret, s'accrocher à la foi dont il a vécu et refuser d'anéantir la spiritualité de millions de gens. Un rationaliste rendrait publique sa découverte, défierait les anciennes idéologies et contribuerait à les remplacer, elles et la foi qu'elles représentent, par un ordre nouveau.

Saunière n'a rien de l'un ni de l'autre. C'est un matérialiste qui, divulguant discrètement sa découverte à un petit groupe d'autorités ecclésiastiques triées sur le volet, promet de dissimuler les faits en échange de généreux appointements qu'elles lui consentiront, le temps qu'elles concoctent leur prochaine manœuvre. Le christianisme est en réalité l'objet d'un chantage par un obscur prêtre français qui vit ouvertement avec sa jeune gouvernante/maîtresse.

Si tel est le cas, la réponse finale de l'Église, après avoir satisfait à ses exigences plusieurs années durant, pourra avoir été d'abord de discréditer Saunière, pour ensuite le rembarrer et s'en débarrasser ainsi. Et tel a été le cas, mais pas avant que ne surviennent divers événements mystérieux, du genre de ceux qui délient les langues dans les petites villes et qui font saliver les enragés de la conspiration.

Le processus s'enclenche tragiquement par les étranges décès de deux membres du clergé local. La veille de la Toussaint 1897, on trouve brutalement assassiné dans la cuisine de son presbytère l'abbé Gelis, un prêtre solitaire du proche village de Coustaussa. Le prêtre, frappé à coups de pincettes et de hache, a été respectueusement allongé sur le plancher, les mains soigneusement posées sur la poitrine. Si la résidence a été fouillée, le vol ne semble pas être le motif du crime parce que huit cents francs sont retrouvés dans un tiroir facilement accessible. Le meurtre ne sera jamais résolu.

À cinq années de là, Billard, le placide archevêque de Carcassonne, est aussi assassiné. Billard, qui n'a pas seulement négligé d'interroger Saunière sur sa fortune et son train de vie extravagant, qu'il semble même avoir encouragé, connaît une fin aussi brutale que l'abbé Gelis. Son meurtre restera aussi non résolu.

Successeur de l'archevêque Billard, l'abbé de Beauséjour ne se montre pas aussi indulgent avec Saunière que son prédécesseur, spécialement après avoir enquêté sur le passé du prêtre. Accusant Saunière de conduite scandaleuse, sans entrer dans le détail, le nouvel évêque exige du curé des explications et une vérification comptable des revenus et dépenses de la paroisse, deux requêtes auxquelles Saunière reste sourd avant d'essayer d'amadouer son supérieur avec des documents faux et incomplets.

En 1909, l'évêque en a assez. Il ordonne à Saunière de quitter son poste à Rennes-le-Château. Saunière refuse et il est promptement défroqué. Pendant huit années, le prêtre déshonoré reste au village où la fidèle Marie Denarnaud, à qui il lègue tous ses biens terrestres à sa mort en 1917, prend soin de lui. Le patrimoine de Saunière se compose de quelques livres et d'une poignée de babioles sans valeur, mais Marie est assurée d'une vie relativement confortable parce que Saunière a transféré à son nom la villa Bethania. Elle survit une trentaine d'années en louant des chambres de la villa, puis cède la propriété de la demeure que son amant prêtre avait acquise en son nom à un homme d'affaires de la région contre une rente viagère. Cette source de revenus lui permet de subvenir à ses besoins le reste de sa paisible existence, jusqu'à son décès, en janvier 1953. L'homme qui achète la propriété et verse la rente annuelle est Noël Corbu, un entrepreneur local. Retenez ce nom.

Dans l'entre-deux-guerres, tandis que Marie Denarnaud vit en paix avec ses souvenirs et ses secrets, la France est bousculée par deux factions politiques rivales. Les royalistes, qui prônent le retour à un gouvernement monarchiste et bénéficient du soutien affiché de l'Église catholique, s'opposent aux républicains qui favorisent un gouvernement démocratiquement élu. Plusieurs chefs du mouvement républicain appartiennent aux francs-maçons qui dominent la politique française depuis les années 1880.

La rivalité reste relativement sans conséquences jusqu'à ce que la France soit touchée par l'agitation de la fin des années 1920 qui amène Hitler au pouvoir dans l'Allemagne voisine. Reprenant à leur compte plusieurs des positions qui caractérisent les nazis, les groupes composant l'extrême droite française deviennent plus racistes. Dans le sillage de la vague antisémitique qui déferle sur l'Europe, les extrémistes de la droite française ajoutent les francs-maçons à leur liste de probables traîtres et séditieux. Compte tenu de la tourmente européenne et de la récession économique mondiale engendrée par la Grande Crise, on déniche partout des boucs émissaires et les coalitions se forment chaque fois qu'un ennemi commun est identifié. Les monarchistes enragés serrent les rangs, se présentent comme des ordres chevaleresques qui ont pour mission de racheter une société perdue dominée par les Juifs et les francs-maçons. L'élection du Juif Léon Blum à la tête du premier gouvernement socialiste du pays pousse les monarchistes et l'extrême droite à une coalition qui prépare le terrain au régime de Vichy et à la collaboration de la France avec l'occupant nazi pendant la Deuxième Guerre mondiale.

L'Alpha Galates (Premiers Gaulois) est un des groupes fascistes/monarchistes qui prennent forme pendant ce tourbillon de bouleversement politique. L'organisation attire peu l'attention et n'a guère de retentissement, jusqu'à ce que ses membres élisent, comme chef honoraire, un adolescent nommé Pierre Plantard. Soit très précoce soit bien pistonné, Plantard acquiert une renommée et une notoriété sans commune mesure avec ses origines ouvrières et sa médiocre intelligence.

Plantard affecte parfois les manières et l'allure stéréotypées de la pègre française : sombre, décharné, sourire de mépris et Gauloise perpétuellement aux lèvres. À d'autres moments, il se donne des airs d'intellectuel, d'existentialiste à l'aise en compagnie d'un Malraux ou d'un Sartre. Le caméléon est la meilleure description de Plantard qui se présente lui-même, selon le cas, comme Pierre de France et Plantard de St. Clair ; il retouche au besoin aspects et valeurs de son existence pour obtenir ce qui, sur le moment, se trouve par hasard à portée. D'autres portraits de l'homme sont moins neutres, dont ceux de charlatan, d'imposteur et de criminel notoire. Les archives de la Sûreté française confirment aisément le dernier en ce qu'elles révèlent qu'il a été trouvé coupable d'extorsion et de détournement de fonds, et condamné à six mois de détention.

Sous le régime de Vichy, qui gouverne la France occupée par les nazis de 1940 à 1944, Plantard et ses Alpha Galates publient *Vaincre*, une revue vouée au nationalisme français et à la restauration de la monarchie. Plusieurs des articles de la publication sont franchement antisémites et antimaçonniques, une accusation dont Plantard se défendra ultérieurement en prétextant que cela la soustrayait à la censure de la Gestapo. Si telle était vraiment sa stratégie, elle a lamentablement échoué: en 1943, la revue *Vaincre* est fermée et Plantard emprisonné parce qu'il s'est montré, selon les archives nazies, trop franchement plus favorable aux vues fascistes françaises qu'allemandes. Deux années plus tard, Plantard a une explication plus flatteuse: les nazis auraient soi-disant découvert que ses articles dans *Vaincre* contenaient des messages secrets pour les combattants de la Résistance française.

Quel que soit le parti de Plantard, l'homme est clairement un boutefeu dès qu'il est question de nationalisme français, rôle dont il s'acquitte avec plus de fougue encore après la fin des hostilités, en 1945. Deux années plus tard, Plantard fonde l'Académie latine dont l'objectif avoué est de procéder à des recherches historiques, mais dont l'objectif plus manifeste est de perpétuer les activités politiques de droite d'Alpha Galates. On voudra pour preuve du succès mitigé du groupe le fait que, sur la charte d'incorporation de l'« académie », la mère de Plantard soit inscrite comme présidente honoraire.

Plantard devient une figure connue de certaines autorités catholiques à Paris, particulièrement au séminaire de Saint-Sulpice; c'est d'ailleurs là, au milieu des années 1950, qu'il soutient, une première fois, être le prétendant mérovingien au trône de France. Puis il étaye cette prétention, en 1956, en se proclamant lui-même chef d'une organisation d'inspiration divine, fondée par Godefroi de Bouillon au temps des croisades, dont les membres influencent le cours des événements mondiaux depuis l'époque du Christ. Elle s'appelle le prieuré de Sion.

Emprunté au monastère médiéval d'abord appelé Notre-Dame-du mont Sion, le nom de l'organisation a peut-être changé, mais elle reste pour l'essentiel l'Alpha Galates qui se donne simplement un nouveau visage et une nouvelle revue, intitulée *Circuit*. La publication de Plantard entreprend bientôt de relater les aventures du curé Saunière, à faire des allusions aux secrets que le prêtre aurait percés dans un village isolé des Pyrénées. Ces articles constituent finalement la base d'un livre dans lequel Plantard élabore sur les découvertes de Saunière, sur les implications de l'inhumation du corps du Christ près d'une petite église dédiée à Marie-Madeleine, sur l'union de descendants du Christ et d'une famille française gothique par le mariage de Dagobert et de Gisèle, et sur le secret renversant qu'ont maintenu, leur vie durant, de grandes figures de l'histoire.

L'histoire est mystérieuse, mais le style littéraire de Plantard n'est guère captivant puisque personne ne paraît intéressé à publier son livre. Dans un effort pour financer son œuvre littéraire, Plantard annonce avoir mis la main sur deux des parchemins découverts par Saunière dans la colonne creuse de l'autel, parchemins qu'il dépose avec une ostentation certaine à la Bibliothèque nationale de France. L'existence de ces parchemins établit un rapport crucial entre le comportement étrange de Saunière et l'existence du prieuré de Sion. Soudain quelques croyants se manifestent là où il n'y avait jusqu'alors que des sceptiques au sourire moqueur et hochant de la tête.

Les deux parchemins remis par Plantard contiennent des messages cachés : l'un fait mémoire du mariage de Dagobert et de Gisèle ; l'autre, plus sibyllin, a trait au prieuré de Sion. Une fois leur contenu confirmé, sinon leur authenticité, Plantard estomaque les spécialistes et les historiens en déclarant que les documents prouvent sa descendance en droite ligne de Dagobert et de Gisèle, ce qui explique sa fonction de grand maître du prieuré de Sion.

Après les parchemins vient une version remaniée du livre, maintenant publiable grâce auxdits parchemins et à une réécriture en profondeur par son coauteur, Gérard de Sède. Intitulé *L'or de Rennes* et publié en 1967, le livre relate par le détail l'histoire des origines du prieuré alors que Marie-Madeleine et les enfants du Christ, en fuite, traversent la Méditerranée pour se réfugier en

Gaule – soit avec le Christ soit avec sa dépouille. De là, il suit la filiation jusqu'à Gisèle de Razès, dont il traque ensuite les descendants sur mille trois cents ans d'histoire mondiale, et se termine avec la découverte, par Saunière, des parchemins et d'autres effets.

Les révélations du livre génèrent deux opinions divergentes et pareillement exaltées. L'une estime incontestable le récit dont l'authenticité serait avérée par diverses données : la mystérieuse fortune accumulée par Saunière ; l'existence des parchemins ; les références historiques à Dagobert et à la race mérovingienne ; enfin, les concluants comptes rendus de Plantard lui-même. L'imagination des partisans s'emballe et ils se convainquent que cette société secrète est le véhicule d'un des plus grands mystères de l'humanité sur des générations de descendants dont la supériorité intellectuelle et la créativité s'expliquent par une parenté directe avec le Créateur. Ils se précipitent donc pour découvrir des références historiques qui corroborent les prétentions de Plantard. Ils en trouvent inévitablement et, à chaque apparente confirmation, l'enthousiasme grandit parmi les croyants.

Ceux qui adoptent l'autre opinion restent sceptiques et, au fil du temps, ils découvrent quelques vérités bien à eux.

Le premier dos d'âne sur le chemin du prieuré surgit quand les associés de Plantard, Gérard de Sède et Philippe de Chérisy, poursuivent leur collègue pour récupérer des redevances promises sur les ventes du livre. Le rôle de Gérard de Sède en tant que coauteur est notoire, mais qui est de Chérisy ? Il se révèle être un universitaire cultivé à la réputation de mauvais plaisantin. Au moment où paraît *L'or de Rennes*, il a déjà pour la bouteille un fort penchant qui le tuera. Détail plus important, de Chérisy affirme que les parchemins offerts à la Bibliothèque nationale sont des faux. Il le sait parce qu'il les a fabriqués lui-même pour assurer publicité et cachet d'authenticité au livre de Plantard.

Porté par la vague de publicité et de ventes de *L'or de Rennes*, Plantard tombe vite d'accord avec de Chérisy. Les parchemins ne sont pas authentiques, admet-il, mais ils ne sont pas non plus des faux. Il s'agit de copies scrupuleuses des parchemins originaux que, vu leur valeur, Plantard conserve en lieu sûr et dont il refuse de révéler l'emplacement. Il annonce aussi que sa famille a dissimulé le fait que ses origines ne sont pas exclusivement françaises. Plantard déclare compter, parmi ses ancêtres, une branche distincte liée aux St. Clair, dont le nom a été anglicisé en Sinclair, qui a fondé la franc-maçonnerie de rite écossais. Ce cousinage allégué explique les mesures prises pour maintenir secrète l'existence du prieuré de Sion au fil des siècles. La révélation satisfait les partisans, mais pousse les sceptiques à explorer plus à fond le conte, avec de remarquables résultats.

La première découverte passe par l'examen minutieux des colonnes qui supportaient la table de l'autel dans l'église de Saunière, colonnes facilement retrouvées à Rennes-le-Château, où elles sont exposées comme éléments du patrimoine municipal. Aucune des colonnes n'est creuse. Toutes quatre sont en fait des plus compactes, sauf pour une fissure, dans l'une d'entre elles, qui aurait pu receler une carte postale ou deux, mais rien de plus. Une révélation encore plus fâcheuse va suivre.

Vous souvenez-vous de Noël Corbu? L'acheteur de la villa Bethania, la demeure que Saunière s'était fait construire avec l'argent tiré de sa présumée découverte d'ossements ou de trésor. Après la mort de Saunière, Marie Denarnaud convertit la demeure en une maison de rapport avant de l'échanger contre une rente viagère annuelle que lui verse Corbu. À la suite du décès de Marie, en 1953, Corbu transforme la villa Bethania en un petit hôtel restaurant. Comme rien d'autre n'attire les touristes à Rennes-le-Château, à part les ouï-dire des excentricités de Saunière et de sa mystérieuse fortune, l'investissement dans cette affaire ne rapporte guère à Corbu. Il résout le problème avec rien de moins qu'un procédé de mise en marché qui doit tout à la stratégie d'entreprise et presque rien à la vérité.

Corbu concocte une version dramatique de la légende élucidant le mystérieux enrichissement de Saunière, une version peuplée de personnages qui seraient à leur place dans un *Harry Potter* et livrée avec les accents d'une histoire de fantômes autour d'un feu de camp. Il enregistre de sa propre voix le récit qu'il fait jouer dans son restaurant pour divertir les dîneurs et qu'il publie ensuite sous forme de brochure souvenir de leur passage.

L'histoire de Saunière et de Rennes-le-Château n'a guère la qualité des œuvres de Joseph Conrad, mais elle divertit les visiteurs en train de se régaler de *pol au pot* et de *cassoulet*[5] ; ils apprennent ainsi des faits sur les origines gothiques et romaines de la ville, sur sa destruction au cours de diverses guerres contre l'Espagne, sur l'arrivée de Bérenger Saunière en 1885, sur les premières années du prêtre marquées par l'indigence et sur son inexplicable et soudaine prospérité.

Jusqu'à ce point du récit, dont il ne cache jamais être l'auteur, Corbu reste raisonnablement près des faits vérifiables. Quand il entreprend d'expliquer la source de la fortune de Saunière, la fiction refoule toutefois la réalité dans les ténèbres.

Suivant Corbu, des dossiers conservés à Carcassonne confirment que Saunière est tombé par hasard sur une fortune enfouie sous son église en 1249 par Blanche de Castille, mère du dernier grand croisé et seul roi de France canonisé : Louis IX. Une mini-révolte menée par des barons avides de pouvoir et des vassaux opprimés éclate peu après le départ du roi pour la Palestine. Pressentant que Paris n'est pas l'endroit le plus sûr pour la cassette royale, Blanche expédie secrètement l'or et les joyaux du monarque à Rennes-le-Château. Quand Louis revient d'Orient, il mate les insurgés et quitte encore Paris, quelques années plus tard, cette fois pour prendre la tête de la huitième croisade. Il ne rentrera jamais : il meurt à Tunis et son fils Philippe le Hardi lui succède. Jugeant que la trésorerie nationale est plus en sûreté dans ce village isolé

5. En français dans le texte (NDT).

que dans la capitale, Philippe le Hardi renforce les défenses de la petite ville. Peut-être néglige-t-il de mettre au courant des richesses itinérantes du royaume *son* fils Philippe le Bel, futur fossoyeur des templiers, puisque, selon Corbu, le trésor est oublié à compter de ce moment.

Oublié ? Comment même un roi de France du Moyen Âge oublierait-il cent quatre-vingts tonnes d'or, de pierres précieuses et d'œuvres d'art dont la valeur est évaluée, si l'on en croit Corbu, à « quatre mille milliards de francs » ? Détail plus pragmatique, comment, avant tout, des serviteurs du roi s'y prendraient-ils pour transporter plus de cent quatre-vingts tonnes d'or et d'autres valeurs sur plus de six cent cinquante kilomètres ? Pourquoi aussi, plutôt qu'ailleurs, à Rennes-le-Château, l'un des endroits les plus éloignés de Paris et, qui plus est, à la frontière d'un ennemi de la France ?

Peut-être distrait par la révélation suivante de Corbu, nul ne semble douter de ce tour de force :

> Le trésor a été découvert à deux reprises. En 1645, un berger nommé Ignace Paris tombe dans un trou et en rapporte des pièces d'or. Il prétend ensuite avoir vu une salle remplie d'or. Il sombre finalement dans la démence en tentant de protéger son or que le propriétaire du château cherche sans pouvoir le trouver. Plus tard arrive Saunière qui trouve l'or [...]
>
> C'est dans ce petit village au superbe paysage et au passé prestigieux que l'un des plus fabuleux trésors du monde est caché !

Ce genre de fable s'avère probablement plus efficace, pour attirer des clients à l'hôtel restaurant de Corbu, qu'une critique dithyrambique dans *Paris Match*. Corbu le sait et il met à profit ses relations dans les médias pour diffuser son récit dans les journaux et les magazines. Rennes-le-Château ne devient pas pour autant du jour au lendemain un nouveau Monaco, mais il semble attirer sa part de visiteurs mis en appétit, parmi lesquels un Pierre Plantard peut-être en quête d'une arnaque. La rencontre entre Corbu et Plantard n'est pas une fiction : des photographies témoignent de ce que les deux hommes font connaissance aux environs de 1960, peu avant que Plantard ne rédige sa première version du livre finalement publié sous le titre de *L'or de Rennes.*

La plus notable lacune de la fable de Corbu est l'absence de quelque allusion à la gracieuse Gisèle, dont le mariage avec Dagobert allie la puissance des Wisigoths à la lignée du Christ. Comment Corbu peut-il passer sous silence un épisode aussi crucial de la légende historique ? La réponse est étonnamment simple et révélatrice : *Gisèle de Razès n'a jamais existé.* Elle est aussi fictive que Blanche-Neige. Elle n'a existé ni en chair ni en esprit au VIIe siècle et elle n'existe au XXIe siècle que dans le cerveau de partisans abusés, de fanas de la conspiration et de lecteurs crédules d'un roman qui a récemment été un succès de librairie. Malgré de prétendues archives dressant l'arbre généalogique des ancêtres et descendants de Gisèle, la belle, intelligente et ravissante princesse reste « une invention du XXe siècle », si l'on en croit Aviad Kleinberg, médiéviste et professeur d'histoire à l'Université de Tel-Aviv.

Sans l'existence de Gisèle, toute la construction de Plantard s'écroulerait sous lui comme une structure de papier : il la crée donc simplement comme interface wisigothique avec la lignée mérovingienne. Plantard va même parfois jusqu'à le reconnaître – la cohérence n'est pas l'une des plus remarquables qualités de ce Français – et il lance une nouvelle version de l'histoire du prieuré en 1989. Cette fois, il prétend qu'un homme appelé Roger-Patrice Pelat, une connaissance du président Mitterrand, est – plutôt que lui-même – le grand maître en titre du prieuré de Sion, contrairement à ce qu'il affirmait depuis trente ans. Le rang de Pelat n'est jamais confirmé, mais il a au moins une chose en commun avec Plantard : tous deux sont condamnés pour fraude et détournement de fonds, le procès de Plantard prenant place peu après son ostensible élévation au rang de grand maître.

En septembre 1993, pendant une instruction officielle sur les activités de Pelat, Plantard, qui ne rate jamais une occasion de briller dans les médias, se porte à la défense de son ami. Geste qu'il regrettera lorsque le juge qui entend la cause ordonne une perquisition au domicile de Plantard. La perquisition rapporte des montagnes de documents dont plusieurs proclament Plantard roi de France, ce qui suffit pour que le magistrat somme Plantard de répondre sous serment à des questions. Quelles que soient les techniques d'interrogatoire employées, Plantard reconnaît rapidement que toute l'opération est une supercherie, qu'il a inventé le moindre détail relatif à la généalogie, y compris le mariage de Gisèle et de Dagobert, la découverte par Saunière soit d'un trésor soit d'un cadavre sous son église ou à proximité, et jusqu'à son titre de grand maître du prieuré de Sion. Peut-être attendri par l'âge et la mine abattue de Plantard, le juge le qualifie d'inoffensif hurluberlu et le relâche, non sans le prévenir de ne pas narguer le système judiciaire français. Plantard quitte la salle d'audience et se réfugie dans un relatif anonymat jusqu'à sa mort, en février 2000.

Ces événements – l'instruction de la cause de Pelat, la prétention de Plantard que Pelat exerce la fonction de grand maître du prieuré de Sion, les faux documents et l'admission de fraude de la part de Plantard – sont abondamment rapportés dans les médias français à l'époque. Personne ne les met en doute : ils sont authentiques et aussi irréfutables qu'est légendaire la fable de Gisèle.

Bien entendu, il y a tout juste assez de vrai dans l'histoire de Saunière et de la supposée lignée divine pour imaginer que Plantard ment, non pas quand il raconte son histoire maintes fois remaniée, mais lorsqu'il affirme que le prieuré est une fiction. Peut-être sa version originale est-elle authentique, après tout. Peut-être sa déclaration sous serment, que tout ça n'est que fiction, est-elle le sacrifice d'un homme valeureux pour occulter la sainte vérité. Comment, par exemple, cet homme quelque peu simplet aurait-il pu imaginer une structure aussi complexe que la généalogie mérovingienne et l'étayer sur des documents anciens ?

La réponse réside dans le tourbillon de bouleversement politique qui balaie l'Europe dans les années 1920 et 1930, époque où

Plantard se bâtit d'abord une réputation d'habile sycophante des doctrines fascistes. Ces années-là, un fanatique italien nommé Julius Evola attire l'attention des défenseurs de l'extrême droite, dont Heinrich Himmler et Oswald Mosley, lorsqu'il publie la traduction italienne des *Protocoles des Sages de Sion*[6], ouvrage d'après lequel des porte-parole juifs se seraient réunis au XIXe siècle pour définir leur stratégie de manière à régenter le monde. Evola se fait le chantre d'une philosophie proche de l'idéologie de la royauté de droit divin et promeut l'ordre ancien fondé sur la reconnaissance, dans le vrai monarque, d'un être sacré dont les divins mérites et pouvoirs s'exercent sur ses sujets. Il admire particulièrement Godefroi de Bouillon, premier souverain européen de la Palestine et présumé fondateur du prieuré de Sion.

À peu près au même moment, un érudit allemand nommé Walter Johannes Stein publie *Le neuvième siècle: histoire du monde à la lumière du saint Graal*, une thèse de doctorat qui comprend un tableau généalogique que Stein intitule « La lignée du Graal ». Même si cette lignée est une représentation symbolique de personnages historiques qui ont fait montre d'une très haute spiritualité et de pouvoirs paranormaux, quiconque prend superficiellement connaissance de la prémisse de Stein peut aisément confondre les symboles avec des personnes réelles – spécialement là où l'organigramme de Stein incorpore Godefroi de Bouillon et la famille royale française.

Ces documents et d'autres pièces ésotériques disponibles dans les bibliothèques de France peuvent aisément avoir échauffé l'imagination de Plantard. Avec son penchant notoire pour la fraude et son appétit de reconnaissance publique, Plantard façonne un noyau narratif qu'il enrobe d'une chimère substantielle et recouvre d'une couche d'ésotérisme pour obtenir une balle de contes de fées qu'il fait rouler depuis le haut de la montagne, et la balle gagne en poids et en taille jusqu'à ce qu'elle emballe au passage trois

6. Pour plus de détails sur ce livre, voir notre chapitre 11.

écrivains britanniques qui la transforment en un grand succès de librairie intitulé *The Holy Blood and the Holy Grail*[7].

Un mystère persiste. Où le curé Saunière a-t-il trouvé l'argent pour ses constructions et son train de vie extravagants ? Contrairement à d'autres éléments du récit, ils n'ont rien d'un mythe : la tour Magdala, l'intérieur opulent de l'église et la villa Bethania existent toujours. Comment le prêtre a-t-il pu amasser autant d'argent sans exhumer le trésor de Louis IX ou faire chanter l'Église avec des ossements du Christ ? La réponse avérée est connue et banale : la simple fraude.

Jusqu'à ce que Vatican II en proscrive la pratique, les prêtres catholiques pouvaient réclamer des honoraires lorsqu'ils célébraient une messe pour obtenir la guérison d'une maladie ou pour accélérer le passage d'une âme défunte en purgatoire, avant son entrée au ciel. Le revenu tiré de ces messes constituait une forme, acceptable et même encouragée, d'assistance pécuniaire au prêtre et à sa paroisse.

Il est cependant arrivé que des prêtres sans scrupules recourent à ces messes dites sur demande comme source de revenus substantiels provenant de catholiques hors de leur cure, voire hors de leur pays. Bientôt, on vendait des messes par la poste comme n'importe quel autre article et on en faisait la réclame dans les journaux et revues catholiques. Le fidèle pouvait faire dire ou chanter une messe pour le compte de qui il voulait en acheminant l'argent et les détails requis au prêtre dont le nom figurait dans la réclame.

Personne, sinon Dieu et le prêtre lui-même, ne pouvait confirmer que la messe avait effectivement été célébrée. Un prêtre pouvait recevoir littéralement des milliers de commandes postales, chacune accompagnée de quelques francs en espèces pour célébrer des

7. Pour de plus amples détails sur cet ouvrage de M. Baigent, R. Leigh et H. Lincoln (*L'énigme sacrée*, traduction de Brigitte Chabrol, Paris, Éditions Pygmalion/Gérard Watelet, « J'ai lu », nº 7562, 2005) et sur ses prémisses improbables, voir notre chapitre 11.

messes dans la semaine en cours, parfois le jour même. On a appelé cela le « trafic des messes » et il semble que Saunière ait été un as en la matière. De petites annonces parues dans diverses publications par toute l'Europe ont été reliées au prêtre des Pyrénées et l'examen de ses livres, où il notait les résultats de son opération de commercialisation, révèle que Saunière n'aurait pu humainement célébrer toutes les messes pour lesquelles il a reçu paiement, même s'il s'était attelé à la tâche vingt-quatre heures sur vingt-quatre, sept jours par semaine.

Le volume de requêtes de messes et de paiements inclus, pour les années s'échelonnant de 1895 à 1904, excède aisément les deux cent mille francs nécessaires pour compléter les travaux de construction supervisés par Saunière et pour défrayer les gâteries comme les cargaisons de rhum en provenance des Caraïbes.

La correspondance saisie à l'église de Saunière, lorsqu'il est défroqué, révèle la dimension phénoménale de l'entreprise. Une famille lui envoie deux cent cinquante francs pour que soient célébrées cent vingt-cinq messes à l'intention de chacune de deux sœurs disparues. Une veuve expédie quarante-cinq francs pour trente messes à la mémoire de son mari mort au combat, et les membres d'un couvent versent seize francs pour des messes à l'intention de leur abbesse récemment décédée qui a elle-même payé à Saunière plusieurs messes.

Saunière a peut-être eu un mentor discret pour son stratagème de commercialisation des messes. Des recherches révèlent que monseigneur Billard, évêque de Carcassonne, faisait l'objet d'une enquête, au moment de son décès, pour avoir agi de semblable manière, ce qui pourrait expliquer la tolérance de Billard pour les écarts de conduite de Saunière.

Ils sont tous morts depuis longtemps – Bérenger Saunière, Marie Denarnaud, Pierre Plantard, Gérard de Sède, Philippe de Chérisy et même Noël Corbu qui, ayant fait de son hôtel restaurant La Tour une petite affaire florissante grâce au mythe du trésor enseveli, la vend pour une somme rondelette en 1964 et prend sa retraite. Mais pour peu de temps, car il est tué dans un accident de la route en 1968.

Le mythe perdure parce que des gens veulent qu'il survive et même qu'il s'enfle, ne serait-ce que pour satisfaire leur amour du mystère insondable et de la machination truculente. Quelqu'un affirmera sans doute avoir vu le fantôme de Gisèle de Razès, belle et radieuse, flânant aux environs de la tour Magdala dans sa parure de mariée, soupirant après son Dagobert disparu et cherchant le trésor enfoui. Dans ce cas, seule la tour sera bien réelle.

4

DRUIDES ET GNOSTIQUES

Connaissance et âme éternelle

Il est difficile d'imaginer deux groupes dont les origines et les intérêts soient davantage aux antipodes que les druides et les gnostiques. L'un est issu du mysticisme celtique, et l'autre, de la théologie judéo-chrétienne. L'un s'enracine dans le naturalisme, l'autre dans le spiritualisme. L'un recherche la perfection en ce monde pour s'apparier à la perfection du monde à venir, l'autre juge ce monde irrémédiablement perdu et mauvais.

L'incompréhension et l'oppression, deux phénomènes qui incitent au secret les individus aussi bien que les organisations les unissent. Leurs origines et leurs activités sont aussi ténébreuses, faut-il le dire ; or, lorsque les ténèbres sont assez épaisses et perdurent assez longtemps, même les groupes les plus inoffensifs revêtent un voile de suspicion. Surtout s'ils sont enclins à danser en forêt, ou si la religion institutionnalisée les regarde avec méfiance. Le fait qu'ils se livrent à un peu de magie, comme tendent à s'y prêter tant les druides que les gnostiques, n'améliore pas leur réputation.

Chaque année, à l'approche du solstice d'hiver dans l'hémisphère Nord, hommes et femmes de plusieurs pays chrétiens se font une joie de perpétuer un usage qui prend racine dans le druidisme. La coutume, aux connotations clairement sexuelles, s'exécute en présence d'une forme de vie parasitique et vénéneuse, d'où la croyance que les druides forment une société de déviants subversifs qui président à des rituels païens dans des temples en plein air comme celui de Stonehenge, une tenace conception erronée de cette société obscure.

Le rituel met en scène des couples qui s'embrassent sous le gui, au temps des fêtes, une tradition sans rapport connu avec le druidisme, sinon par le caractère sacré que ses membres reconnaissent à la plante et au chêne sur lequel elle croît. Il n'y a d'ailleurs pas non plus d'association démontrée entre les druides et Stonehenge, en dehors des spéculations entretenues de nos jours par quelques groupes marginaux.

Il faut avouer que nous savons peu de choses des druides parce qu'ils n'ont jamais conservé de documents écrits et parce qu'ils existent moins comme une organisation que comme une fonction prestigieuse au sein des familles royales, particulièrement dans les communautés celtiques d'Europe occidentale. Nous tenons de troisième main toute notre compréhension du druidisme, filtrée à la fois par le verre déformant du temps et de l'opinion ; même leur usage rituel du gui nous est essentiellement connu par les écrits de Pline l'Ancien, un Romain du premier siècle. Selon Pline, et Maxime de Tyr, les druides considèrent le chêne comme une représentation visible de la déité, résultat de ce que les druides vivent en symbiose avec le monde naturel. « Aux yeux des druides (c'est ainsi qu'ils appellent leurs mages) rien n'est plus sacré que le gui et le chêne qui le porte [...] », écrit Pline. Les druides comprennent mal la vraie nature du gui. La plante est un parasite et elle tire sa nourriture de la sève de l'arbre ; les druides, dont la spécialité est après tout les études spirituelles et non pas la botanique, croient que le gui donne vie au chêne. Ils sont confortés dans cette idée quand, en hiver, le chêne perd ses feuilles pour entrer dans une phase de dormance alors que le gui conserve son feuillage. Et Pline d'ajouter :

> C'est un fait que tout ce qui vient sur le rouvre est regardé comme envoyé du ciel; ils pensent que c'est un signe de l'élection que le dieu lui-même a faite de cet arbre. [...] quand on en trouve, on le cueille en grande cérémonie religieuse. Avant tout, il faut que ce soit le sixième jour de la lune [...].

Au dire de Pline, on tient d'abord un banquet sous l'arbre qui porte le gui. À la fin du banquet, un prêtre druide en vêtements blancs grimpe à l'arbre, avec une faucille ou un émondoir d'or, et recueille la plante dans un tissu blanc. Quand il revient au sol avec la plante sacrée, on sacrifie deux taureaux blancs aux dieux, en contrepartie du gui.

Incidemment, les druides ne sont pas les seuls à tenir le gui en si haute estime. Les Japonais le traitent avec une vénération comparable, bien qu'ils préfèrent une variété qui croît sur les saules. Les Suisses, les Slaves et d'autres peuples encore considèrent le gui comme une plante exceptionnelle qui incarne plusieurs vertus mystiques, pour la plupart associées à la fertilité. L'association avec la fertilité a donné naissance à la coutume des couples qui s'embrassent sous le gui en fruit, au solstice d'hiver, avec l'espoir que la femme devienne enceinte et porte un enfant sain dans l'année à venir.

Le gui et le rituel qui y est allié au solstice d'hiver, ou des fêtes, reste le seul rapport tangible qu'entretiennent la plupart des gens avec le druidisme, même si certains considèrent le mouvement comme une société secrète qui poursuit de sombres desseins.

Le mot « druide » ne désigne pas le membre d'une secte religieuse, mais la classe sacerdotale des sociétés celtiques et galloises, spécialement dans les îles britanniques. La véritable origine du mot se perd dans la nuit des temps. À ce propos, les théories foisonnent. L'une d'elles accole le mot grec *drus*, qui signifie chêne, au sanscrit *vid* qui signifie connaissance (bois d'œuvre se dit *dru* en sanscrit).

Autre piste : le mot grec pour désigner dieux sylvestres et nymphes des bois est *dryades*. Les spécialistes de la civilisation celtique voient en *drui* le nom donné aux « hommes des chênes » ; quant au *druidh* gaélique, il désigne un sorcier ou un mage. D'autres indices privilégient des racines teutoniques ou gaéliques. Quelle que soit l'étymologie du mot, la recherche de ses origines entraîne dans une interminable et insoluble discussion sur l'antériorité. Il suffit peut-être de convenir que le mot suggère un sens entre tous, celui de sacerdotal.

Si l'épithète « sacerdotal » donne à entendre que les druides remplissent une fonction religieuse, leur rôle excède grandement cette mission, puisqu'il embrasse la philosophie, la science, les traditions, l'enseignement, la justice et le devoir de conseiller le roi. Peut-être l'appellation d'*intelligentsia religieuse* serait-elle la meilleure manière de les décrire dans notre langage d'aujourd'hui, à condition toutefois de donner ici à « religieuse » un sens plus large que celui qu'on lui assigne normalement. Les Celtes vivent aussi près de la nature que tout autre peuple de l'Antiquité, plus près encore que la plupart d'entre eux. Leurs mythes, us et croyances sont à l'image de leur environnement densément boisé, un monde qui subvient à leurs besoins, mais simultanément les effraie et élève leur esprit.

Ceux qui aspirent à devenir druides au moment où l'ascendant du mouvement est à son zénith – ce que l'on considère généralement s'être produit entre l'an 100 avant Jésus-Christ et l'an 1000 de notre ère – se qualifient selon trois niveaux de compétence. Le niveau initial, celui des ovates (*ovydd*), se compose des néophytes qui n'ont besoin d'aucune purification ou préparation spéciale. Vêtus de vert, ils sont accueillis dans l'ordre en vertu de leur connaissance innée de la médecine, de l'astronomie, de la poésie et de la musique. Les ovates désireux d'obtenir davantage de reconnaissance et de pouvoir étudient pour devenir bardes (*beirdd*). Pour être reçus à ce niveau, ils doivent mémoriser au moins en bonne partie les quelques vingt mille vers que compte alors la poésie druidique orale. On dépeint souvent les bardes en train de jouer d'une harpe primitive qui compte autant de cordes, faites de cheveux, qu'il y a de côtes de chaque côté du corps humain. Les aspirants bardes portent des robes à rayures bleu, vert et blanc, les trois couleurs associées aux druides. Quand ils ont pleinement répondu aux exigences de leur fonction, ils adoptent un vêtement bleu ciel.

Le troisième niveau constitue l'échelon supérieur, celui de *derwyddon*, qui se signale par le port de la robe blanche, symbole de pureté. Les druides pourvoient aux besoins religieux du peuple. Il existe, au sein de leur groupe, six niveaux ou degrés progressifs de sagesse et de pouvoir, et chaque degré se signale par une couleur différente d'écharpe portée sur la robe blanche. Dans la position prééminente se retrouvent les archi-druides, élus par leurs pairs en fonction de leur mérite et de leur probité. Jamais il n'y a en même temps plus de deux archi-druides, hommes reconnaissables au sceptre d'or qu'ils tiennent à la main et aux guirlandes de feuilles de chêne qui couronnent leur tête.

La période de formation nécessaire pour qu'un individu se qualifie pleinement comme druide est, de toute évidence, d'une durée considérable ; certains historiens soutiennent qu'il faut vingt ans pour mémoriser et comprendre les enseignements. Pareil degré de sagesse acquise confère aux druides des privilèges extraordinaires et, dans les festivités royales, le druide est toujours assis immédiatement à droite du roi pour remplir son rôle de conscience du roi. Comme un éminent historien de la civilisation celtique l'a écrit : « Le druide *conseille* et le roi *agit.* » La meilleure analogie moderne est peut-être celle du directeur général d'entreprise et de son conseiller juridique : le directeur général annonce peut-être les mauvaises nouvelles aux actionnaires, mais la phraséologie vient de l'homme de loi.

Soit dit en passant, des études avancent que de nombreux druides étaient des femmes, ce qui est parfaitement en accord avec la culture dominante du temps. Les femmes celtes jouissent de plus de liberté que leurs contemporaines et elles ont, entre autres, le droit d'aller au combat et de demander le divorce. En Irlande et en Écosse, à tout le moins, il est réaliste de croire qu'elles tiennent un rôle important dans l'exercice du druidisme. Et pour poursuivre avec notre analogie de tout à l'heure, il est fort vraisemblable que la civilisation celtique ait connu plus de druidesses que notre monde ne compte de directrices générales d'entreprise.

Les druides masculins vivent dans la stricte chasteté et le célibat ; ils consacrent leur vie à étudier la nature, à croître en sagesse, à évaluer les aspirants druides et à perpétuer les secrets de l'ordre. Plusieurs d'entre eux estiment qu'une vie de solitaire convient mieux à leurs besoins philosophiques et, si certains logent dans des habitations semblables à des monastères, ils vivent plutôt pour la plupart dans des huttes rudimentaires, en pleine forêt, et n'entrent dans les villages et les villes que pour s'acquitter de leurs devoirs religieux.

Même pendant le haut Moyen Âge, le comportement des druides est considéré comme un peu excentrique et on se met à leur attribuer des dons inusités. On les associe à la magie et aux interventions divines, et on leur prête, par exemple, l'habilité à défendre leur contrée contre les envahisseurs en provoquant sur commande la formation de grands bancs de brouillard et de bruine. Ils incarnent peut-être aussi la forme la plus ancienne d'activisme pacifiste : l'historien grec Diodore, qui considère les druides comme des intermédiaires entre les hommes et les dieux, décrit comment les druides s'interposent pour éviter une guerre entre des armées qui se menacent.

Des siècles durant, le druidisme exerce une influence déterminante sur les croyances spirituelles en Europe, une influence que l'apparition de l'Empire romain et, par la suite, l'emprise grandissante du christianisme diluent puis refoulent vers l'ouest. En fait, cela se produit parallèlement au déclin général du rayonnement celtique. Structure sociale prédominante dans l'Europe préromaine, la civilisation celtique cède d'abord le pas aux Romains et, plus tard, aux Saxons, pour ne subsister que dans quelques poches de résistance, au pays de Galles et en Écosse. Au fil des siècles, les Celtes ne préserveront leur identité qu'en Irlande.

Aussi habile à observer et à recenser les structures sociales qu'il l'est à commander des armées, César trouve les druides spécialement intéressants. Il relève que les sociétés gauloises et celtiques connaissent trois classes sociales : gens du peuple, qui ne sont guère plus que des esclaves ; chevaliers ou nobles (*equites*) ; et druides, qui servent de guides en matière de religion et de sagesse.

> [...] les jeunes gens viennent en foule s'instruire auprès d'eux, écrit César, on les honore grandement. Ce sont les druides en effet qui tranchent presque tous les conflits entre États et entre particuliers et, si quelque crime a été commis, s'il y a meurtre, si un différend s'est élevé à propos d'héritage ou de délimitation, ce sont eux qui jugent, qui fixent les satisfactions à recevoir et à donner [...] Tous ces druides obéissent à un chef unique, qui jouit parmi eux d'une très grande autorité.

César note aussi avec une pointe d'ironie, considérant sa réputation et sa principale occupation, que les druides ne vont pas à la guerre et ne paient pas d'impôts.

Les druides forment une société remarquablement indulgente et flexible qui accueille dans ses rangs quiconque complète avec succès un programme d'études bien défini, axé sur le monde naturel et la manière dont il incarne la déité. Cette ouverture à l'égard de nouveaux membres en quête de guides peut ne pas paraître impressionnante, compte tenu des libertés que nous prenons aujourd'hui avec la religion institutionnalisée, mais la perspective d'accéder à une classe privilégiée sur les seules bases de l'éducation et de la vocation est alors quasi révolutionnaire. Leur habitude d'accepter tous ceux qui se qualifient à force d'étude et d'abnégation déteint sur le christianisme. Au lieu d'exiger que ses chefs soient sélectionnés en fonction de leur naissance ou de quelque mystérieuse loterie gérée par les dieux, comme c'était l'usage dans les religions antérieures, les chrétiens adoptent les principes druidiques selon lesquels quiconque assimile des connaissances suffisantes et fait preuve d'un suprême degré d'engagement peut remplir ce rôle, quelles que soient ses origines. Voilà qui est nouveau et énormément salutaire. Cela obéit aussi à la tradition du christianisme – certains préféreront parler de « stratégie » – d'adapter les caractéristiques du modèle païen qu'il cherche à supplanter. Et cela réussit : à partir des environs de l'an 500, druides et chrétiens occupent les extrémités opposées d'une même balançoire et, plus le christianisme monte en flèche, plus le druidisme dégringole.

Qui est, de Rome ou de la chrétienté, le plus responsable du déclin des druides ? Cela dépend, littéralement et métaphoriquement, du « point de vue ». En Europe continentale, où la domination de Rome est souveraine, les Gaules adoptent les lois et les usages romains dans un prudent réflexe de survie. Sous la férule romaine, le druidisme consent à tant de compromis qu'il cesse intrinsèquement d'exister ; il ressuscite plus tard sous une forme très modifiée, comme une composante de l'appareil exécutif du christianisme dans lequel les évêques et les abbés de monastère suppléent les grands prêtres druides. Dans les îles Britanniques, les répercussions de la romanisation ne se révèlent pas, loin s'en faut, aussi déterminantes. Le druidisme y résiste à l'assaut romain en s'assujettissant finalement aux Saxons. L'Irlande évite l'invasion des Romains aussi bien que des Saxons ; en conséquence, l'essentiel de nos connaissances sur le druidisme a une teinte résolument irlandaise. Le druidisme pourrait donc bien avoir été, si nous gardons cela à l'esprit, plus varié dans ses expressions et plus complexe dans ses structures que nous ne le connaissons.

Après que les Celtes irlandais se sont convertis au christianisme et sont devenus parmi ses plus fervents missionnaires, le druidisme mène un combat d'arrière-garde quasi désespéré. Les druides éminents se retirent dans des régions reculées où ils transmettent secrètement leurs traditions orales et leur doctrine aux rares irréductibles qui les y retrouvent. Avec le temps, l'autorité et l'influence des druides diminuent toutefois jusqu'à ce que les gens ordinaires ne les perçoivent plus que comme des devins et des prophètes, des descendants de l'apocryphe Merlin et de ses semblables, qui jettent des sorts et font des tours de passe-passe, mais ne réussissent guère plus qu'à divertir.

Vu leur passé si maigrement documenté et leurs réalisations si limitées, pourquoi les druides occupent-ils la moindre place parmi notre poignée de sociétés secrètes ? La réponse tient à l'association romantique du mouvement avec des lieux comme Stonehenge, mais aussi à la présomption que le druidisme recèle des rituels mystiques depuis longtemps oubliés et un savoir occulte. Après tout, il n'y a rien comme le parfum d'un savoir perdu pour rehausser le prestige d'une société.

L'idée que les druides savent des choses que nous ignorons est née de la fascination exercée au XVIIIe siècle, en Angleterre et en Écosse, par un mysticisme souvent allègrement embrassé pour se libérer des fastidieuses restrictions du calvinisme, du luthérianisme et d'autres confessions selon lesquelles tout plaisir est un péché – ou devrait l'être. Pendant cette période, la franc-maçonnerie se cristallise en une confrérie secrète qui incorpore au passage certains éléments perçus à tort par le public comme des rituels mystiques des druides. Le port d'un couvre-chef exotique chez les francs-maçons, entre autres rites et costumes, est emprunté au druidisme et à diverses cultures anciennes.

Il y a plus de mystique que de réalité dans l'association populaire des druides et de Stonehenge. Les druides ont pu tenir de temps à autre quelque forme de cérémonie à Stonehenge, mais c'étaient des gens de la forêt, pas des histrions ni des danseurs de la venteuse plaine de Salisbury. En outre, les historiens estiment que ces lieux datent des environs de l'an 2000 de l'ère préchrétienne, donc bien avant le moindre indice de l'existence des druides. Stonehenge a pu servir de temple, d'observatoire ou de monument, voire à une bonne douzaine d'autres fins. Nous n'avons aucune certitude sur la nature de ce qu'il était ; nous savons cependant qu'il n'a sûrement pas été druidique.

La culture irlandaise a assimilé plusieurs croyances et valeurs druidiques dont on peut trouver des échos et des traces dans les poèmes de William Butler Yeats comme dans les romans et les nouvelles de James Joyce. Plusieurs éléments mystiques du druidisme peuvent de fait constituer le noyau stylistique qui distingue les auteurs irlandais et expliquer leur retentissement singulier sur la littérature anglaise. La disparition des druides affables sous les assauts des Romains et des Saxons, philistins en comparaison de leurs victimes, pourrait aussi être emblématique du fonds nostalgique de la littérature celtique. Yeats y a maintes fois recours dans sa poésie, y compris dans ces vers extraits de « To the Rose Upon the Rood of Time » (À la rose sur la croisée du temps) qui récapitulent toute la tendre mélancolie celtique aussi efficacement que plusieurs reprises en chœur du refrain de la chanson « Danny Boy » :

> Rose rouge, Rose fière, Rose triste des jours !
> Approche tandis que je chante d'autrefois les tours :
> Cú Chulain bataillant contre la cinglante marée ;
> Le druide, morne, fils des forêts, l'œil rasséréné,
> Qui, de Fergus, déjoue le rêve et la ruine inouïe ;
> Et ta propre tristesse que les étoiles, vieillies
> À danser en sandales d'argent sur les océans,
> Chantent dans leur altière et solitaire mélodie.

Les druides reviennent souvent dans *Ulysse* de James Joyce, mais leurs apparitions y sont moins respectueuses et plus gaies que les allusions mélancoliques d'un Yeats. Quand Stephen Dedalus dit à Buck Mulligan qu'on vient tout juste de la payer, Mulligan jubile :

> Quatre souverains tout neufs, s'écrie de bon cœur Buck Mulligan. On va se payer toute une traite, de quoi sonner les druides druidiques. Quatre souverains tout-puissants. Il agite en l'air les mains et descend lourdement l'escalier de pierre en chantant faux, avec l'accent cockney […]

Cette référence aux druides et bien d'autres encore dans la littérature et le folklore irlandais contribuent à alimenter l'hypothèse voulant que l'influence druidique se fasse sentir au fil des siècles, et peut-être même jusqu'à nos jours. Comme les francs-maçons qui promeuvent le concept d'une filiation avec les templiers, plusieurs de ceux qui se réclament d'une parenté de croyances avec les druides promeuvent l'idée que l'ancienne classe sacerdotale, à laquelle ils prêtent vaguement des activités conspiratrices, continue d'agir dans le secret. Leurs efforts servent à donner un vernis de mystique à un groupe qui a eu plus d'ascendant que de substance, et qui doit davantage à la légende qu'à la réalité.

Pour vous faire une idée de l'ampleur du gnosticisme, imaginez un cercle privé dont les règlements et les activités séduisent pareillement Hugh Hefner et Mère Teresa. Si vous êtes à même d'appréhender le concept d'une telle organisation, vous pouvez commencer à sonder les plus impénétrables enseignements et contradictions des anciens gnostiques, sinon de leurs tenants contemporains.

Leur nom dérive du grec *gnosis*, qui signifie connaissance. Dans ce contexte-ci, la définition est inadéquate : *intuition* ou *Illumination* seraient peut-être plus exactes. Le mot connaissance suggère un aspect factuel ou intellectuel que rejettent les adhérents du gnosticisme, selon qui nous ne pouvons découvrir notre vraie nature spirituelle qu'en regardant au-dedans de nous-mêmes. Notre corps et le monde matériel dans lequel nous vivons sont mauvais parce qu'ils ont été créés par le Dieu malveillant de l'Ancien Testament. Au contraire, notre pur esprit intérieur est l'œuvre d'un Dieu supérieur et plus abstrait, comme l'a révélé le Christ. Par conséquent, on peut décrire le gnosticisme comme un moyen de libérer notre pur esprit de la prison de notre corps mauvais.

En dehors de ce noyau central de leurs convictions, il est difficile d'affirmer quoi que ce soit à propos des gnostiques, même de leurs origines, dont certains spécialistes affirment qu'elles sont antérieures au Christ et d'autres, qu'elles sont contemporaines des premiers chrétiens ; d'autres enfin voient dans le gnosticisme une réaction contre plusieurs dogmes solidement établis du christianisme. Un certain nombre d'indices et une poignée de faits permettent de définir, pour les deux derniers millénaires, les croyances du groupe, sa structure et son influence.

Comme les fidèles de toutes les religions, les gnostiques croient que le monde est imparfait ; mais les gnostiques vont plus loin en affirmant qu'il est aussi mauvais. Le gnosticisme reconnaît, comme le bouddhisme, que l'existence est pleine de souffrance. En fait, la souffrance est inévitable. Toute vie sur Terre ne subsiste qu'en consommant d'autres formes de vie et l'humanité en consomme plus que sa part. Par-delà ses besoins essentiels à la survie, l'humanité inflige de multiples strates de souffrance : à grande échelle, par les guerres ; à échelle individuelle, par les insultes et les trahisons. La souffrance a pour compagnes les blessures, les morts causées par les catastrophes naturelles que sont les tremblements de terre, les inondations, les incendies, la sécheresse, les épidémies, la maladie.

Néanmoins, l'esprit humain est pur, suivant les enseignements gnostiques. Seule la matière qui l'entoure, y compris le corps qu'elle habite, est faible. De ce fait, la vie est absurde et l'esprit ne peut trouver le vrai contentement qu'en fuyant ce monde imparfait.

Le concept de purs esprits résidant dans un monde mauvais représente un revirement par rapport aux principes chrétiens traditionnels, spécialement tels que les énonce le livre de la Genèse. Le premier récit de l'Ancien Testament décrit un paradis parfait dans lequel deux êtres quasi parfaits vivent dans la félicité jusqu'à l'arrivée du serpent qui les persuade de contaminer le paradis et de se contaminer eux-mêmes par le péché. Les gnostiques assurent que le monde est mauvais avant même l'arrivée du serpent, une opinion qui ne les rend pas sympathiques aux chrétiens.

Ce concept crucial de la méchanceté du monde induit un schisme formidable dans les croyances et les expressions gnostiques, il engendre des sectes extrémistes aussi bien licencieuses qu'ascétiques – d'où notre analogie initiale d'un Hugh Hefner et d'une Mère Teresa sous un même parapluie philosophique. Et, fait étonnant, chacune des deux écoles de pensée a sa raison d'être.

Les gnostiques ascétiques, qui incluent les disciples de Saturne (ou saturniens) et les manichéens, considèrent le corps humain comme une matière mauvaise et s'efforcent de se dissocier autant que possible – ou, plus précisément, de dissocier leur pur esprit – de ses actions. Séparer l'âme du corps est, de leur point de vue, la première étape dans l'élévation de l'esprit vers son ultime rédemption. Ils croient que, telle qu'elle s'incarne dans le corps, la matière est pécheresse et que de prendre leurs distances de toute matière renforce et purifie leur esprit. Conséquemment, ces gnostiques évitent tout aliment qui n'est pas absolument nécessaire à la simple subsistance. Le mariage est autorisé parce qu'il unit deux purs esprits, mais les rapports sexuels entre époux sont prohibés – décision qui engendre sans nul doute beaucoup de frustration, mais pas la moindre postérité, d'autant que les enfants sont considérés comme la simple génération d'une matière encore plus mauvaise.

Les mêmes fondements philosophiques poussent les gnostiques licencieux, comme les ophites et les carpocratiens, dans la direction opposée. Ces sectateurs croient que, si les âmes, ou purs esprits, sont étrangers au monde mauvais, peu importe alors ce qu'ils font ici sur Terre. Ces gnostiques se penchent rarement sur les concepts de péché et d'immoralité ; par définition, tout ce que fait l'âme est pur et tout ce que fait le corps est mauvais. Comme il s'agit de deux entités séparées, pourquoi se soucier des conséquences ?

Ce qui donne lieu à quelques contes atterrants d'activités gnostiques, dont plusieurs mettent à l'épreuve la crédulité et d'autres rappellent les mensonges éhontés répandus sur les premiers chrétiens. Dans le cas des gnostiques, les chrétiens pourraient avoir été les accusateurs plutôt que les accusés.

On prête une sexualité débridée à ce groupe de gnostiques qui, s'étant sanctifiés les uns les autres et ayant été rachetés, sont maintenant au-dessus de la loi. « Toute la terre est terre, leur a-t-on enseigné, peu importe où tu sèmes, aussi longtemps que tu sèmes. » Quelque deux mille ans plus tard, on paraphrase cet aphorisme en « Si ça te fait du bien, fais-le. »

Les ophites, un groupe gnostique dont le nom glorifie les serpents, centrent tout leur culte de communion autour de la présence et des activités d'un serpent. On ouvre la célébration en attirant le reptile hors de la sécurité de sa *cista mystica* et en l'incitant à ramper entre des miches de pain que l'on mange ensuite. Les membres doivent embrasser sur la gueule le serpent, fort bien apprivoisé ou très drogué, avant de se mettre à genoux et d'adorer le reptile.

Les adeptes de la secte gnostique dirigée par Carpocrate ont même droit à encore plus de licence et de provocation. Les carpocratiens croient que l'âme ne peut pas être davantage contaminée dans sa pureté ni rendue mauvaise qu'une perle ne peut être dégradée parce qu'on l'a échappée dans la boue : une perle reste toujours intrinsèquement une perle. Sur la base de cette vision libertine, l'âme se doit de faire l'expérience de tout ce qui se présente à elle en ce monde. Les carpocratiens échangent leurs partenaires sexuels et prennent part à d'immenses orgies, bien que les mâles aient ordre de pratiquer le *coïtus interruptus* – non comme méthode contraceptive, mais comme façon de récolter du sperme qui sera consommé, ainsi que le sang menstruel, comme le corps du Christ. Les techniques de recrutement des carpocratiens sont élémentaires et réussissent à coup sûr à attirer des candidats masculins. On invite les plus belles adeptes à s'offrir elles-mêmes comme appâts pour allécher de nouveaux adhérents, et un groupe parallèle forme un corps d'élite masculin, appelé les Lévites, qui pratique ouvertement l'homosexualité.

Si une femme devient enceinte à la suite de ces activités, le fœtus est avorté, réduit en bouillie dans un mortier, mélangé à du miel et des épices, puis mangé par les membres de la secte : une pratique qui rappelle atrocement les fables les plus macabres associées aux premiers chrétiens.

Ce genre de pratiques est représentatif d'une branche extrémiste, peut-être même délirante de la foi gnostique. La secte dirigée par Simon le Magicien, lettré charismatique qui tient un rôle peu banal dans au moins un récit biblique d'où nous vient d'ailleurs une définition éponyme, est plus nombreuse et plus respectable.

Né en Samarie, dans la ville de Gitta, Simon est élevé à Alexandrie, le grand centre intellectuel du monde civilisé de son temps, où il reçoit une excellente éducation grecque avant d'être baptisé par Philippe. Il acquiert aussi, semble-t-il, suffisamment de compétences en médecine magique judéo-arabe pour se rendre invisible, léviter à volonté, se métamorphoser en animal ou, à tout le moins, persuader son auditoire qu'il y parvient.

Adepte de Jean-Baptiste, Simon s'entoure de son propre cercle de disciples, et les premiers chefs chrétiens le perçoivent tout naturellement comme un rival potentiel. Il apparaît dans le Nouveau Testament (*Actes* 8,9-24) sous un jour moins que favorable, au moment de sa rencontre avec les apôtres Pierre et Jean, auxquels il tente d'acheter des pouvoirs spirituels, d'où l'origine du mot *simonie*, à savoir le commerce des choses ou pouvoirs spirituels.

La réprimande de Pierre (« Périsse ton argent et toi avec lui, puisque tu as cru acheter le don de Dieu à prix d'argent. Dans cette affaire, il n'y a pour toi ni part ni héritage, car ton cœur n'est pas droit devant Dieu. ») incite peut-être Simon à lancer le gnosticisme, comme le clament certains de ses défenseurs. S'il n'est pas dans les faits l'instigateur de cette religion, il n'en est pas moins l'inspirateur d'une secte dont les membres, on ne s'en étonnera pas, portent le nom de simoniens. Du point de vue de Simon, partagé par la plupart des gnostiques, le vrai Dieu est une figure féminine, il est la Déesse Mère parfois désignée sous le nom de « Sophia », en reconnaissance de Sa sagesse.

Cette position qui irrite les premiers chrétiens n'est pas aussi révolutionnaire qu'elle peut le paraître aujourd'hui. La version hébraïque de l'Ancien Testament désigne effectivement l'Esprit de Dieu sous le nom de *Ruah* (on écrit aussi *Rouah*), de genre féminin. Simon est sûrement au fait de cette référence et s'en sert peut-être comme tremplin pour ses nouvelles interprétations de la nature de Dieu. Comme cela arrive souvent quand un libre-penseur défie l'autorité en place, plus que le discours de Simon c'est sa manière qui heurte.

Plus tard, Simon hypostasie sa vision de la féminité de Dieu en la personne d'Hélène, une femme de Tyr que certains chrétiens affirment être une prostituée et que d'autres décrivent comme « une dévergondée » que Simon arrache du lit de Dosithéos, son ex-mentor. Quel que soit l'attrait charnel peut-être exercé par Hélène sur Simon, elle l'inspire vraisemblablement à un niveau un tant soit peu transcendant, parce qu'il affirme voir en elle l'Esprit de Dieu. Si cela fortifie plusieurs croyances gnostiques, dont l'idée que l'Esprit de Dieu habite toute matière, la prétention de Simon qu'il fallait une femme perdue pour lui révéler la déité provoque l'indignation des chrétiens.

Les chrétiens sont peut-être devenus ses ennemis, mais Simon a aussi des amis. L'un d'eux, l'empereur romain Néron, le nomme magicien de la cour et s'amuse de l'adresse avec laquelle Simon déplace le mobilier sans le toucher et traverse un mur de feu dont il émerge indemne.

Si l'on en croit la légende, les talents de magicien de Simon ont des limites et, suivant la source consultée, on lui connaît deux fins de vie. L'une d'elles veut que Simon se soit vanté de pouvoir être enseveli vivant comme l'aurait été le Christ et de pouvoir sortir de son tombeau frais et gaillard, trois jours plus tard. L'ensevelissement aurait eu lieu, mais pas la résurrection.

Selon l'autre source, Simon se serait targué de pouvoir s'élever dans le ciel, au Forum, avec pour témoins les apôtres Pierre et Paul qui observeraient la scène. Usant de ses techniques de lévitation, il aurait entamé son ascension pendant que Pierre et Paul tombaient à genoux et priaient avec ferveur pour que tombe

Simon. Leurs prières auraient été exaucées : Simon se serait écrasé dans le Forum, pulvérisé près de la Via Sacra. Les inconditionnels de cette version se font un malin plaisir de visiter l'église de Santa Francesca Romana, où est encore exposée la pierre sur laquelle les deux apôtres se seraient agenouillés pour prier, laissant la marque de leurs genoux imprimée dans la surface de marbre.

La mort de Simon le Magicien et d'autres chefs de la secte gnostique ne provoque ni l'effondrement ni l'essor de cette religion, contrairement à ce qui s'est produit pour le christianisme. Le noyau de la foi gnostique continue d'évoluer à l'instigation de ses nouveaux chefs et, comme son credo ne manque pas de se renouveler constamment au fil des siècles, il en résulte tout un spectre de variantes souvent déroutantes eu égard à leurs valeurs et leurs pratiques.

En fait, outre le concept d'un Dieu vrai, ultime et transcendant, et d'un monde inachevé dans lequel habitent les humains, la seule constante parmi les sectes gnostiques est la notion des éons, êtres intermédiaires qui font le pont entre Dieu et les humains. Dieu et les éons composent la sphère du Plérôme ou de la Plénitude parce qu'ils jouissent des pleins pouvoirs de la divinité. L'Hélène de Simon le Magicien, renommée Sophia en l'honneur de sa sagesse, est un éon, suivant les enseignements gnostiques. Aussi longtemps que leur esprit reste prisonnier de leur corps faible et mauvais, les humains sont tout juste existentiels, selon les gnostiques. Au lieu de la Plénitude à laquelle ils sont promis, ils vivent dans l'Inanité.

L'ingrédient le plus précieux de l'esprit est l'Étincelle divine, cet élément qui nous distingue des autres formes de vie et reste piégé dans la prison corporelle. À moins que son propriétaire ne parvienne dans sa vie au degré de gnose requis, l'étincelle se réincarne au moment de sa mort dans une autre forme de vie terrestre, faible et mauvaise.

Les humains ne sont pas tous capables d'atteindre l'objectif de maintenir, hors de l'existence terrestre, l'élément spirituel. Ceux dont la spiritualité est assez profonde pour opérer la transformation sont appelés *pneumatiques*: ils réaliseront la gnose et la libération. Les membres d'un deuxième groupe, qualifiés de *psychiques*, sont peu éveillés au monde spirituel par-delà la matière et l'intellect; ils peuvent néanmoins, à force d'intuition et d'application suffisante, se hisser jusqu'au niveau des pneumatiques. La plupart des gens, dits *hylétiques*, sont matérialistes et terre à terre. Leur attachement à la réalité physique et leur incapacité à réaliser la gnose les condamnent à une existence à jamais faible et mauvaise.

À mesure que le christianisme gagne en vigueur, il devient moins tolérant à l'endroit du gnosticisme. Du point de vue chrétien, les gnostiques sont fondamentalement des chrétiens, mais ils se sont tellement écartés du chemin que leurs croyances sont devenues hérétiques. Que les gnostiques soient alors victimes ou non de violences de la part des chrétiens, leur nombre diminue et ils se mettent à présenter le comportement classiquement associé aux sociétés secrètes, dont le recours aux initiations, aux mots de passe, aux poignées de main secrètes et aux communications par codes et symboles. Vers la fin du IIIe siècle après Jésus-Christ, le gnosticisme cesse d'être un mouvement influent, bien que des parties de ses principaux enseignements se retrouvent dans le manichéisme, religion dualiste, et chez des groupes religieux médiévaux comme les albigeois, les bogomiles et les pauliciens. Ceux qui étudient la kabbale perçoivent des germes de gnosticisme au cœur même de cette philosophie, et une petite secte gnostique non chrétienne, les mandéens, existerait encore en certaines régions d'Iraq et d'Iran. Pour le reste, depuis presque mille sept cents ans, le gnosticisme est en quelque sorte devenu une vague apostille à l'épanouissement et à la domination du christianisme dans le monde occidental; seuls les efforts de gens comme Jakob Böhme (1575-1624) pour faire revivre le mouvement et les allusions à sa philosophie dans les écrits d'un William Blake l'ont tiré de son presque anonymat.

Au XXe siècle, le gnosticisme bénéficie de deux injections de regain d'intérêt. La première survient en 1945, près du village égyptien de Nag Hamadi, quand un paysan en train de creuser un fossé d'irrigation découvre douze rouleaux de parchemin contenant plus de cinquante textes sur le gnosticisme, textes qui datent, semble-t-il, du IVe siècle de notre ère. Vraisemblablement l'œuvre de moines du proche monastère de Saint-Pacôme et cachés pour échapper à la destruction par une orthodoxie émergente, ces écrits sont une mine d'information sur les enseignements et les valeurs gnostiques.

Au même moment, le psychologue Carl Jung évalue le gnosticisme comme source d'inspiration pour ses expériences et essais novateurs sur le fonctionnement de la psyché. Il estime que le christianisme traditionnel manque de pénétration sur le sujet, en comparaison du gnosticisme. « Dans l'Antiquité, les gnostiques dont les thèses ont été grandement influencées par l'expérience psychique, écrit Jung, se sont attaqués au problème du mal sur une base plus large que les Pères de l'Église. »

Conjugués à la frénésie avec laquelle, par toute l'Amérique du Nord, on explore sous influence de stupéfiants les pratiques et croyances mystiques dans les années 1960, ces événements provoquent une autre vague d'intérêt pour le gnosticisme. Pour l'essentiel, les gnostiques restent cependant de simples figurants dans le drame ecclésial qui se joue depuis deux mille ans, et leur goût du secret est davantage un moyen de protection contre les attaques des chrétiens qu'un instrument pour mener des opérations contre la société.

5

LA KABBALE

Origines de l'apocalypse

VOICI LA FABLE :

Un homme à la recherche des vérités éternelles se rend en Israël où il étudie l'antique école de mysticisme fondée sur les mêmes textes hébreux qui nous ont donné la Bible. Apprenant d'un vieux lettré juif cette sagesse du fonds des âges, l'homme parvient à un degré d'Illumination auquel il n'avait jamais pu atteindre par d'autres systèmes de croyances. À chaque révélation de l'antique savoir, il sent son âme s'élever, ses pouvoirs s'accroître, son intuition s'affiner et ses horizons s'élargir.

Quand meurt son mentor, l'homme fait vœu de communiquer la sagesse qu'il a acquise à un groupe choisi de gens prêts à consentir les sacrifices nécessaires pour apprendre ce savoir, mettre à profit ces enseignements. Il répandra son message jusqu'aux confins de la Terre, révélera à l'humanité des secrets occultés depuis des millénaires. Il transmettra ce pouvoir comme un moyen d'éveiller l'humanité à sa destinée. Il deviendra le nouveau propagateur de l'ancienne sagesse connue sous le nom de kabbale.

Ni religion ni organisation, la kabbale est un système de pensée qui puise à la théosophie, à la philosophie, à la science et au mysticisme juifs. Différentes interprétations (et orthographes) du mot coexistent ; toutes renvoient à la notion d'une tradition orale secrète, passée de génération en génération à quelques élèves choisis par des savants et des sages. L'exclusivité du savoir et la structure fermée de la kabbale ont donné naissance au mot *cabale*, qui signifie une manœuvre concertée et de nature menaçante. Avec le temps, cette définition a agi à rebours, au point que les traits dont il y est question sont maintenant appliqués au mot racine sans égard à son dessein originel. Plusieurs croient que la kabbale procède conformément à la définition de *cabale* et y voient donc un groupe de conspirateurs sémitiques qui s'emploient, dans l'ombre, à parvenir à des fins malhonnêtes par des méthodes tortueuses.

La kabbale est au départ une tradition orale, une interprétation de la parole de Dieu telle qu'elle s'exprime dans les cinq premiers livres de l'Ancien Testament : Genèse, Exode, Lévitique, Nombres et Deutéronome. Sous le nom de Torah, aussi connue comme les Cinq Livres de Moïse, ces mêmes ouvrages fournissent l'assise philosophique générale de la kabbale, sans oublier les descriptions historiques de l'origine du judaïsme et plus de six cents lois spécifiques.

Ceux qui connaissent bien les livres de l'Ancien Testament savent que les lois y sont presque inexistantes, si l'on fait exception du Deutéronome. Les autres livres, spécialement Genèse et Nombres, se composent essentiellement de récits et d'allégories comme moyens d'exposer des idées susceptibles de se traduire en lois.

L'ancienne théologie hébraïque divise les préceptes en trois groupes. D'abord, la loi biblique générale enseignée à tous les enfants d'Israël. Puis la *Mishna*, l'âme de la loi, réservée aux rabbins et aux maîtres. Et finalement *l'âme de l'âme de la loi* – la kabbale – cachée à tous, sauf aux Juifs les plus sagaces et les plus estimables.

À compter de cette définition, les choses s'embrouillent pour le non-initié. D'une part, adeptes de la kabbale et Juifs croient généralement que chaque mot et chaque lettre de la Torah a une signification spéciale et qu'il faut sagesse et intuition pour en décoder le véritable sens. D'autre part, les récits ne se succèdent pas dans la Torah selon un ordre chronologique rigoureux : la position d'une histoire par rapport à une autre peut être davantage le résultat du système de croyances, comme concept, que de ses liens avec les récits qui la précèdent ou lui succèdent. Vu le formidable éventail d'interprétations, il n'y a rien de surprenant à ce que des écoles de pensée différentes s'en tiennent à leur propre explication des messages prétendument cachés dans la Torah. Une chapelle avance même que le contenu intégral de la Torah incarne le vrai nom de Dieu, disséminé dans des récits de manière que les mortels, auxquels fait défaut le discernement divin, puissent le mémoriser.

Tenter de connaître l'inconnaissable est un défi monumental, ahurissant, intimidant, et la kabbale constitue en un sens une manière de court-circuiter la logique pour sonder ces significations par une transformation de l'état de conscience. D'autres disciplines – dont l'hindouisme, le bouddhisme, le taoïsme, le zen et certaines formes de yoga – utilisent des techniques comparables pour parvenir à des résultats comparables. À l'origine, une formation approfondie était indispensable au néophyte pour s'élever au niveau requis d'état de conscience, un processus qui nécessite une série d'expériences dont les méthodes sont progressivement de plus en plus radicales et exigeantes.

Avec le temps, la kabbale est devenue une étiquette qui recouvre le complet éventail de la philosophie juive et qui se donne pour mission de sonder les mystères de la vie et de la mort en découvrant l'essence de Dieu. À l'appui de leur dire, les kabbalistes relèvent des éléments de cette quête dans la Bible, par exemple dans ces extraits du premier chapitre d'Ézéchiel : « [...] le ciel s'ouvrit et je fus témoin de visions divines [...]. Je regardai : c'était un vent de tempête soufflant du nord, un gros nuage, un feu jaillissant, avec une lueur autour, et au centre comme l'éclat du vermeil au milieu du feu.»

L'étude mystique du Créateur est peut-être importante, mais elle est aussi périlleuse de l'avis de plusieurs rabbins. D'après un récit talmudique bien connu, quatre rabbins se réunissent un jour pour s'immerger dans les études mystiques, jurant de rester dans la profonde contemplation du sens de la Torah jusqu'à ce qu'ils parviennent à la comprendre. Avec le temps, l'un d'eux sombre dans la folie, un autre meurt prématurément, un troisième renie la foi de ses pères et devient hérétique. Seul le quatrième s'engage en paix dans ce face-à-face et en sort en paix. Ce conte et d'autres récits de chercheurs devenus mentalement déséquilibrés, tandis qu'ils s'absorbaient dans une profonde contemplation des enseignements kabbalistiques, servent depuis des siècles d'avertissement qu'on ne badine pas avec ces impénétrables secrets mystiques.

Quel que soit le véritable sens de la Torah, les kabbalistes conviennent généralement qu'il vaut mieux la voir comme un instrument pratique, non comme un exercice intellectuel. Comme tous les instruments du genre, il faut en user dans le dessein constructif d'éclairer l'humanité et ne pas s'y appliquer en lecteur solitaire dans le but égoïste de s'enrichir matériellement ou intellectuellement. En dernière analyse, les kabbalistes partagent des objectifs semblables à ceux des religions traditionnelles, et spécialement à ceux des gnostiques. Tous, ils cherchent des réponses à des questions torturantes: *Pourquoi un Dieu bon et miséricordieux a-t-il introduit le mal dans le monde qu'Il a créé? Comment un Dieu infini a-t-il pu créer un monde fini? Comment est-il possible aux humains de connaître l'Inconnaissable?*

La kabbale compose avec le mystère de deux façons: l'une, logique; l'autre, allégorique. L'explication logique déclare que *toute idée contient sa propre contradiction* et donc que, puisque Dieu est la somme de toutes les idées, Il contient toutes les contradictions.

Bien et mal, justice et injustice, pitié et cruauté, limites et infinité, tous les contraires sont unifiés dans le plus grand tout qu'est Dieu.

L'interprétation allégorique avance que Dieu est un miroir d'où rayonne sur le monde une lumière éclatante. Avant que la lumière nous atteigne, elle doit passer par une succession de nombreux miroirs ; chaque fois que Sa lumière est réfléchie dans notre direction, elle perd de l'éclat au point que, lorsqu'elle atteint la Terre, la plus grande partie de sa luminosité a été absorbée et que la lumière pure en est altérée. Parmi ces altérations, il faut compter les composantes du mal et de la douleur ; les humains doivent donc ou voir par-delà les altérations ou se rapprocher de la source lumineuse et de son saint éclat originel.

Si les adeptes de la kabbale cherchent simplement les réponses à des questions qui ont de tout temps hanté les cultures, pourquoi les juge-t-on fuyants et menaçants ? Et avec quelle efficacité le mouvement résout-il aujourd'hui ces mystères ?

Pour simplifier la compréhension de la kabbale et de ses adeptes, on peut diviser le mouvement en trois époques ou périodes : l'antique, la médiévale, la moderne. Chacune se distingue des autres à un point tel que les différences l'emportent sur les similarités.

Suivant les croyances religieuses de certains, la kabbale remonte au moment où les anges, qui tiennent directement de Dieu la sagesse kabbalistique, en font connaître les enseignements à Adam avec l'espoir de l'aider et d'aider Ève, après la profanation du jardin d'Éden, à regagner les bras du Créateur. Ceux qui souscrivent à ce récit croient que ce même savoir a été transmis à Noé, à Abraham et, finalement, à Moïse qui a inscrit les quatre premiers livres de la Bible dans les enseignements kabbalistiques.

Outre ces écrits bibliques, trois autres livres gouvernent l'ancienne philosophie kabbalistique : le Livre de la création (*Sefer Yetsirah*), le Livre de la splendeur (*Sefer ha-Zohar*) et le Livre de la révélation (*Apocalypse*). Certains adeptes de la kabbale affirment qu'Abraham est l'auteur du Livre de la création, mais des érudits datent aujourd'hui sa rédaction de l'an 12 après Jésus-Christ. Le

Livre de la splendeur remonterait aux environs de l'an 160 de notre ère et serait l'œuvre du rabbin Siméon bar Yohai qui, condamné à mort par Lucius Verus, frère adoptif de l'empereur romain Marc-Aurèle, serait resté caché dans une caverne douze années pendant lesquelles il aurait rédigé ce texte.

L'auteur de l'Apocalypse pourrait aussi bien être que ne pas être saint Jean l'évangéliste et son rôle, tant dans la kabbale que dans la chrétienté, continue de susciter la controverse. Quelques spécialistes qualifient son ouvrage d'« écrit païen » sorti de l'esprit retors d'un individu imbu de mysticisme grec et égyptien, et composé dans le but de contrecarrer les efforts des chrétiens pour convertir les païens. Suivant cette théorie, l'Apocalypse avait pour but de ramener les chrétiens chez les païens. Populaire dans la toute première partie du XXe siècle, cette thèse a pour corollaire que les « païens » auraient bien pu être des Juifs cherchant à tourner en ridicule le christianisme pour leurs fins et leur amusement personnels. Quelles qu'aient été les origines et les visées de l'Apocalypse, le lecteur moderne a du mal à donner du sens à ses scènes de mort, de destruction, de salut électif, et tout particulièrement à associer des noms à ses nombreuses allégories. À titre d'exemple, pour le lecteur d'il y a plus de mille cinq cents ans, l'allégorie de la Grande Prostituée dans l'Apocalypse renvoie à Babylone et la bête aux sept têtes qu'elle chevauche ne peut que représenter Rome et ses sept collines.

Ignorant tout de ces interprétations codées, le lecteur d'aujourd'hui, spécialement s'il appartient aux rameaux évangélistes/fondamentalistes de la foi chrétienne, semble se délecter des visions de l'Apocalypse, y découvre des prophéties et y entrevoit des mythes qui auraient, semble-t-il, échappé aux érudits hébreux des deux derniers millénaires.

Dérivé de l'allégorie de la lumière parfaite de Dieu qu'altère son réfléchissement pendant son trajet jusqu'à la Terre, l'arbre séfirotique (ou l'arbre de vie) est plus pertinent et énigmatique encore que la question de l'identité de l'auteur de ces anciens ouvrages, voire de leur objectif spécifique. De ce concept d'une émanation du Créateur en découlent neuf autres, ce qui donne dix centres reliés entre eux par des canaux, voies ou sentiers. Il en résulte un schéma qui, avec tout le respect dû aux sincères adeptes de la kabbale, évoque un jeu de stratégie cosmique.

L'arbre séfirotique remonterait au moins aussi loin qu'au xe siècle de notre ère; des lettrés hébreux avancent qu'il daterait même du IIIe siècle, pour la première fois présenté dans le *Sefer Yetsirah*, ou Livre de la création. Quand il crée le monde, suivant le *Sefer Yetsirah*, Dieu met en œuvre trente-deux canaux secrets vers la connaissance, qui consistent dans les dix émanations de l'arbre séfirotique (chaque émanation est appelée un *sefirah*) auxquelles s'ajoutent les vingt-deux lettres de l'alphabet hébreu. Réunis, ces trente-deux éléments composent l'arbre de vie, icône centrale de la méditation kabbalistique. En plus d'être le chemin que Dieu emprunte pour descendre dans le monde matériel – et la route que les mortels doivent suivre dans leur ascension vers Dieu – les éléments de l'arbre séfirotique épellent de fait le saint nom de Dieu.

À partir de là, les choses s'embrouillent et se compliquent.

La base (Malkhut) de l'arbre séfirotique symbolise le monde avec toutes ses faiblesses et perfections. La cime (Keter) représente Dieu, ou la Couronne suprême. Les autres éléments se définissent comme suit:

Hokhmah	Sagesse
Binah	Intelligence
Hesed/Gedullah	Miséricorde/Clémence
Gevurah	Puissance
Tiferet	Beauté
Nezah	Triomphe
Hod	Gloire
Yesod	Fondation

Les neuf sefirot et les canaux qui les relient forment trois triangles au-dessus du Malkhut. Ils symbolisent le corps humain : le triangle du haut représente la tête ; celui du milieu, le tronc et les bras ; celui du bas, les jambes et les organes reproducteurs.

Par le moyen de l'arbre séfirotique, l'humanité peut monter vers Dieu en franchissant un sefirah à la fois et en s'enrichissant de la sagesse propre à chacun d'eux avant de passer au suivant. Chaque sefirah se divise en quatre parts, dont chacune représente l'un des quatre univers suivants : l'univers de l'émanation ou des archétypes (Aziluth) ; l'univers de la création (Briah) ; l'univers de la formation (Yetsirah) ; l'univers de l'action ou de la fabrication (Assirah, Azirah ou Asiyah). Chaque sefirah contient aussi le saint nom imprononçable et inconnaissable de Dieu, Yahvé ou le Tétragramme, un mot si saint que les écritures utilisées par la kabbale lui substituent ceux d'Elohim, d'Adonaï et de Jéhovah.

Le principe selon lequel des anges gardent chaque sefirah ajoute un brin d'astuce au concept de l'arbre séfirotique perçu comme un puzzle philosophico-religieux ou une table de ouija sacerdotale. Les anges ont pour rôle d'empêcher ceux qui montent de se rapprocher davantage de Dieu, à moins de posséder la sagesse acquise, la pureté d'âme et la détermination requises pour poursuivre leur ascension jusqu'au sefirah suivant.

Quiconque a fréquenté la kabbale connaît et comprend l'arbre séfirotique, mais peu s'entendent pleinement sur sa finalité ou son application. Certains croient qu'il représente les étapes du processus créateur mis en œuvre par Dieu pour produire une succession de mondes qui engendrent finalement le cosmos. D'autres avancent qu'il expose les lois fondamentales de la physique, comme la gravité et le magnétisme.

Selon les mystiques d'autrefois, l'arbre séfirotique offre d'infinies possibilités d'explorer, intellectuellement et spirituellement, le mystère fondamental de la vie. Emprunter ses canaux, évaluer ses composantes, échanger des vues sur ses significations est pour eux une source aussi féconde de divertissement culturel que l'est pour nous n'importe quel jeu électronique, bien que les finalités de l'arbre séfirotique soient infiniment supérieures, cela va de soi. Ce qui explique pourquoi la kabbale et l'usage de l'arbre séfirotique se répandent dans toute l'Europe, en Allemagne et en Italie, et la manière dont ils génèrent de multiples rejetons et interprétations. Les partisans de ces gloses diverses soit les défendent âprement soit en débattent uniquement en codes dans le cadre de réunions secrètes.

La structure complexe de l'arbre séfirotique, l'opacité de son interprétation, son rôle en tant qu'outil de déchiffrement expressément réservé aux fervents de la kabbale, et un antisémitisme latent attisent la crainte et la suspicion des profanes, dont plusieurs soupçonnent dès lors ses adeptes d'être membres d'une société secrète vouée à l'anéantissement du christianisme.

Au XIIIe siècle, un Juif espagnol nommé Moïse de Léon introduit de nouvelles couches de mystère dans la kabbale et de nouveaux motifs de paranoïa dans l'esprit des profanes qui perçoivent le mouvement comme une menace. Selon le point de vue adopté, soit Léon est un brillant mystique religieux qui a la chance de tomber par hasard sur un ancien document kabbalistique, soit il est un P. T. Barnum médiéval.

Né en 1250, Moïse de Léon sait manier les formules colorées, mais creuses, pour pontifier sur presque n'importe quel sujet à la manière des exubérants annonceurs qui vendent de nos jours des accessoires de cuisine à la télé, en fin de soirée. Il rédige plusieurs manuscrits traitant de principes kabbalistiques, dont certains sont intentionnellement provocateurs, mais son *Midrash de R. Siméon bar Yohai*, mieux connu sous le titre de *Zohar* (« Splendeur »), renouvelle et réoriente foncièrement la kabbale.

Écrit en araméen, la langue du *Talmud*, le *Zohar* est un long commentaire de la Torah – les cinq premiers livres de la Bible – qui a pour but d'explorer les aspects mystiques de ces récits bien connus. Le *Zohar* définit l'âme humaine comme la combinaison de trois éléments : *nefesh*, ou la part inférieure animale rattachée aux instincts et aux appétits physiologiques; *ruah*, ou l'âme intermédiaire, siège des vertus morales; et *neshamah*, la dimension supérieure de l'âme. En plus de séparer l'homme des bêtes, la *neshamah* rend l'humanité capable d'avoir part à la vie après la mort. Moïse de Léon, qui prétend avoir en sa possession le document original écrit de la main du rabbin bar Yohai, en produit et en vend plusieurs exemplaires.

Dès les premiers jours, les lecteurs du *Zohar* se déchirent sur sa signification et son authenticité. Les plus ardents partisans de la kabbale et plusieurs éminents talmudistes soutiennent Moïse dans sa prétention que le *Zohar* contient des révélations divines, transmises par le rabbin bar Yohai à ses fervents disciples, mille ans plus tôt. D'autres en sont moins sûrs et plus d'un soupçonne Moïse de Léon d'imposture, une opinion corroborée par l'histoire d'un homme fortuné qui, après la mort de Moïse de Léon, en 1305, entre en communication avec la veuve de ce dernier et lui offre une importante somme en échange de l'antique manuscrit original du *Zohar*. La veuve laissée sans ressources confesse alors qu'il n'y a pas d'original: son mari est l'unique auteur du texte. «Chaque fois que je lui demandais pourquoi il mettait ses enseignements dans la bouche d'autres gens, explique-t-elle, il répétait que, mises dans la bouche du thaumaturge Siméon, les doctrines seraient une plus grande source de profit.»

L'homme fortuné désireux d'acquérir l'exemplaire original du *Zohar* est peut-être désabusé par cette nouvelle, mais d'autres adeptes plus fanatiques ne le sont pas. «Si de Léon a vraiment écrit ces mots, répliquent-ils, alors il les a écrits avec l'aide de la puissance inspiratrice du Saint Nom; et qu'importe dans quelle bouche il a décidé de les mettre – ils émanent de la bouche de Dieu et cela nous suffit.»

Les inconditionnels l'emportent, en partie grâce au style envoûtant de Moïse de Léon, qui convainc bien des adeptes que seul Dieu peut avoir parlé avec une telle éloquence. Bientôt on cite le *Zohar* avec autant de vénération que la Bible, et même les talmudistes se mettent à le considérer comme un livre sacré, s'y réfèrent comme à une autorité lorsqu'ils traitent de diverses questions théologiques.

Le succès appelle le succès, aussi bien en édition qu'en théologie. Bientôt, un supplément au *Zohar* fait son apparition. L'auteur inconnu de ce livre intitulé *Raaya Meheimna* ajoute deux éléments à la description de l'âme par le *Zohar*: la *chayyah*, qui éveille l'humanité à l'énergie divine vivifiante; et la *yehidah*, le plan supérieur de l'âme où l'union avec Dieu devient réalisable.

Le *Zohar*, le *Talmud* et l'arbre séfirotique constituent peut-être, pour leurs adeptes, une source d'inspiration féconde aussi bien qu'un vivier d'infinies spéculations, mais comment des vues aussi ésotériques ont-elles pu catapulter la kabbale dans l'univers des sociétés secrètes, et des tourbillons de menaces et de conspirations qui sont leur lot?

L'antisémitisme y est pour quelque chose, comme d'habitude, aidé ici et là par l'infaillible spéculation assertorique. Du XIIIe siècle au XVIIe, on admet avec quelque embarras, en Grande-Bretagne, que des Juifs tiennent des cérémonies religieuses secrètes pendant lesquelles ils débattent d'éléments de la kabbale. Et c'est sans le moindre doute le cas. Les alarmistes britanniques oublient commodément, ou passent sur le fait qu'Édouard Ier expulse les Juifs d'Angleterre en 1290. Ceux qui se risquent à revenir et leurs descendants sont forcés de se réunir clandestinement, en niant leur existence, et satisfont ainsi aux classiques préalables d'une société secrète.

Avec toutes ses arcanes et son mysticisme, la kabbale fournit aux tenants de la conspiration tout ce dont ils ont besoin pour dénoncer le mouvement comme subversif et dangereux. Dans son ouvrage fort bien documenté, mais scandaleusement raciste, *Secret Societies and Subversive Movements*, l'auteur Nesta H. Webster distingue deux kabbales. L'ancienne école, c'est-à-dire celle qui précède l'apparition du *Zohar*, serait la bonne kabbale, riche d'une sagesse transmise de génération en génération par des patriarches juifs. La kabbale moderne, *Zohar* et sous-produits compris, serait carrément mauvaise. Selon Webster, le sage idéal originel du *Zohar* a été « mêlé par les rabbins avec des superstitions barbares, conjugué avec leurs inventions personnelles et, de ce fait, marqué de leur empreinte », ce qui lui vaut, estime-t-elle, d'être « faux, condamnable et condamné par le Saint Siège, [comme] l'œuvre des rabbins qui ont également frelaté et dénaturé la tradition talmudique ».

Chaque fois que l'occasion s'en présente, les bizarreries de quelque individu personnifient la kabbale et sa nature subversive pour les gens qui choisissent de la voir sous ce jour. Nul ne s'y prête mieux, au milieu du XVIIIe siècle, que l'excentrique Hayyim Samuel Jacob Falk, bien connu à Londres. En plus d'encourager un rapprochement avec la kabbale, Falk prétend faire des miracles, un talent qui lui vient de la sagesse kabbalistique. Falk peut faire brûler une petite chandelle pendant des semaines, remplir sa cave de charbon en répétant une incantation spéciale et échanger à un prêteur sur gage, contre des espèces sonnantes, une précieuse assiette qu'il fait se matérialiser mystérieusement chez lui avant son retour. C'est du moins ce qu'on rapporte. Lorsqu'un incendie menace la grande synagogue de Londres, Falk conjure la catastrophe en inscrivant sur la porte quatre lettres hébraïques qui forcent les flammes à contourner l'immeuble alors même qu'elles consument d'autres bâtiments.

Falk semble se complaire à l'aura de mystère et de pratiques occultes qui l'enveloppe. Il aime aussi bien vivre – l'ascétisme n'a pas sa place dans le style de vie qu'il mène. Dans une lettre adressée à un ami, un contemporain de Falk relate ainsi sa rencontre avec le kabbaliste mystique :

> Un chandelier mural en argent, muni d'une lampe centrale à huit branches de pur argent martelé, éclaire sa chambre. Quoiqu'elle contienne de l'huile pour brûler un jour et une nuit, elle reste allumée pendant trois semaines. Il lui est arrivé de rester reclus dans sa chambre pendant six semaines, sans manger ni boire. Quand, à la fin de cette

période, dix personnes ont été priées d'entrer, elles l'ont trouvé assis sur une sorte de trône, la tête couverte d'un turban doré, avec au cou une chaînette d'or et, pour pendentif, une étoile d'argent sur laquelle étaient inscrits de saints noms. En vérité, par ses connaissances des divins mystères, cet homme n'a pas son pareil dans sa génération. Je ne peux te rapporter toutes les merveilles qu'il accomplit. Je suis reconnaissant d'avoir été jugé digne de compter parmi ceux qui séjournent à l'ombre de sa sagesse.

La fortune et la forte personnalité de Falk attirent à ses côtés des gens pareillement riches et fameux : ducs, princes, diplomates, banquiers. À sa mort, Falk est l'un des hommes les plus prospères de Londres, et il lègue des sommes considérables à des sociétés de bienfaisance et à des synagogues ; plus d'un siècle plus tard, sa succession verse encore annuellement de l'argent aux pauvres.

Tout cela aurait pu être reçu comme d'innocentes excentricités d'un original, n'eût été de l'affiliation de Falk à la kabbale et d'un portrait, qui a largement circulé après sa mort, sur lequel l'homme pose avec une équerre et une étoile de David. En poussant un « Ah ah ! » qui résonne sûrement de Londres jusqu'à Lisbonne, les théoriciens de la conspiration prétendent alors que l'étoile en cause *n*'est *pas* le symbole du judaïsme, mais deux triangles entrecroisés emblématiques des francs-maçons – une thèse qu'atteste indéniablement, insistent-ils, la présence de l'équerre.

Ce lien allégué avec les francs-maçons suffit à remettre la kabbale en selle sur la monture des sociétés secrètes, qui se met immédiatement à galoper dans toutes les directions. Premier arrêt : l'arbre séfirotique dans lequel les mordus de la conspiration distinguent un formidable assortiment de messages cachés. *Tiferet* (Beauté, Grâce) occupe la place centrale dans l'arbre séfirotique. Des interprétations tardives suggèrent que l'expérience du *Tiferet* exige du sujet de passer de la forme humaine à un état « sans forme », processus que les freudiens pourraient nommer « transcendance du moi », pour aboutir à la renaissance, ou la résurrection, et finalement à la métamorphose en un symbole du Christ. De là, il n'y a qu'un pas pour associer le tout au saint Graal, censément possédé par les templiers, puis par les francs-maçons, ce qui inspire d'inédites interconnexions avec de nouvelles nébuleuses de complots secrets. De ces interprétations revisitées, que seule limite l'imagination de leurs auteurs, résulte une multitude d'organisations ignorantes des contraintes ou des inhibitions, et souvent impénétrables, qui abordent les diverses philosophies occultes comme un buffet de mystiques en attente d'être dégustées.

Parmi ces groupes, mentionnons le *Hermetic Order of the Golden Dawn*, qui utilise la philosophie kabbalistique comme base d'un ragoût exotique dans lequel l'arbre séfirotique est accommodé avec diverses déités grecques et égyptiennes. Pour plus de saveur, on l'assaisonne de théories hindouistes et bouddhistes, et on sert cette bouillie dans des bols empruntés aux francs-maçons et aux rosicruciens.

Porté par la vague d'intérêt pour l'occultisme, le Golden Dawn attire des membres de l'élite britannique dont l'existence a besoin d'une injection de mystère, peu en importe l'origine ou la validité. Peut-être le membre le plus adulé et le plus célébré du Golden Dawn est-il le poète William Butler Yeats qui, nous l'avons vu, sonde aussi la pensée druidique, en quête d'inspiration. Le plus odieux et le plus dénigré de ses membres est indéniablement Aleister Crowley.

Né en 1875 dans une famille qui a hérité de son grand-père une fortune colossale, Crowley devient obsédé par le sexe dans un monde où règnent les valeurs victoriennes strictes, une antinomie qui explique peut-être sa fantasque existence. À 14 ans, il engrosse une des bonnes de la famille et il est renvoyé de plusieurs écoles pour de semblables agissements ; on l'expulse d'une autre institution après avoir découvert qu'il a contracté la blennorragie d'une prostituée. Il est malgré tout assez intelligent (et riche) pour s'inscrire à Cambridge, où il passe le plus clair de son temps à composer de la poésie sexuellement explicite. Le jour de ses 21 ans, ayant réclamé sa part de l'héritage familial, Crowley quitte

Cambridge sans trop nourrir de regrets ni en susciter, et se jette à corps perdu dans une vie d'excès sexuels, de dépendance aux narcotiques, de voyages interminables et de curiosité mystique. Il trouve même le temps d'écrire plusieurs livres.

Son adhésion au Golden Dawn lui fait connaître l'arbre séfirotique. Excité par l'idée de moyens mécaniques pour explorer les mystères intimes de l'âme, il fonde sa propre organisation, l'*Astrum Argenium*, ou l'Étoile d'argent, et prend la tête de l'*Ordo Templi Orientis* (Ordre des templiers d'Orient) ou OTO. Ces deux sociétés utilisent dans leurs enseignements divers aspects de la kabbale. Grâce à sa sexualité déchaînée (« Je délire et je viole et j'éventre et déchire », lit-on dans un de ses ouvrages les plus prosaïques) et à ses écrits innombrables que dévorent avec délectation les lecteurs de la fin du règne d'Édouard alors même qu'ils en condamnent l'amoralité, Crowley devient une personnalité de renom par toute l'Europe. Des années durant, il réside en Italie et en Égypte où, entre les orgies et les fumeries d'opium, il réussit à terminer de nombreux manuscrits. Deux de ses livres les plus connus, *Diary of a Drug Fiend* et *Magick in Theory and Practice*, sont émaillés de références à sa lecture de la kabbale et de l'arbre séfirotique. Une autre de ses publications, *Liber 777*, se compose d'une série de tableaux qui établissent des corrélations entre la magie cérémonielle et les doctrines religieuses, tant occidentales qu'orientales, au moyen de trente-deux nombres représentant les dix sefirot et les vingt-deux canaux qui composent l'arbre séfirotique. Sa notoriété et son association avec la kabbale, aussi factice fût-elle, renforcent en certains milieux la conviction que la philosophie juive mystique constitue une grave menace pour les valeurs chrétiennes et participe de quelque conspiration mondiale encore mal définie.

Crowley meurt sans le sou en 1947. Son influence personnelle décroît peut-être avec les ans, mais il a réussi à implanter dans l'esprit de bien des gens l'idée que la kabbale est une organisation secrète qui entretient des rapports, entre autres, avec les templiers et les francs-maçons.

Vous souvenez-vous de la fable de l'homme qui s'aventure en Israël à la recherche de vérités universelles et de l'antique sagesse, et qui en revient avec les secrets bien gardés de la kabbale ? Il se nomme Feivel Gruberger. Il se rend en Israël en 1968, non pas à la recherche de l'intelligence des choses, mais d'acheteurs de polices d'assurance, qu'il colporte alors, et pour ne pas avoir à subvenir aux besoins de l'épouse et des huit enfants qu'il laisse derrière lui, à Brooklyn. Pour alléger la solitude qu'il pourrait éprouver dans son nouveau pays, Gruberger est accompagné de son ex-secrétaire, une divorcée prénommée Karen.

Quelles que soient les possibilités qui s'offrent à lui dans la vente d'assurances en Israël, Gruberger y renonce lorsqu'il fait la rencontre du rabbin Yehuda Brandwein, réputé kabbaliste. Selon la rumeur universellement répandue, Gruberger assimile toute la profonde connaissance du rabbin Brandwein en matière de kabbale, surpasse même son mentor dans la pénétration et la compréhension de cette complexe philosophie religieuse, ou c'est ce qu'il prétend. Dire de Gruberger qu'il apprend vite est un euphémisme parce que, quand meurt le maître, moins d'une année après avoir fait la rencontre de Gruberger, l'ancien vendeur d'assurances prend la direction de l'organisation de Brandwein.

Peu après le décès du rabbin Brandwein, Gruberger se métamorphose en un descendant direct de Moïse qui répond au nom de Philip Berg, et en la plus grande autorité mondiale sur la kabbale ; il convertit aussi en The Kabbalah Center le séminaire du rabbin, établi de longue date, dont les quartiers généraux sont transplantés à Los Angeles, en Californie. Du coup disparaît toute référence à Feivel Gruberger, le donjuanesque vendeur d'assurances, ou à sa famille de Brooklyn. Disparaît aussi la secrétaire et compagne, en Israël, du courtier d'assurances Gruberger. La divorcée et mère de deux enfants, qui n'a jamais manifesté aucun intérêt ni disposition pour la religion et la spiritualité, est désormais Karen Berg et l'auteur de plusieurs excellents ouvrages sur la kabbale.

L'apparition d'une société religieuse mystique, qui a son siège social en Californie et qui promet tout, depuis le réconfort spirituel jusqu'à l'épanouissement sexuel, allèche sur-le-champ des convertis, ce qui n'a rien d'inusité. En Californie, les groupes du genre prolifèrent presque autant que les orangeraies de l'État, et la popularité des unes et des autres a une durée de vie comparable. Mais le Kabbalah Center se démarque de bien des façons.

D'abord, sa structure et son charme sont uniques. Nulle autre secte ne peut se targuer de deux mille ans de sagesse acquise et proposer, sous la forme de l'arbre séfirotique, une démarche détaillée en vue de la connaissance spirituelle. On y a en outre aussi facilement accès qu'au comptoir de service à l'auto d'un McDonald's. Au lieu de potasser des doctrines philosophiques écrites dans un style très vieillot, saupoudré de vagues références et épaissi d'allégories, les néophytes n'ont qu'à suivre un processus visuel en dix étapes et explorer à leur rythme diverses voies. Et pour ajouter une bonne dose de plaisir, ils peuvent s'amuser à déchiffrer maints indices qui se présentent sous la forme des lettres de l'alphabet hébreu, mais cela est facultatif et accessoire, au dire des responsables du Kabbalah Center.

Que voilà une singulière adaptation d'un système de croyances antique. Les savants médiévaux voyaient autrefois l'arbre séfirotique comme un chemin vers l'Illumination. Plusieurs Californiens avides de goûter au credo du mois le considèrent aujourd'hui comme un divertissement de bon ton, un droit à la paix intérieure et à l'intelligence des choses que les autres ne possèdent pas encore.

Berg et son personnel, dont font partie les fils de Karen, Yehuda et Michael, se montrent de brillants promoteurs de ventes. Après avoir servi, pendant deux millénaires, de solution mystique aux questions les plus profondes de la vie spirituelle, la kabbale se métamorphose en un supermarché de pieux fourniments, un Wall-Mart des traités et colifichets spirituels à la mode du jour. En 2005, plus de vingt livres et disques compacts, tous l'œuvre de

Karen Berg et de ses fils, sont déjà mis en marché. Avec des titres comme *God Wears Lipstick* et une version du *Zohar* en vingt-deux volumes, la collection se présente au mieux comme une florissante opération d'exploitation de crédules dilettantes, au pire comme une parodie de l'antique tradition. Comme pour tester la crédulité de leurs adeptes, les Berg ajoutent même des produits qui vont des chandelles parfumées et vêtements kabbalistiques pour bébé jusqu'à l'eau minérale bénite et aux coffrets de vingt-deux pierres portant chacune, imprimé en lettres invisibles, un nom différent de Dieu. Croire qu'est imprimée quelque chose sur ces pierres est, bien évidemment, un test de foi. Mais c'est peut-être justement le but recherché.

Le plan de mise en marché a atteint son zénith (ou son nadir) avec la babiole la plus populaire et la plus profitable : un bout de ficelle rouge coupée, prétend-on, à même un cordon qui aurait jadis enrubanné la tombe de Rachel, la matriarche hébraïque. On assure les adeptes de la kabbale que, s'ils nouent cette ficelle autour de leur poignet gauche, ils pourront

> [...] établir une connexion vitale avec les énergies protectrices qui entourent la tombe de Rachel. [La ficelle] permet aussi de capter la puissante énergie protectrice de Rachel et d'y puiser en tout temps. En recherchant les Lumières de saintes personnes comme Rachel, il est possible d'obtenir l'assistance de leur puissante influence. Selon la kabbale, Rachel incarne le monde physique dans lequel nous vivons.

Expédié avec un manuel de l'utilisateur, le bout de ficelle long de 60 centimètres coûte 26 $. Nouer cette ficelle est peut-être le geste le plus difficile que les membres du Kabbalah Center auront à poser pour parvenir à la sagesse. S'il est important qu'ils se procurent des livres de l'organisation, il n'est pas nécessaire qu'ils les lisent. Berg et ses moniteurs assurent tous et chacun que le simple fait de passer les doigts sur le texte, dans une technique appelée « méditation en accéléré », permet d'assimiler leur sagesse. Cette technique s'avérera sans nul doute populaire auprès des étudiants universitaires qui bûchent pour préparer leurs examens.

Les Juifs dévots sont épouvantés et les cyniques amusés par le concept d'un bout de ficelle bénite et d'autres accessoires kabbalistiques vendus à des prix aussi exorbitants et considérés avec tant de sérieux. Mais quand plusieurs vedettes du monde du spectacle commencent à faire l'éloge des Kabbalah Centers, à rendre hommage à Berg, l'ex-vendeur d'assurances, et à porter au poignet la ficelle rouge bénite, leurs réactions se muent en consternation. Parmi les illustres membres les plus éloquents et les plus influents, mentionnons Madonna, Britney Spears, Demi Moore, Paris Hilton, Barbra Streisand, Elizabeth Taylor, Diane Keaton, sans oublier David et Victoria Beckham. Conséquence du ralliement public de ces personnalités très en vue et d'autres encore à Berg et à ses Kabbalah Centers, des tisserands du monde entier s'affairent à teindre en rouge des cordelettes qu'on vend à 1$ les 2,5 centimètres.

Un empire est né. Bientôt, plus de deux douzaines de Kabbalah Centers sont à l'œuvre autour du monde, depuis la Russie et la Pologne jusqu'au Brésil et au Canada, et leurs listes de membres s'allongent à vue d'œil. L'effet d'entraînement est patent. De quelle autre façon une personne ordinaire pourrait-elle appartenir au même club que Madonna et la duchesse d'York, Sarah Ferguson? Ou porter un bracelet identique à celui qui est attaché au poignet gauche d'Elizabeth Taylor?

Les psychologues ne s'étonnent pas de l'enthousiasme avec lequel des célébrités très médiatiques embrassent la pseudo-religion intrinsèquement matérialiste de Berg. Son pouvoir d'attraction, font-ils valoir, ne tient pas à la quête d'une sagesse millénaire, mais à la découverte d'un moyen de composer avec une culpabilité acquise. Leur succès plonge dans une profonde insécurité bien des célébrités conscientes que des milliers d'autres personnes aussi talentueuses qu'elles, mais moins chanceuses, restent inconnues, dans l'ombre. Pourquoi les vedettes baignent-elles dans la gloire et l'opulence pendant que d'autres se démènent dans l'anonymat et la quasi-pauvreté? Elles réclament une explication pour alléger leur culpabilité et accourent autour de n'importe quel système de croyances qui prêche en quelque sorte la prédestination ou la mise en scène de leur succès. Dans un déconcertant paradoxe, les laissés-pour-compte singent leurs héros célébrissimes.

La cotisation des membres des Kabbalah Centers, ajoutée aux ventes d'articles de marque Kabbalah et au versement par les adeptes d'une dîme de 10 %, provoque un afflux d'argent dans les poches des Berg. Karen et ses fils habitent des villas voisines, à Beverly Hills ; Philip Berg, de son vrai nom Feivel Gruberger, occupe une suite au Waldorf-Astoria de New York. Bien entendu, le Kabbalah Center est enregistré comme une organisation religieuse sans but lucratif.

La nature souterraine de la kabbale sur plus de deux milliers d'années est le résultat du racisme et de la bigoterie religieuse plus que d'efforts conscients de la part de ses adeptes pour se tapir dans l'ombre, et la réputation de « société secrète » que cela lui vaut est au cœur de son récent succès commercial. Sa doctrine presque indéchiffrable, qui a pu constituer un obstacle pour plusieurs individus aspirant à son estimable sagesse, s'est plutôt avérée pour les Berg une incitation à persuader de potentiels adhérents qu'ils étaient seuls à détenir la clé de ce code particulier. Le reste n'est que technique de vente.

Mais quel est l'avenir d'une foi qui se vante d'être un chemin vers Dieu, un système de croyances peaufiné sur plus de vingt siècles par certains des plus brillants penseurs religieux de leur temps, dont le nom apparaît sur des panneaux lumineux qui clignotent dans Sunset Strip, dont les dirigeants promettent l'assimilation, du bout des doigts, de la profonde sagesse, et dont le symbole le plus visible est un bout de ficelle colorée ?

6

LES ROSICRUCIENS

La poursuite de la sagesse ésotérique

LES ROSICRUCIENS DOIVENT LA NAISSANCE DE LEUR SOCIÉTÉ À DEUX HOMMES, dont un seul a réellement vécu. C'était un escroc dont la juvénile imposture s'est transformée en une organisation planétaire qui prétend accomplir de bonnes œuvres tout en entourant d'un curieux secret son mode de fonctionnement.

L'ordre voit le jour, ainsi le veut la légende, avec un jeune homme de la noblesse allemande né en 1387. Doté d'un penchant pour la vie spirituelle, Christian Rose-Croix entre au monastère, déterminé à consacrer son existence à la réflexion profonde et au service de Dieu. Mais la vie monastique échoue à combler ses aspirations spirituelles et Rose-Croix part pour la Terre sainte où il visite Damas et Jérusalem. Dans le cours de son périple, il fait la connaissance de mystiques arabes qui lui enseignent les principes de l'alchimie et proposent une forme de christianisme sans pape, une centaine d'années avant Martin Luther.

De retour chez lui, Rose-Croix lance avec un certain nombre de disciples une organisation secrète qui se consacre à explorer les pouvoirs de l'occulte, qui intervient hors des frontières de l'Église romaine et apporte secours et réconfort aux malades et aux nécessiteux. Ses membres voyagent énormément pour s'acquitter de leurs devoirs et préservent leur anonymat en s'habillant selon les us et coutumes des pays où ils se rendent utiles. Jurant de garder le secret sur leur ordre pendant cent ans, ils se reconnaissent les uns les autres par des symboles qui allient la rose et la croix, et ils se réunissent une fois l'an aux quartiers généraux secrets de l'ordre, le *Sancti Spiritus* – la demeure du Saint-Esprit. Pour assurer la pérennité de l'ordre, chaque membre se doit d'élire son successeur dont l'identité ne sera dévoilée qu'à la mort du frère qui l'a désigné.

Le choix de la rose et de la croix comme symboles déclenche le premier de nombreux débats sur le mouvement. Sont-ils un rébus sur le nom du fondateur, ou les a-t-on choisis en ayant à l'esprit un motif plus sérieux ? La rose symbolise la nécessité du silence et du secret ; sculptée dans les plafonds des salles où se tiennent les réunions clandestines, sa présence prescrit que toutes les conversations en ces murs doivent rester confidentielles – d'où l'expression *subrosa* qui signifie sous le sceau du secret ou de la confidence. La croix, dont les bras sont d'égale longueur, symbolisait le monde matériel chez les alchimistes médiévaux. La conjugaison des deux symboles suggère que l'ordre s'adonne au commerce des secrets d'alchimie et à d'autres activités magiques, et que sa vocation nomadique pour l'assistance aux malades est en fait un moyen d'échanger furtivement de l'information. Des sceptiques associent ces symboles avec ceux qui étaient en usage chez les premiers gnostiques ; plus tard, d'autres observent que la rose et la croix figurent toutes deux dans les armoiries de la famille de Martin Luther. D'autres encore voient la rose et la croix comme une adaptation de la croix rouge des templiers bannis et laissent entendre que Rose-Croix et ses disciples font revivre ce mouvement en introduisant des éléments de l'antique kabbale dans ses enseignements.

Aucun de ces débats ne prend place pendant l'existence remarquablement longue de Rose-Croix lui-même, qui atteint l'âge de

106 ans. Rien d'autre, chez Christian Rose-Croix, n'est exceptionnel aux yeux de ses contemporains. Il ne reste aucune trace de son existence ni des frères qui ont marché sur ses traces et partagé son mysticisme chrétien. Jusque cent trente ans après sa mort, pas la moindre mention ni de l'homme ni de l'organisation qu'il a fondée. Le mouvement dont il est l'instigateur se serait-il montré des plus habiles à occulter son existence et sa véritable finalité?

Le monde entend parler pour la première fois de Rose-Croix et de son organisation en 1614, quand un manuscrit intitulé *Fama Fraternitatis, des Loblichen Ordens des Rosenkreutzes* (*Échos de la fraternité ou confrérie du très-louable ordre de la Rose-Croix*) commence à circuler en Allemagne. L'année suivante paraît un second opuscule qui explicite le contenu de la première publication et relate la découverte, en 1604, de la sépulture de Rose-Croix. Après cent vingt ans, souligne le manuscrit, la dépouille du fondateur, entouré de plusieurs livres et ornements ensevelis avec lui, demeure « entière et intacte ».

Au même rythme que celui d'un annuaire de foyers pour jeunes hommes paraît à Strasbourg, sur le même sujet, l'année suivante, une troisième publication qui porte le titre provocateur de *Di Chymische Hochzeti Christiani Rosenbreuz* (*Noces chymiques de Christian Rose-Croix*). Tellement truffé de références aux templiers qu'il est immédiatement condamné par l'Église catholique, *Noces chymiques* a pour auteur et narrateur Rose-Croix lui-même qui décrit le mariage d'un roi et d'une reine auquel il assiste. À l'intérieur de leur magnifique château, les nouveaux époux royaux célèbrent l'événement par une étrange cérémonie qui comporte la mise à mort et le rappel à la vie d'invités choisis, grâce à de mystérieuses techniques d'anciens alchimistes.

Si les deux premières publications titillent relativement peu la curiosité des lecteurs, *Noces chymiques* provoque un débordement d'intérêt. Bientôt des groupes rosicruciens surgissent partout en Europe et comptent sur leurs listes de membres des noms illustres, dont les très éminents Anglais que sont sir Francis Bacon, Robert

Boyle et le mystique et mathématicien John Dee. Leurs intérêts communs incitent les trois hommes à fonder la Royal Society à la présidence de laquelle se succèdent des gens comme Christopher Wren, Samuel Pepys et Isaac Newton. La société existe encore de nos jours à titre d'académie britannique des sciences.

L'association de Bacon avec les rosicruciens est à l'origine d'étonnantes affirmations quant à sa vie et à l'influence des rosicruciens sur la littérature. Né en 1561, le jeune prodige anglais devient un brillant érudit et homme d'État, est nommé procureur général sous Jacques Ier et plus tard choisi comme grand chancelier. Le roi confie même à Bacon la responsabilité de superviser l'édition définitive de la version en langue anglaise de la sainte Bible, la traduction dite King James encore communément employée de nos jours.

Deux aspects de la vie de Bacon ont fasciné de tout temps ceux qui se penchent sur les sociétés secrètes. Des accusations de corruption de fonctionnaires le contraignent à résigner sa charge. Avec le recul, on convient en général que les accusations étaient sans fondements et que Bacon s'est trouvé pris en étau dans une lutte de pouvoir entre Jacques Ier et les Communes. Le doute sur la culpabilité de Bacon et l'hypothèse qu'il ait été victime de manigances politiques ajoutent un autre vernis de mystère à l'intrigue. Quoi qu'il en soit, forcé de se retirer en 1621, Bacon passe le reste de sa vie à rivaliser d'efforts avec son contemporain Galilée pour briser l'emprise qu'exerce la logique aristotélicienne sur l'étude des sciences et la remplacer par le raisonnement déductif. Voilà un homme dont l'intelligence, semble-t-il, ne connaît pas de bornes.

Le deuxième et plus fascinant aspect qui le relie à la rose-croix dans l'esprit de plusieurs est sa présumée association avec Shakespeare. Une petite mais tenace poignée d'érudits affirment que Shakespeare ne peut avoir produit toutes les œuvres qu'on lui attribue sans le concours d'un collègue plus prolifique, plus qualifié et plus instruit que lui-même. Stratford-upon-Avon, estiment-ils, ne saurait avoir fourni le terreau culturel où

Shakespeare aurait puisé ses pièces et poèmes. Sans compter, ajoutent-ils, que les parents de Shakespeare étaient illettrés et que le fils n'a pas démontré de prédispositions pour l'étude. « Où donc Shakespeare aurait-il appris le français, l'italien, l'espagnol et le danois, sans parler du latin et du grec classiques ? » demandent les sceptiques en observant que, selon son contemporain Ben Jonson, Shakespeare connaissait « peu le latin et encore moins le grec ». Ils attirent l'attention sur la rareté des échantillons de sa calligraphie, tous des signatures, et laissent aussi entendre que l'homme savait « peu se servir d'une plume et que, manifestement, soit il copiait la signature soit on guidait sa main pour écrire ».

Ce n'est pas ici le lieu de débattre en long et en large de la véritable identité de l'auteur des pièces et sonnets qui constituent le noyau de la littérature anglaise, mais cela montre avec quelle pugnacité bien des personnes cherchent et trouvent des preuves d'irruption de l'occulte dans la vie de tous les jours. Cela illustre aussi les convictions parfois délirantes d'individus qui soutiennent mordicus que des groupes clandestins tirent les ficelles de notre existence.

Les spécialistes de la littérature ont leurs propres explications aux nombreuses questions laissées sans réponses sur la vie et l'œuvre de Shakespeare, mais les théoriciens de la conspiration s'en tiennent à une explication subversive. S'appuyant sur l'inclination au secret de la philosophie rosicrucienne, ils font valoir non seulement que Bacon est le créateur de tous les textes attribués à Shakespeare, mais que l'œuvre le plus considérable produit par un seul et unique auteur en littérature anglaise est, en réalité, le contrecoup d'un prosélytisme rosicrucien.

Shakespeare, soutiennent-ils, sert de prête-nom à Bacon, de dupe ou peut-être de partenaire coopératif dans une machination pour imprégner la culture anglaise des croyances et principes rosicruciens. L'immense bibliothèque de Bacon, font-ils valoir, abrite toutes les sources de citations et d'anecdotes qui inspirent les pièces du barde de l'Avon, dont plusieurs n'existent pas en traduction anglaise de son vivant. Et les pièces du dramaturge sont créées et jouées non pour leur valeur commerciale ou divertissante, mais en tant qu'instruments de communication avec d'autres rose-croix. Ainsi le veut la fable.

Est-il possible que le plus riche corpus individuel de littérature anglaise se résume à une série d'enveloppes contenant des messages clandestins rédigés en codes nébuleux? Jugez de quelques-unes de ces prétentions :

- Le numéro de code de sir Francis Bacon – son identité en tant que rose-croix – est 33. Dans la première partie de *Henri IV*, le mot « Francis » apparaît trente-trois fois sur une page.
- Le nom Bacon revient souvent sous forme d'acrostiche dans les pièces. Voyez comment se présente le discours de Miranda, à la scène 2 du premier acte de *The Tempest* (les italiques sont de nous) :

  You have often
  *B*egun to tell me what I am, but stopt,
  *A*nd left me to a bootless inquisition,
  *Con*cluding, "Stay: not yet".
- Le mot *hog* (porc) figure fréquemment sur la page 33 de divers portfolios des pièces de Shakespeare.
- Des filigranes, sur les œuvres de Shakespeare, illustrent des symboles maçonniques ou rosicruciens, dont la rose-croix, des urnes, des raisins.
- Des erreurs de pagination dans plusieurs in-folios shakespeariens, erreurs concordantes chez divers imprimeurs, constituent des clés au code baconien. Elles touchent généralement les pages se terminant par 50, 51, 52, 53 et 54. Ainsi les éditions des premier et deuxième in-folios notent toutes deux la page 153 comme 151, les pages 249 et 250 respectivement comme 250 et 251.
- Les motifs ornementaux des publications shakespeariennes incorporent souvent des symboles rosicruciens.

Et la liste s'allonge.

Mais si l'on présume quelque véracité à cette conjecture, pourquoi Bacon et ses collègues se sont-ils imposé une aussi complexe et obscure corvée et ont-ils recouru, comme homme de paille, à un Shakespeare (prétendument) peu instruit et sans talent, et pour quels motifs infâmes ? En outre, comment Bacon aurait-il pu écrire tous les poèmes et pièces de théâtre attribués à Shakespeare en menant simultanément à terme ses propres gigantesques productions littéraires, dont l'édition définitive de la Bible King James ? Auteur d'un répertoire des anciennes traditions et sagesses occultes de l'Antiquité, Manly P. Hall propose une explication :

> Il ne faut pas considérer Bacon simplement comme un homme, mais plutôt comme une interface entre une institution invisible et un monde qui n'a jamais été capable de distinguer le messager du message qu'il promulgue. Cette société secrète, qui redécouvre une sagesse séculaire perdue et craint que ce savoir puisse se perdre une nouvelle fois, le perpétue de deux manières : (1) par une organisation (la franc-maçonnerie) dont les adeptes sont initiés à sa sagesse sous la forme de symboles ; (2) par l'insertion de ses arcanes dans la littérature de l'époque au moyen de codes et d'énigmes astucieusement ménagés.

Pourquoi être à ce point fourbe et compliqué ? Hall a la réponse :

> Tout porte à croire en l'existence d'un groupe de frères, sages et illustres, qui prennent la responsabilité de publier et de sauvegarder pour les générations futures la crème des livres secrets des anciens, plus quelques documents qu'ils ont eux-mêmes rédigés. Pour que les futurs membres de la fraternité puissent non seulement repérer ces volumes, mais aussi y relever immédiatement les passages, mots, chapitres ou paragraphes importants, ils inventent un alphabet symbolique de signes hiéroglyphiques. Grâce à une clé et un ordre quelconques, les rares esprits clairvoyants sont donc en mesure de découvrir la sagesse par laquelle l'homme « atteint » à l'Illumination.

Peut-être. Mais persiste le petit problème de l'origine des écrits rosicruciens, et de leur auteur.

Au beau milieu de l'enthousiasme spontané pour les livres de Christian Rose-Croix dès leur première publication, et pour la société que tous veulent rallier, créer ou faire revivre, un pasteur luthérien nommé Johann Valentin Andreä fait un aveu renversant :

il a écrit *Noces chymiques* de même que les deux opuscules précédents. Toute cette histoire des rose-croix est une mystification, reconnaît Andreä, une parodie de l'alchimie et de ses fougueux adhérents qui ont perdu la boule.

Christian Rose-Croix n'a jamais vécu, n'est jamais allé en Palestine à la recherche d'anciens secrets arabes, n'a jamais fondé un ordre secret et n'a évidemment jamais été enterré après sa mort, à 106 ans, pour être exhumé cent vingt ans plus tard aussi entier que le jour de son décès. Lui et ses aventures sont le fruit de l'imagination d'Andreä, rien de plus. Andreä a écrit la *Fama* comme un canular ; il a récidivé avec le deuxième opuscule et *Noces chymiques* quand de nombreuses personnes ont pris au sérieux la *Fama*.

L'aveu a l'accent de la vérité. Andreä a la réputation d'être un farceur ; dans sa jeunesse, on lui a refusé le droit de compléter ses examens de fin d'études après qu'on l'eut surpris en train de clouer une note diffamatoire sur la porte du chancelier de l'institution. Sans diplôme, il passe ensuite quelques années à bourlinguer en Europe, puis revient aux études et réussit ses examens de liturgiste à 28 ans. Après l'admission d'Andreä du fait qu'il a inventé le personnage de Rose-Croix et son organisation – comme un auteur de roman noir des temps modernes concocte la trame, le cadre et les personnages de son polar – des gens s'avisent que les armoiries de sa famille comprennent des roses et une croix. Peut-il persister le moindre doute ?

Le doute persiste chez les membres les plus fervents du nouvel ordre. Si Andreä peut prétendre avoir écrit les histoires rosicruciennes comme un canular, se disent certains, comment savoir si ce prétendu aveu n'est pas le véritable canular ? Ou peut-être Andreä a-t-il écrit ces livres pour exhorter les gens à accomplir de bonnes œuvres et à s'intéresser aux études ésotériques. Même si la vie de Rose-Croix est pure fiction, poursuit le raisonnement, elle n'en inspire pas moins une idée susceptible de bénéficier au monde et une philosophie capable d'enrichir spirituellement et intuitivement l'humanité. Peut-être, avance-t-on, Andreä a-t-il proclamé l'existence de la fraternité dans l'espoir que ceux qui croiraient en ses principes la créeraient. Et ils l'ont fait. Alors, quelle importance?

Le débat n'est pas clos. Si, comme cela semble vraisemblable, le conte de Christian Rose-Croix et de ses secrets partisans est entièrement sorti de l'imagination d'Andreä, l'idée n'en flottait pas moins dans l'air. Mais qu'est-ce qui, au départ, lui inspire d'imaginer pareil conte? La réponse pourrait bien avoir été incinérée sur le Campo de Fiori, à Rome, un matin de février 1600, alors que le mystique et ex-dominicain Giordano Bruno brûlait sur le bûcher pour crime d'hérésie, après huit années d'emprisonnement et de torture.

L'une des figures les plus mystérieuses et les plus fascinantes de l'histoire, Bruno est le type même de l'ecclésiastique rebelle, un homme qui défend la liberté de fouiller les questions spirituelles et existentielles sans tenir compte des restrictions de l'Église. L'imagination et la perspicacité de Bruno, qui voyage abondamment en Europe et en Angleterre, où il est reçu à la cour d'Élisabeth Ire, l'introduisent dans un territoire inexploré par des esprits moins brillants et interdit par décret papal. Rejetant les croyances alchimiques et les supposés pouvoirs de l'occulte, Bruno ne fait confiance qu'à son raisonnement déductif et à sa fine intuition. Il se représente l'Univers comme un espace infini qui abrite d'autres formes de vie et il affine les concepts de Copernic dans la compréhension du mouvement de la Terre autour du Soleil. Il invente l'étude et l'analyse des statistiques, propose l'assistance sociale aux nécessiteux et explore des notions qui, au XVIe siècle, sont incompréhensibles aux scientifiques et sacrilèges aux yeux du clergé, mais qu'énoncent aisément aujourd'hui les écoliers.

Les écrits de Bruno se mettent à circuler dans la population après son martyre, surtout en pays protestants où l'on expose la théorie copernicienne et d'autres concepts sans crainte des représailles de l'Inquisition. Admirateur de Bruno, Andreä est peut-être bien inspiré par le refus du dominicain de considérer l'alchimie comme un sujet d'étude sérieux et par sa proposition de s'adonner aux bonnes œuvres pour le bien du pauvre, sans la supervision de l'Église. Si l'on voit dans *Noces chymiques* un écho de la parodie de l'alchimie par Bruno et dans l'exhortation de Rose-Croix à faire la charité sans la bénédiction ni l'intervention de l'Église une expression de la philosophie du même Bruno, on tient peut-être la réponse à la question de l'inspiration d'Andreä.

Qu'il soit ou non inspiré par Bruno, le concept rosicrucien continue de gagner en popularité longtemps après le décès d'Andreä, en 1654, grâce à la conjonction de l'immémoriale fascination pour la mystique et d'un nouvel engin mécanique: la presse à imprimer.

Chrétiens, templiers, gnostiques, druides et défenseurs de la première kabbale ont jusque-là diffusé leurs messages suivant l'ancienne tradition orale soutenue par la distribution limitée de manuscrits copiés à la main. La rose-croix est la première société de cette nature à mettre à profit l'invention de Gutenberg et sa capacité de produire, rapidement et à peu de frais, des milliers d'exemplaires de ses tracts. Quelques années à peine après la parution de *Noces chymiques*, des exemplaires en sont distribués, traduits et réimprimés dans toute l'Europe avec un retentissement de loin supérieur à celui de philosophies semblables diffusées avant Gutenberg. C'est une chose que d'entendre chuchoter par un étranger de passage une histoire de magie; c'en est une autre de lire sur une page imprimée la même histoire, non entachée par de nouveaux enjolivements ou gloses.

L'exclusivité donne une nouvelle impulsion à la brusque poussée de croissance. La capacité de lire est réservée à la classe la mieux instruite et la plus privilégiée de la société, dont l'adhésion aux principes rosicruciens ajoute de la véridicité à un mouvement qui prend racine dans une mauvaise plaisanterie.

La vague des nouveaux adhérents à cette philosophie encore mal établie s'enfle si rapidement et si universellement que le mouvement commence simultanément à assimiler des croyances d'autres groupes et à se diviser en factions rivales qui prétendent toutes être l'« authentique » fraternité de la *Fama*. Hermétistes, gnostiques, pythagoriciens, mages, platoniciens, alchimistes, paracelsiens, autant de chapelles qui se blottissent sous le parapluie rosicrucien alors même que les membres de l'orthodoxie sont peu à peu absorbés par des groupes plus nombreux et plus étroitement encadrés. Avec l'hybridation philosophique de la rose-croix et de la franc-maçonnerie, aux environs de 1750, les chapelles deviennent des conventicules quand des factions dissidentes comme celles de Saint-Germain, Cagliostro, Schropfer, Wöllner et d'autres prennent leurs distances avec l'orthodoxie. En moins d'un siècle, certains maîtres maçonniques du Royaume-Uni et des États-Unis créent des « collèges » d'une société maçonnique rosicrucienne. Dans l'intervalle, des membres rosicruciens non associés aux maçons se mettent à désigner leur organisation comme celle de « frères de la lumière ».

La dilution et le morcellement de la société pourraient sembler réduire les chances de survie des rosicruciens, mais l'organisation réussit à accroître, à défaut de ses effectifs, son aire de diffusion géographique. Entre les années 1850 et 2000, sa croissance lui vient pour l'essentiel de ses adhérents aux États-Unis et elle la doit à des individus qui, comme George Lippard, utilisent leurs antécédents souvent inhabituels pour créer des modèles rosicruciens charismatiques et colorés.

Si l'on en croit les assertions rosicruciennes, l'épithète « précoce » ne suffit pas à décrire l'homme. Diplômé du Wesleyan College à 15 ans, natif de Philadelphie, Lippard décrète que tout prédicateur ne vivant pas dans le même état que le Christ est un charlatan. Et comme il refuse d'être associé à des charlatans, Lippard entreprend des études en droit sous le parrainage d'un futur procureur général de Pennsylvanie. Quatre années dans la compagnie d'hommes de droit semblent persuader Lippard que leur profession s'apparente à celle des hommes d'Église. Bardé d'un pareil cynisme, Lippard estime qu'un seul passe-temps lui convient : le journalisme. Et il se met à écrire des histoires de cape et d'épée et des essais sur des sujets historiques pour le prestigieux *Saturday Evening Post*.

Il entretient encore ses idées juvéniles de moralité intransigeante et, en 1847, il devient rosicrucien, à 25 ans, pour combattre les maux auxquels il est affronté dans sa vie, dont la politique esclavagiste américaine. Plus tard, il fonde la Brotherhood of the Union, un bras secret du mouvement dont l'objectif est de faire connaître à un plus large public les principes de base des rosicruciens.

Lippard, qui publie plus d'une douzaine de livres dans sa courte existence – il décède en effet à 34 ans –, évolue dans des milieux effervescents et se revendique de l'amitié d'hommes comme Horace Greeley et Edgar Allen Poe, qu'il a peut-être influencé dans l'invention du roman policier. Romantique dans l'âme, Lippard passe beaucoup de temps à marcher en solitaire sur les rives de la rivière Wissahickon; il se marie même sur la berge de ce cours d'eau, au lever du soleil. En dehors de ces notions romantiques, le plus grand accomplissement de Lippard est toutefois son adhésion aux enseignements rosicruciens et l'empreinte qu'il laisse sur l'histoire des États-Unis.

Selon des documents rosicruciens, Lippard fait la connaissance du futur président américain Abraham Lincoln peu après avoir souscrit aux principes du mouvement et se targue d'être celui qui éveille l'intérêt de Lincoln pour l'abolition de l'esclavage. Si c'est exact (bien que Lincoln et Lippard semblent s'être rencontrés, seuls les rosicruciens affirment que Lippard aurait infléchi les politiques du futur président), alors le canular d'Andreä a effectivement changé le monde.

Contemporain de Lippard, Paschal Beverly Randolph se lie aussi avec Lincoln et exerce même une plus grande influence sur les activités rosicruciennes aux États-Unis. La vie de Randolph a tout le tragique d'une grande œuvre romantique du XIXe siècle qui attend d'être convertie en un drame hollywoodien. Se revendiquant d'un mélange de sang espagnol, indien, français, oriental et « royal malgache » (il dément véhémentement le bruit selon lequel il serait issu du béguin entre une esclave afro-américaine et un propriétaire de plantation), Randolph séjourne dans un orphelinat de New York avant d'être officieusement adopté par une actrice ratée et son mari. Comme le désenchantement de Lippard à l'égard de la religion et du droit, cette expérience marque Randolph, qui répète avoir vu le mari obliger sa femme à se prostituer pour subvenir aux besoins du ménage. « Ainsi à moins de 10 ans, écrit Randolph, je connaissais à fond le côté sombre de la nature humaine [...] Jusqu'à ma quinzième année, on m'a taloché et trimbalé sans ménagement autour du monde. »

Après avoir erré de par le monde plusieurs années pendant lesquelles il devient un journaliste chevronné, Randolph s'intéresse de plus en plus au mouvement rosicrucien. Il joint d'abord les rangs de l'organisation en Allemagne, avant de rentrer en 1851 aux États-Unis où, comme Lippard, on le présente à Lincoln. Contrairement à Lippard, Randolph ne prétendra jamais avoir convaincu Lincoln de s'élever contre l'esclavage, mais les deux hommes se lieront d'une profonde amitié. En fait, Randolph est invité à monter à bord du train transportant la dépouille du président Lincoln qu'on rapatrie en Illinois, après son assassinat, mais on l'en fera descendre à cause de ses traits afro-américains.

Peu après, on confère à Randolph le titre de grand maître suprême rosicrucien d'Occident dans le cadre d'un conclave allemand. Il fonde la Fraternitas Rosae Crucis, vrai centre de la rose-croix en Amérique, puis voue le reste de son existence à écrire des livres – de nombreux livres – et à répandre les idées rosicruciennes de réalisation de la sagesse ultime par les anciennes voies mystiques. Les historiens rosicruciens affirment qu'il écrit et publie plus de deux douzaines d'ouvrages et de brochures qui, pour la plupart, célèbrent l'affinité rosicrucienne avec l'amour, la santé, le mysticisme et l'occultisme. Se glorifiant de titres comme *Dealing with the Dead* (1861), *Love and Its Hidden History* (1869) et *The Evils of the Tobacco Habit* (1872), Randolph parvient à attirer des lecteurs qui laisseraient normalement passer l'occasion de s'imprégner de théories mystiques orientales et de pratiques occultes médiévales.

À la fin, l'existence de Randolph se révèle presque aussi tragique que celle de Lincoln. En 1872, il est mis en état d'arrestation et inculpé d'incitation à « l'amour libre » et à l'immoralité, une accusation déposée, nous apprennent les documents du procès, par d'ex-associés d'affaires qui en ont après les privilèges du copyright de ses livres. Même s'il est finalement acquitté, Randolph ne surmontera jamais l'humiliation d'avoir dû se défendre seul, et on le trouve mort d'une blessure d'arme à feu qu'il s'est infligée lui-même. Décédé à seulement 49 ans, Randolph réussit à rehausser l'image et l'autorité du mouvement rosicrucien partout aux États-Unis, et l'élan que son action imprime au mouvement se fait encore sentir au siècle suivant.

Randolph aide peut-être à améliorer le sort des rosicruciens, au point où le mouvement vient au deuxième rang, derrière les francs-maçons, pour le nombre de membres, mais il ne vient pas à bout de l'effet d'atomisation qui empoisonne le groupe depuis l'origine. Chaque surgeon impose ses propres croyances et restrictions à ses membres. Les variations sont souvent le résultat de différences culturelles entre nations et, dès le début des années 1900, le mouvement rosicrucien américain constitue un rameau national distinct.

Chacune des diverses organisations prétend être le vrai foyer du mouvement. Les plus influentes sont alors les suivantes : la Fraternitas Rosae Crucis de Randolph ; la Societas Rosicruciana in Civitatibus Foederatis (SRICF), un groupuscule qui a pour instigateurs des maçons britanniques et écossais, et qui exige comme préalable à l'admission, l'appartenance maçonnique ; la Societas Rosicruciana in America (SRIA), élément dissident du groupuscule SRICF qui accepte comme membres des non maçons ; la Rosicrucian Fellowship, créée à Oceanside, en Californie, pour promouvoir des cours par correspondance en astrologie et en sciences occultes ; la « Société Anthroposophique » qui s'applique à étudier les lois occultes de la nature et à aider l'humanité à « atteindre à l'immortalité consciente d'elle-même, couronnement suprême de l'évolution » ; le Lectorium Rosicrucianum, un cousin américain d'un rameau originaire des Pays-Bas et dont l'objectif est la diffusion des enseignements de son fondateur, J. Van Rijckenborgh ; la Ausar Ausset Society, créée pour disséminer exclusivement parmi les Afro-Américains les valeurs rosicruciennes ; enfin, l'Anticus Mysticusque Ordo Rosae Crucis (Ancien et Mystique Ordre de la Rose-Croix ou AMORC).

L'AMORC se targue de réunir les effectifs les plus nombreux et les plus actifs de toutes ces organisations, et les seuls « vrais fidèles » aux racines du mouvement. Son fondateur, un homme appelé Harvey Spencer Lewis, passe le plus clair de son existence à aller de long en large, tant spirituellement que géographiquement. Né dans la ville de New York en 1883, Lewis s'y intéresse, là comme en France et en Floride, aux sciences occultes, avant de se fixer à San Jose, près de San Francisco. Le complexe des quartiers généraux de l'AMORC à San Jose comprend l'Université Rose-Croix, un planétarium, la Bibliothèque rosicrucienne et, par-dessus tout, le Musée égyptien devenu en soi une importante attraction touristique de la région.

Sur la base de ces seules installations, l'AMORC se proclame à juste titre l'ordre rosicrucien le plus puissant du monde. L'organisation refuse de divulguer la taille de ses effectifs, mais dénombre des loges dans quatre-vingt-dix pays, tient des congrès annuels et publie deux magazines : l'un s'adresse au grand public (*The Rosicrucian Digest*), l'autre est exclusivement réservé aux membres (*The Rosicrucian Forum*).

L'AMORC se donne beaucoup de peine pour se faire connaître non comme un ordre religieux, mais comme une « organisation d'enseignement charitable et sans but lucratif » qui aide ses membres à « mieux discerner les principes mystiques sous-jacents à leur religion individuelle et à leurs convictions philosophiques ». L'ordre affirme que ses membres :

> sont des hommes pragmatiques qui croient au progrès, à la loi, à l'ordre, et au perfectionnement de soi [...], sourcillent [...] devant toute inconduite, visent [...] à ce que chacun s'estime davantage [et] enseignent [...] le respect loyalement dû à la femme [sic], aux lois, à la société et au monde.

John Wayne aurait joint avec fierté les rangs d'un club semblable.

La description prend un tour même encore plus édifiant. Ses membres pénétrés de spiritualité doivent posséder trois vertus : une existence pure, « virile et vigoureuse, mais irréprochable » ; la soif « de percer les mystères de la nature » ; et la disposition « à se sacrifier pour leur propre épanouissement tout en aidant les autres, ce faisant ».

Dans toute cette rectitude et cette dispersion, le système de croyances rosicrucien semble perdu de vue. Et c'est le cas, pour une simple raison : il n'en existe pas.

Les rosicruciens sont prompts à nommer les traits de caractère et les valeurs qu'ils idéalisent, mais ils refusent de documenter quoi que ce soit d'aussi figé qu'un credo ou une doctrine, et clament qu'ils offrent une quête, pas une recette. Comme l'énonce l'AMORC :

> Nous ne proposons ni un système de croyances ni un décret dogmatique, mais une attitude pragmatique et personnelle devant la vie que chaque élève doit acquérir et maîtriser par ses propres expériences. Nos enseignements ne cherchent pas à vous dicter ce que vous devriez penser – nous voulons que vous pensiez par vous-mêmes. Nous fournissons simplement des outils qui vous permettront d'y arriver.

L'insistance accordée à la discrétion est un aspect singulier du mouvement rosicrucien. D'autres organisations adorent, semble-t-il, attirer l'attention – songez aux Shriners – ; les rosicruciens préfèrent l'anonymat. Selon Reuben Swinburne Clymer, devenu grand maître rosicrucien à l'âge tendre de 27 ans et auteur de plusieurs livres, il s'agit là pour ainsi dire d'un manifeste rosicrucien :

> L'authentique rose-croix ne s'adonne pas aux jeux et signes de main secrets, aux réjouissances, aux vains étalages de richesse [...] ni aux creux rituels. Le rose-croix est plutôt une personne (homme ou femme) silencieuse au travail et réservée dans ses paroles (qui ne claironne pas « Je suis rose-croix »). Il accomplit aussi de bonnes œuvres, est le serviteur de tous et se rappelle que « le pouvoir est dans la bonté, pas dans le savoir ».

À l'intention de ceux qui pourraient confondre les valeurs rosicruciennes avec celles des francs-maçons, Clymer riposte :

> Contrairement aux maçons, les rosicruciens n'ont pas de bague spéciale, pas plus qu'ils ne portent (comme certains ordres clandestins) de croix roses ni ne possèdent d'accessoires qui se remarquent en société. Les vrais rosicruciens ne se soucient pas qu'on les sache tels. Ils préfèrent étudier et travailler plutôt que de parader devant la foule curieuse.

Puis Clymer ajoute cette efficace analogie : « Une pièce d'or passe très silencieusement dans le monde ; votre fausse monnaie fait grand bruit où qu'elle se trouve – il en va de même des pseudo-rosicruciens. »

Travailler pour le bien de la société et le cacher sous le voile de la discrétion est sans aucun doute une qualité louable. Cela comporte cependant un grave inconvénient. Si vous accomplissez toutes vos bonnes œuvres dans le secret, le monde extérieur ne voit aucune preuve de votre charité. Et vu le penchant du public à établir une équation entre le secret et le mal, l'effet contraire à celui recherché peut en découler : plutôt que de l'admiration, vous engendrez de la suspicion.

Si fort que les rosicruciens assurent à qui veut entendre que tous leurs membres font preuve du plus haut sens moral, recherchent les plus pures réalisations spirituelles et agissent dans la plus grande discrétion en ce qui concerne leurs bonnes œuvres, ils sont enclins au secret d'une manière telle que cela semble contredire plusieurs de leurs précieuses qualités.

Dans un numéro du *Rosicrucian Digest* paru en 2005, un auteur nommé Sven Johansson, portant le titre de grand maître de la Grand Lodge of the English Language Juridiction for Europe and Africa, expose les sept éléments du développement mystique. (Ces éléments ne sont pas tous des plus mystiques. Selon Johansson, ils comprennent l'imagination, la concentration, la visualisation, la méditation, la contemplation, l'union psychique et l'approfondissement de l'expérience de Dieu, « Dieu » étant défini comme « la réalité la plus sublime et la plus absolue qui soit ».)

Le très long article décousu de Johansson, prévient-on le lecteur, emprunte aux « discours prononcés par les grands maîtres et l'imperator à la World Peace Conference ». Ces discours devaient originellement être publiés sous forme de livre, mais il a été décidé de ne pas en divulguer la teneur « parce que certains contiennent de l'information provenant de monographies de degré supérieur ».

Pourquoi ce mystère ? Les « monographies de degré supérieur » sont-elles trop difficiles d'accès pour qu'un individu moyen les comprenne ? Ou bien les divers grands maîtres se réunissent-ils pour discuter d'aspects de la vie (à l'intérieur et à l'extérieur du mouvement rosicrucien) qu'ils préfèrent tenir occultés ?

7

LES TRIADES

Quand la culture justifie le crime

LA PLUPART DES SOCIÉTÉS SECRÈTES sont nées du besoin de promulguer ou de défendre une croyance religieuse. Pour éviter les guerres fratricides qui souvent venaient ensanglanter le débat doctrinal, il était devenu nécessaire de cacher les vrais principes des groupes. Il semble toutefois que ce soit là un phénomène occidental, qui vient peut-être du fait que la religion pouvait faire l'objet de nombreuses interprétations divergentes, dont chaque partisan traitait l'autre d'« hérétique ». L'exemple le plus frappant est la Réforme, et plus particulièrement la fragmentation du mouvement en une multitude de sectes protestantes offrant chacune son interprétation du monde. Comme nous l'avons vu avec les Assassins, l'islam n'a pas échappé lui non plus à la fragmentation en factions hostiles, dont il a découlé un climat de soupçons et de confrontations violentes. Rien n'alimente davantage le soupçon que l'idée de secret – et toutes les minorités persécutées ont besoin d'un secret.

Est-ce l'omniprésence du bouddhisme et la conviction largement répandue en Orient que la religion est d'abord une affaire personnelle, toujours est-il que la plupart des sociétés orientales ont pu éviter les amères conséquences de la guerre des sectes. Quand aucune organisation religieuse ne menace de s'immiscer dans votre vie personnelle, la religion ne représente plus une menace à votre sécurité. S'agissant de sociétés secrètes, les Triades chinoises illustrent bien les différences entre les cultures occidentale et orientale. Elles s'enracinent presque toutes dans de vieilles spécificités culturelles ou nationalistes, et ce n'est que depuis quelques années que la dérive purement mafieuse s'en est emparée.

Le jugement que portent les Occidentaux sur les Triades nous semble quelque peu tendancieux, pour ne pas dire raciste. Certes les Triades n'échappent pas à la violence, mais on trouve également celle-ci dans la Mafia ou les yakuzas japonais. Elle ne s'exerce en outre que contre les communautés chinoises. Les Occidentaux qui en sont les victimes figurent plutôt comme une sorte de « dommage collatéral » – ils ne sont jamais les premiers visés. À d'autres égards, les Triades possèdent toutes les caractéristiques des sociétés secrètes classiques : fermées, ritualisées, mais sans doute plus actives que la moyenne.

Les Occidentaux confondent aussi fréquemment les étiquettes « triade » et « tong » (les bandes asiatiques). Les Tongs (qui signifient « lieux de rencontre ») sont apparus au XIXe siècle : il s'agissait d'organismes sociaux destinés à accueillir les immigrants chinois venus tenter leur chance comme travailleurs manuels aux États-Unis et au Canada. Leur vie à l'époque (XIXe siècle et début du XXe), et le traitement que leur ont infligé les Occidentaux entachent l'histoire de l'Amérique du Nord. Au Canada, dix-sept mille Chinois ont été emmenés comme travailleurs, et on les a affectés aux travaux les plus exténuants du chemin de fer transcontinental. Ils ne recevaient que la moitié du salaire des travailleurs blancs, et plus de sept cents « coolies » (terme qui vient de *kuli*, signifiant « force amère ») y ont trouvé la mort. Aux États-Unis, les Chinois ont constitué la main-d'œuvre à bon marché en remplacement des esclaves noirs, dont le commerce était interdit. Les vieux négriers en bois ont simplement changé leur itinéraire : au lieu de faire traverser l'Atlantique à des Africains, ils ont emmené leur cargaison de Chinois à travers le Pacifique.

Une fois débarqués, on leur confiait des tâches qu'évitaient les descendants d'Européens – les hommes, en tous cas. C'était en général du « travail de femme » – faire la cuisine, nettoyer les vêtements – et, pendant des générations, on a presque entièrement identifié les Sino-Américains à ce genre de tâches. Pour des raisons pratiques – et qui sait ? racistes – la plupart des Blancs redoutaient de voir la population chinoise augmenter, puis s'installer en permanence. Seuls les hommes pouvaient entrer aux États-Unis, et les mariages mixtes (avec des femmes blanches), jugés aussi malsains que le mariage de Blanches avec des Afro-Américains, furent purement et simplement interdits. En désespoir de cause, les Chinois se sont tournés vers les Tongs.

Répandus dans toute la partie méridionale de la Chine, où les familles de beaucoup de villages partageaient un ancêtre commun, les Tongs se sont révélés être une importante source d'aide et de réconfort pour les immigrés célibataires qui se sentaient isolés, sur le plan culturel et social. Fournissant des services et des conseils qu'aucun autre organisme fiable ne pouvait procurer, les Tongs excellaient en matière d'aide financière, juridique ou sociale, tout en aidant leurs protégés à ne pas se laisser exploiter.

Les exploiteurs étaient généralement des patrons blancs, mais avec le temps et la hausse de l'immigration chinoise, les Tongs ont aussi assuré la défense des citoyens chinois contre des dangers qu'ils connaissaient bien dans leur propre patrie. Ceux-ci incluaient les membres de puissantes et prestigieuses familles comme les Lee, les Tam et les Toishan, tous issus d'une région proche de Canton (aujourd'hui Guanzhou) et qui se prêtaient mutuellement allégeance pour des raisons familiales ou traditionnelles. Aux liens du sang et de la tradition, les Tongs préféraient un serment de secret et de loyauté, y ajoutant des rituels mystiques, des codes et des signes secrets servant à se reconnaître et à communiquer les uns avec les autres.

Pendant une bonne partie du XIXe siècle, les Tongs sont parvenus à fournir confort et sécurité à un groupe ethnique gravement exploité. Aux alentours de 1900, cependant, des éléments criminels de la société chinoise s'étaient infiltrés au sein des Tongs les plus puissants, utilisant ces derniers comme moyen de contrôler le jeu, la prostitution, la drogue, l'extorsion et autres activités illégales. Les Tongs ont alors pris de l'expansion, ils sont devenus impitoyables dans la défense et l'agrandissement de leurs territoires. Entre eux, ce fut la « guerre des Tongs », à laquelle ont participé des dizaines de combattants devenus la terreur des Chinatowns de New York et de San Francisco. Armées d'épées et de haches, les bandes des Tongs s'affrontaient chaque fois dans une lutte sans merci mettant les quartiers à feu et à sang et laissant pour morts des dizaines de victimes.

En réalité, ces confrontations n'étaient pas si fréquentes ou violentes que ne le décrivait la presse à sensation de l'époque. Les lecteurs de l'époque victorienne ou édouardienne ont frissonné de plaisir en lisant les descriptions racistes de violentes bagarres entre Chinois qui, au bout du compte, n'étaient sans doute pas plus meurtrières que les batailles de rues des mineurs ou des dockers observées aux États-Unis. L'image la plus saisissante qui nous soit restée des affrontements des Tongs montre l'un d'eux brandissant un couteau à viande, l'arme et le regard justifiant sans doute son appellation de « tueur à gages » – plus visible de nos jours dans les conseils d'administration des grandes compagnies que dans les rues des Chinatowns…

Il existe toujours des Tongs en Amérique du Nord, mais leur pouvoir et leur influence ont été quasi réduits à néant avec l'arrivée des immigrants de deuxième et troisième générations, qui ne tiennent pas compte – ils n'en ont pas besoin – des principes et des rôles d'origine. Pour les Triades, c'est une tout autre histoire.

La Chine a une longue tradition de sociétés secrètes culturellement liées à la vénération de l'empereur, qui fut un temps, à l'instar du pape, déclaré infaillible. Selon cette tradition, l'empereur possède des qualités particulières comme la plus haute vertu, l'honnêteté et la bienveillance. À plusieurs égards, les sujets des premiers empereurs voyaient ces derniers un peu comme les chrétiens voient le Christ, c'est-à-dire comme l'Envoyé du Ciel sur la Terre.

À la différence des chrétiens toutefois, les Chinois considéraient que l'Envoyé du Ciel était un mortel, et s'il devait lui arriver de perdre ses vertus propres d'empereur, son « mandat divin lui serait retiré » : le peuple avait dès lors l'obligation de se soulever et de le déposer.

Ainsi, en l'an 9 après J.-C., lorsque l'empereur Han Ai fut déposé par Wang Mang, après avoir tenté de nommer son amant comme son successeur. À peine installé sur le trône impérial, Wang vit alors un groupe de citoyens se liguer pour restaurer la dynastie des Han. Dans le feu de l'action, on reconnaissait ces derniers au maquillage rouge qu'ils s'appliquaient autour des yeux, d'où leur nom de « Sourcils rouges ». Ils assassinèrent Wang et installèrent sur le trône un autre membre de la dynastie des Han. Puis, comme il fallait s'y attendre, au lieu de disparaître dans la nature, les « Sourcils rouges » employèrent leurs talents de guerriers contre les citoyens ordinaires, devenant des bandits de grand chemin qui terrorisaient le pays.

Cinq cents ans plus tard, un nouveau groupe est apparu. Se faisant appeler la Société du Lotus blanc, des bouddhistes pieux mais persécutés ont renversé la dynastie mongole des Yuan et placé l'un des leurs sur le trône impérial, un moine du nom de Chu Yuan-chang. Adoptant le nom de Hung-wu, il devint le premier empereur Ming de la Chine, le terme « Ming » venant de deux figures bouddhistes éminentes : Gros et Petit Ming Wang, envoyés du ciel pour ramener la paix chez les hommes. Plusieurs historiens considèrent la Société du Lotus blanc comme la toute première des Triades, même si cette appellation ne fut utilisée que mille ans plus tard.

La première triade en bonne et due forme est apparue en 1644, quand les envahisseurs mandchous ont renversé l'empereur Ming et créé la dynastie des Ch'ing. Un groupe de cent trente-trois moines bouddhistes liés par le serment du sang ont bien tenté de restaurer la dynastie Ming, mais leur longue guérilla contre les Mandchous s'est avérée inutile. En 1674, seuls cinq combattants purent fuir, les autres ayant été capturés et brutalement assassinés, et le monastère qui leur servait de quartier général fut détruit.

Les moines survivants, unis par la haine de leurs envahisseurs, ont juré de se venger. Ayant mis sur pied une organisation souterraine vouée à l'annihilation des Mandchous, ils ont pris pour signe de ralliement un triangle, ses trois côtés représentant le Ciel, la Terre et l'Homme, éléments constitutifs de l'Univers chinois. Le choix du triangle avait aussi d'autres connotations. Dans la culture chinoise, on accorde une attention toute particulière aux chiffres, et le nombre 3, surtout chez les criminels, est réputé détenir des pouvoirs extraordinaires. Les revenus de l'extorsion, par exemple, étaient souvent un facteur de trois. Les cinq moines survivants, connus de nos jours comme les cinq Ancêtres, ont baptisé leur organisation Hung Mun, ou Société du Ciel et de la Terre, mais son appellation plus familière (chez les Occidentaux) s'appuie plutôt sur le symbole triangulaire, d'où le terme de triade, utilisé presque exclusivement en Occident. Les Chinois appellent habituellement leurs organisations *hei she hui*, traduit littéralement : les sociétés noires (ou secrètes, sinistres, mauvaises). La Hung Mun a échoué à renverser la dynastie Ch'ing, mais elle fut active pendant plusieurs années, faisant alliance avec les membres du Lotus blanc pour harceler les troupes de l'empereur et organiser le soulèvement des populations contre l'injustice. S'appuyant sur des principes bouddhistes, ses membres s'engageaient à respecter les droits et les valeurs des paysans, tactique qui a connu un énorme succès trois cents ans plus tard chez les hommes de Mao, et qui a inspiré l'aphorisme: «Les armées protègent l'empereur, mais les sociétés secrètes protègent le peuple.»

Les Triades avaient du pouvoir et de l'influence, mais elles ont échoué dans leur première mission: renverser les empereurs Ch'ing, qui ont continué d'opprimer les populations. Leurs membres ont joui d'une bonne réputation jusqu'en 1842, année de la cession de Hong Kong aux Britanniques. Les Triades s'occupaient essentiellement de politique et de culture, mais l'Anglais grinçait des dents: il déclara leur société «incompatible avec le maintien de l'ordre», affirmant qu'elle favorisait «le crime et la fuite des délinquants». Suivant la politique des puissances impérialistes en Chine, au XIXe siècle, les Britanniques décrétèrent que c'était un crime, non seulement d'appartenir aux Triades, mais de *faire comme si* on y appartenait. La peine encourue: trois ans de prison. Si, à ce stade, les Triades n'entretenaient ouvertement aucune intention malveillante, la sévérité de l'édit britannique leur en a certainement donné l'idée.

En 1848, la Hung Mun fit alliance avec une nouvelle société secrète de la région de Canton: la Société des Adorateurs de Dieu. Ensemble, ils ont déclenché la «révolte Taiping», assiégeant Canton et organisant des soulèvements à Shanghai et dans d'autres villes. À ce moment-là encore, les rituels triadiques insistaient sur les vertus civiques; «Taiping» signifie en effet «paix universelle et harmonie sociale», et au fur et à mesure que se succédaient les oppresseurs britanniques, américains et français en Chine, les Triades devinrent la seule résistance organisée contre l'exploitation étrangère.

La révolte des Boxers, en 1900, marque la mutation des Triades en groupes purement criminels. La révolte, ainsi nommée parce que ses leaders appartenaient à la Société (secrète) des Poings de justice, a voulu chasser les étrangers en s'attaquant, par le meurtre et l'intimidation, aux enclaves et délégations installées à Pékin et à Shanghai. Quand les diplomates et les représentants commerciaux de ces villes ont demandé de l'aide à leurs gouvernements, une force expéditionnaire de huit nations a été envoyée. Plus de deux mille militaires de Grande-Bretagne, d'Allemagne, de France, des États-Unis, du Japon, d'Italie et d'Autriche sont débarqués en juin 1900, sous le commandement de l'amiral britannique Sir Edward Seymour. Une vive résistance de la part des Boxers et des forces impériales chinoises a obligé Seymour à retraiter et à demander des renforts; en août, vingt mille hommes sont arrivés. Après avoir pris le contrôle de Tien-Tsin, les armées étrangères ont foncé vers Pékin, qu'elles ont prise en août 1914.

Au cours des mois qui ont suivi, les forces d'occupation n'ont cessé de croître en nombre, finissant d'occuper la capitale, Pékin, et pourchassant les rebelles jusque dans les campagnes. En février 1901, les autorités chinoises ont accepté d'abolir la Société des Boxers, et quelques mois plus tard, de signer un protocole de paix avec les nations alliées, ce qui mit un terme à la révolte des Boxers. Un coup qui a affecté durement le prestige et la puissance de tout un pays. L'humiliation ne devait pas s'arrêter là: les nations étrangères en ont profité pour consolider leurs intérêts et développer leur mainmise sur le pays. L'onde de choc de cet événement devait se faire sentir tout au long du XXe siècle.

À partir de là, il parut évident que les Triades joueraient un rôle dans la définition des intérêts nationaux chinois. Aussi secrets dans leur fonctionnement que n'importe quelle triade, les Boxers avaient non seulement failli à leur mission de défendre la nation, ils avaient été écrasés, et les ennemis de la Chine s'étaient implantés partout sur le territoire, lourdement armés et déterminés à tuer dans l'œuf toute rébellion interne.

Les sociétés secrètes décidèrent en conséquence de se convertir à une autre mission. Incapables de venir à bout des exactions étrangères, elles se vengèrent en exploitant leur propre peuple; elles sont devenues plus puissantes et se sont soustraites à toute menace ou influence étrangère, même si elles ont continué pendant quelque temps à s'intéresser à la politique et à y faire sentir leur influence. Leur initiative la plus significative fut l'appui apporté au renversement de la dynastie mandchoue des Ch'ing par le docteur Sun

Yat-sen, qui remplaça la monarchie par un système républicain de gouvernement. Sun a sans doute activement recruté les Triades pour mener à bien sa révolution, car pour beaucoup d'observateurs, il est probable qu'il ait été durant sa jeunesse homme de main dans la Triade de la Bande Verte/Société de la Triple Harmonie (San Ho-Hui).

Il est à peu près sûr que le successeur de Sun à la tête du Kuomintang, Chiang Kai-shek, était membre d'une triade. Quand la République chinoise a commencé à vaciller sur ses bases, à la suite des luttes intestines et des pressions exercées par les communistes de Mao, Chiang a eu recours aux Triades, mais rien ne pouvait plus sauver les pourris qui l'entouraient. La victoire de Mao en 1949 a refoulé Chiang et sa suite à Formose (aujourd'hui Taïwan), et les chefs des Triades qui ont décidé de rester sur le continent furent poursuivis et exécutés. Quelques-uns ont pu fuir à Macao, un territoire portugais, ou à Hong Kong, où le gouvernement britannique, affaibli par sa guerre récente contre le Japon et devenu un peu plus tolérant, a maintenu mollement son interdiction des Triades.

Au cours des cinquante dernières années du XXe siècle, Hong Kong fut la plaque tournante de l'activité des Triades, et le centre nerveux de beaucoup d'entreprises multinationales. L'une de leurs organisations les plus importantes et les plus célèbres fut celle appelée 14K, qui était l'adresse (14, chemin Po Wah, à Canton) et l'initiale du prénom de son fondateur, le lieutenant-général du Kuomintang Kot Siu-wong, qui avait créé la triade en 1940. Aux alentours des années 1980, on estimait à vingt-cinq mille, dans la seule ville de Hong Kong, le nombre des membres de la 14K. Cette triade se fit remarquer comme l'un des tout premiers acteurs du trafic d'héroïne, avec des succursales en Hollande, en Angleterre, au Canada et aux États-Unis. Les enquêteurs de la Gendarmerie royale du Canada (GRC) affirment que la 14K et d'autres triades ont de leurs hommes dans toute communauté chinoise d'importance en Amérique du Nord, et qu'ils exercent leurs talents dans toutes les activités criminelles lucratives, comme l'extorsion, le prêt usuraire, la fraude par le moyen de cartes de crédit et le piratage vidéo.

À mesure que les Triades ont abandonné leur mission culturelle et politique pour l'industrie du crime, elles ont raffiné leurs rituels, en leur ajoutant de nouvelles et très complexes cérémonies. L'initiation est demeurée essentiellement la même, marquée par l'histoire, mais elle inclut de nos jours un cérémonial complexe pouvant durer plus de huit heures. Appelé la « Montagne des Épées », l'un des rites oblige les initiés à franchir lentement, tête baissée, une haie d'épées menaçantes tenues juste au-dessus de leur tête.

On apprend aux nouveaux membres de chaque triade une manière particulière de se serrer la main et d'autres signes discrets ou subtils, qui furent longtemps le trait caractéristique de la société. La façon de tenir les baguettes en mangeant ou le nombre de doigts utilisés pour tenir un gobelet communique des messages clés aux membres de la triade. Certaines expressions sont destinées aux seuls initiés. Selon la GRC, qui a infiltré et analysé les Triades plus que n'importe quelle autre force de police en Occident, « je croque des nuages » signifiait « fume opium », et « chien noir » était le mot de passe pour revolver (on utilise l'imparfait parce qu'après la publication en 1987 d'une liste importante de mots codés dans la *RCMP Gazette*, et plus tard dans d'autres magazines scientifiques, il nous a semblé improbable que les Triades aient conservé les mêmes).

Dans les triades les plus puissantes, l'initiation peut comprendre la décapitation rituelle d'un poulet vivant. Le sang de l'animal est alors versé dans un bol et mélangé avec le sang de l'initié, ce à quoi l'on ajoute une bonne mesure de vin, et la concoction est alors distribuée à chacun des membres. Une fois ingurgitée la ration commune de vin et de sang, on brise le vase pour signifier le sort qui attend le membre qui oserait trahir son serment de fidélité à la triade.

Le nouveau membre doit jurer que son allégeance au groupe passera avant la loyauté qu'il doit à sa famille et à ses proches, engagement comportant lui-même trente-six autres serments, qui remontent aux origines de la triade, au XVIIe siècle. Les serments sont précis, exigeants et incontournables. Avec le premier serment, l'initié s'engage à traiter « les parents proches et éloignés de ses frères assermentés » comme les siens, et s'il le trahit, « il subira la mort des cinq coups de foudre ». Au serment quatre, il jure : « j'accueillerai mes frères Hung chaque fois qu'ils déclineront leur identité. Si je faillis à mon engagement, mille épées viendront me transpercer ». Plusieurs autres serments engagent le nouveau membre « à être loyal, ou à être mis à mort ».

Le serment 36, où l'on trouve un écho de la mission originelle des triades commune à toutes les sociétés Hung s'énonce comme suit : « Quand j'aurai franchi la porte des Hung, je serai loyal et fidèle, et je m'engage à tout faire pour renverser les Ch'ing et restaurer les Ming [...] Notre objectif commun est de venger les Cinq Ancêtres. » Cet engagement n'a plus de sens de nos jours, et ce depuis au moins cent ans, mais il fait toujours partie de la tradition de l'organisation, car il confère à la promesse une dimension mystique, et les sociétés secrètes ont toujours eu besoin d'une part de mysticisme.

Les titres accordés aux membres d'une triade prolongent cette dimension mystique en la reliant à la numérologie. Chaque membre est identifié de deux façons : l'une par sa description de tâche, qui explique indirectement ses responsabilités au sein de l'organisation, l'autre par un chiffre.

Le chef de la société est la Tête de Dragon (*Shan Chou* ou *Chu Chi*), qui correspond au nombre 489. Le total des chiffres donne 21 ; et les caractères de la langue chinoise correspondant à 21 sont très proches de ceux désignant *Hung*. Par ailleurs, 21, c'est aussi 3 (les trois éléments du symbole triadique : Ciel, Terre et Homme) multiplié par 7, chiffre aussi vénéré dans la culture chinoise que dans la culture occidentale. Ainsi, 489 devient comme le raccourci du cycle vital de la société.

Le conseiller financier de l'organisation, dont le rôle s'apparente à celui du *consigliore* de Cosa Nostra [voir le chapitre suivant pour l'appellation, NDT], s'appelle Ventilateur de Papier blanc (*Bak Tse Sin* ou *Pak Tse Sin*), et son chiffre est le 415. Les surveillants ou gardiens, entraînés au kung fu, s'appellent Bâtons rouges (*Hung Kwan*) et ont pour nombre 426. D'autres membres – les Sandales de paille (*Cho Hai*) – ont aussi le nombre 426 : ils s'occupent de communication ; et les *Fu Shan Chu*, 438, sont en quelque sorte des députés ayant accès à la Tête de dragon. Le nombre 438 est aussi attribué au Maître de l'encens (*Heung Chu*), chargé des rituels. Les membres au bas de l'échelle de la triade, les soldats (*Sey Kow Jai*), se voient donner le chiffre 49.

Il peut être tentant de faire des comparaisons entre les Triades et la Cosa Nostra italienne, mais les différences sont importantes. Cosa Nostra est italienne en son essence, mais dans le passé, elle a développé un partenariat stratégique avec d'autres groupes ethniques comme les Juifs et les Irlandais. Ce que n'ont jamais fait les Triades, orgueilleusement chinoises par leur recrutement et leur culture. À la différence des criminels installés en Italie, qui s'en prennent à n'importe quel individu ou organisation, les Triades sélectionnent seulement les Chinois comme source première de leurs revenus. Il y a déjà eu une manière de collusion entre les Triades d'une part, Cosa Nostra et les yakuzas d'autre part, mais les Triades, mieux que les autres, ont réussi à préserver leur indépendance et à protéger leur secret.

L'autre différence majeure entre Cosa Nostra et les Triades concerne les structures et la discipline. Comme peut en témoigner tout cinéphile qui se rappelle la série des *Le Parrain* ou un épisode des *Sopranos*, le crime organisé italien est structuré de manière aussi stricte et hermétique que n'importe quelle grande corporation – ou l'*était*, comme nous le verrons au prochain chapitre. Les membres de la Mafia doivent prendre leurs ordres du niveau immédiatement supérieur au leur avant de s'engager dans n'importe quelle opération lucrative, et ils acceptent de remettre une partie de leurs gains au supérieur en question. L'oubli de cette règle peut entraîner de durs châtiments.

Les Triades sont très loin de ce schéma. Le renvoi d'ascenseur ou l'idée d'accorder une permission à un inférieur avec rétribution du supérieur n'existe pas. L'interrogatoire d'un membre de la fameuse 14K par un parlementaire australien montre bien leur façon de faire :

> Personne ne m'a demandé de retourner une partie des profits aux dirigeants de la 14K. Les Triades ne marchent pas comme ça. Leurs membres se font des faveurs, ils s'introduisent mutuellement dans divers milieux, donnent de l'aide, collaborent dans leurs entreprises, mais en général, ni leurs structures ni leur discipline ne ressemblent à celles de la Mafia italienne. Ainsi, le membre d'une triade n'a pas besoin de l'autorisation de la Tête de Dragon de sa triade pour s'engager dans une activité criminelle donnée… Mais à l'occasion des jours fériés traditionnels, comme le Nouvel An chinois, les membres des Triades offrent généralement des présents à leurs « grands frères » ou à leurs « oncles », souvent des officiers de leur triade.

On a prétendu que les diverses pratiques des Triades sont plus raffinées que celles de la Mafia, dont la propension à la brutalité est légendaire. Il faudrait voir, mais il est vrai qu'avant de passer au meurtre, les affiliés aux Triades font souvent preuve de plus de subtilité dans leurs menaces. Un homme d'affaires de Hong Kong qui avait décidé de défier les menaces d'une triade a reçu par la poste la tête tranchée d'un chien – réminiscence, dans l'esprit des hommes de main, de la célèbre scène de la tête coupée d'un cheval dans le film *Le Parrain* ? Et c'est seulement après avoir fait fi de la menace qu'il fut poignardé plusieurs fois quelques jours plus tard.

Leur façon de se constituer en association, très opaque, rend difficile l'infiltration des Triades par les services occidentaux chargés de faire respecter la loi. Les communautés chinoises d'Amérique du Nord sont parmi les plus fermées de tous les groupes ethniques, d'où découle, on peut le comprendre, un sentiment de suspicion envers les « étrangers » menant des enquêtes sur leur culture. Ainsi, pour atteindre les dirigeants d'une triade, il faut lever deux barrières : l'une, culturelle, élevée par n'importe quel Chinois en face de l'étranger, l'autre, le voile du secret déposé sur les Triades elles-mêmes.

Autre difficulté pour les enquêteurs : l'art qu'ont les Triades de compromettre des agents de la police locale, spécialement à Hong Kong. En effet, pendant de nombreuses années avant le retour de Hong Kong au gouvernement central, en 1997, la Police royale de Hong Kong n'eut aucune information systématique sur le crime organisé, se contentant de minimiser le rôle joué par les Triades dans la vie de la colonie. Et il a fallu attendre 1983 pour qu'une étude fouillée révèle la véritable importance des diverses sociétés secrètes. Le rapport a aussi dévoilé l'extraordinaire degré de corruption de la Police de la République, incluant une collusion systématique d'officiers de police responsables et de dirigeants des Triades en matière de trafic de drogues. Grâce à ces alliances, plusieurs de ces officiers sont devenus des nababs, et selon des sources de la GRC, en prévision de la prise en main du pouvoir de l'île par les communistes en 1997, plusieurs d'entre eux ont eu la sagesse d'émigrer au Canada et en Angleterre, d'y transférer leurs biens, et de devenir de respectables hommes d'affaires…

Le nouveau régime mis en place en juillet 1997 a aussi incité des membres des Triades à traverser sur le continent pour éviter l'inévitable : une descente dans les milieux criminels. Suivant plusieurs observateurs de la corruption en régime communiste, les triades restées sur place auraient toutefois retrouvé un niveau d'influence égal à celui qu'elles avaient autrefois, à cette différence près que, sous le régime britannique, être pris voulait dire une peine de prison, alors que, en supposant que le gouvernement actuel applique la même politique à Hong Kong que sur le continent, les principaux responsables des Triades risquent de se retrouver avec une balle dans la tête.

Les Triades de Hong Kong ont beau être sous la coupe du gouvernement de Pékin, leur influence est aujourd'hui « mondialisée », même si elle varie suivant les pays. En Grande-Bretagne, le Service d'information national sur la criminalité a lancé une étude sur leurs activités en Grande-Bretagne, sous le nom douteux de Projet Baguettes. Le rapport de 1996 note que quatre triades opèrent dans ce pays, mais qu'aucune n'est sous le contrôle de Hong Kong – on a donc exclu l'idée d'un complot criminel international. L'étude note que les victimes des Triades étaient pour la plupart des petits commerçants chinois qui hésitaient souvent à dénoncer les crimes auprès des autorités britanniques. On n'a pas non plus trouvé que les Triades jouaient un rôle significatif dans le trafic des drogues, contrairement à ce qui se passe en Australie, au Canada et aux États-Unis.

En 1988, une étude du gouvernement australien estimait qu'entre 85 % et 95 % de toute l'héroïne qui entrait au pays étaient contrôlés par les Triades chinoises. Dix ans plus tard, cependant, une enquête américaine révélait que la domination des Triades était moins totale en raison de la concurrence des organisations de pays de l'Asie du Sud-Est, tels que le Vietnam, le Cambodge, la Birmanie (Myanmar) et les Philippines.

Durant les années 1970 et 1980, la meilleure qualité d'héroïne qui entrait aux États-Unis venait de Turquie ; les livraisons étaient traitées à Marseille, puis réacheminées vers les États-Unis (c'était la célèbre « French Connection »), la Mafia s'occupant de la distribution. L'émigration depuis Hong Kong des chefs des Triades, dans les années 1990, a permis aux Chinois de s'assurer le contrôle des différents réseaux. Contournant Marseille, qui avait été antérieurement le principal manutentionnaire de la marchandise, les Triades ont dessiné de nouveaux itinéraires transitant par Amsterdam ou plus directement par Toronto, Montréal ou Vancouver, d'où ils importent la drogue vers sa destination finale : les États-Unis. La plupart des enquêteurs estiment que la 14K est la première source d'importation de la drogue.

Au bout du compte toutefois, les méthodes utilisées par les Triades ont peut-être signé leur arrêt de mort. Dans le marché nord-américain des drogues, la suprématie des Triades a été contestée par de nouveaux gangs vietnamiens extrêmement violents, qui ont remplacé mystique et tradition par de la brutale intimidation. Les Vietnamiens traînent avec eux une réputation de cruauté et d'agressivité plus grande que celle d'autres groupes asiatiques, surtout depuis les années 1980, où ils ont débarqué en Amérique du Nord. Comme l'expliquait un officier de l'escouade antidrogue de la GRC : « Les chefs des premiers gangs ont débarqué après la fin de la guerre du Vietnam. Ces gars-là étaient déjà des durs ; c'étaient soit des criminels de rue, soit d'anciens militaires, mais quand le Vietnam du Nord a pris le pouvoir, ils ont fui vers les camps de réfugiés, et ils ont alors dû se battre pied à pied, et survivre assez longtemps pour rejoindre le Canada ou les États-Unis sans un sou en poche. Ils avaient déjà fait face à la mort et à la violence sur une grande échelle, et ils se sont dits qu'ils étaient encore chanceux d'être passés à travers – ils n'avaient donc rien à perdre. »

Dans plusieurs villes, les Triades ont préféré abandonner certaines activités criminelles plutôt que d'affronter des Vietnamiens plus violents. Elles se sont repliées sur les Chinois et leurs commerces, et ont laissé le reste du gâteau aux nouveaux venus.

L'avenir des sociétés secrètes chinoises comme les Triades demeure précaire. Certains pensent qu'une croissance économique continue et le maintien d'un haut niveau de corruption en Chine vont relancer les activités des Triades, même si la politique officielle est de faire exécuter les criminels haut placés. D'autres rappellent que, jusqu'à un certain point, l'essor des Triades correspondait autrefois à l'inféodation de la Chine aux puissances étrangères, et vu le nouveau poids économique et l'influence internationale de cette dernière, ils croient possible que les Triades renouent avec leur histoire, c'est-à-dire se recentrent sur des questions plus spécifiquement culturelles.

Quoi qu'il en soit, elles devraient conserver les structures et le sens du secret qui ont prévalu au cours de leurs deux mille ans d'histoire, depuis l'époque où les Sourcils rouges juraient de s'unir pour renverser l'empereur. Parmi les sociétés secrètes que l'on dénombre aujourd'hui dans le monde, les Triades demeurent très actives dans leur environnement linguistique et culturel, et peu d'Occidentaux se sont attachés à les étudier.

8

LA MAFIA ET COSA NOSTRA

Combinards et hommes d'affaires

RIEN NE DISTINGUE DAVANTAGE LA MAFIA des autres sociétés secrètes que l'*omerta*, la stricte loi du silence. Et rien n'illustre mieux le déclin du statut et de la discipline de la Mafia, en Amérique tout au moins, que l'action contrastée de deux de ses hauts dirigeants : Louis (Lepke) Buchalter, chef d'une bande renommée de tueurs à gages, et, pesant plus de deux cents kilos, Joseph (Big Joey) Massino, chef de la puissante famille Bonanno de New York. Buchalter est mort en 1944, imperturbable sur la chaise électrique. Soixante ans plus tard, Massino a donné à sa propre organisation ce qui pourrait être le baiser de la mort, de telle manière que l'irascible Buchalter en serait tombé en apoplexie !

Ces deux personnages témoignent du déclin et de la chute de l'une des plus puissantes sociétés secrètes qui aient jamais existé : l'ancienne autorité qui avait assis sa suprématie a cédé la place à une bande de brutes désorganisées dont les exploits pourraient être drôles, s'ils n'étaient pas si meurtriers.

L'*omerta*, comme la Mafia elle-même, n'est pas née des cogitations d'un génie du crime, mais du besoin qu'ont éprouvé les familles siciliennes de la classe moyenne de protéger leur vie. Comme les Triades et les templiers, la Mafia et ses pratiques épouvantables s'enracinent dans de vertueuses intentions.

Le pays qu'il est le plus facile de reconnaître sur n'importe quel atlas de la région méditerranéenne, c'est l'Italie, avec sa péninsule en forme de botte. Le bout du pied de la botte italienne est à peine distant de vingt kilomètres des côtes de la Sicile, qui ressemble à un ballon de soccer déformé éternellement poussé dans la mer. L'image nous paraît heureuse, car à cause de sa position stratégique, la Sicile fut pendant des siècles envahie, colonisée et exploitée par de puissants intérêts étrangers. Pour le commerce et la colonisation en Méditérranée, elle a toujours été d'une importance vitale, tant pour les marchands que pour les expéditions militaires qui se rendaient en Afrique du Nord, au Moyen-Orient, en Europe ou dans l'Adriatique.

Après la chute de l'Empire romain, la Sicile a été sans cesse envahie, chaque nouveau conquérant laissant une trace indélébile sur ses habitants et leur culture. En 826, l'Islam conquérant fait débarquer ses troupes sur ses côtes. Les musulmans se sont montrés relativement tolérants à l'égard des populations conquises, accordant la liberté de culte, mais leur influence sur la culture sicilienne est à l'origine de deux particularités de la Mafia actuelle.

La première est la place des femmes dans la société. Jusqu'à l'arrivée des musulmans, la société sicilienne fonctionnait en gros comme n'importe quelle société judéo-chrétienne, où les femmes jouent un rôle relativement important dans la prise de décision familiale. De son côté, la loi islamique veut une femme soumise. Et c'est ainsi qu'après sa mise en application, les décisions au sein de la famille et de la société en général furent le fait des hommes. Ce comportement devait prendre plus fortement racine en Sicile que dans d'autres nations chrétiennes ayant vécu sous influence musulmane, et le phénomène perdure.

Les Arabes ont aussi apporté une façon individuelle d'appliquer la justice. Dépourvue de mesures légales pour faire face à la criminalité, la pensée musulmane s'en remet volontiers aux individus pour venger des crimes. Ces deux traits – limitation des droits des femmes et obligation de faire appel à la vengeance pour redresser un tort – sont demeurés profondément et obscurément inscrits dans la société sicilienne, longtemps après le départ des envahisseurs musulmans.

En l'an 1000 après J.-C., des Normands envahissent la Sicile et remplacèrent la règle musulmane par un système féodal, où les vassaux offrent leur vie et jurent allégeance à leur seigneur. Chaque seigneur rendit justice à sa façon, et le caractère arbitraire des jugements provoqua la confusion et la colère chez les autochtones siciliens. Sans prise sur leur destinée collective, et victimes des caprices des étrangers, les Siciliens se sont refermés sur eux-mêmes, bien convaincus que rien ni personne n'était plus fiable que la famille immédiate. La famille seule offrait une chance de sécurité et de justice, et il n'y avait pas de crime plus infamant que la déloyauté envers sa famille. On avait là le terrain idéal pour voir apparaître la Mafia.

Pendant des siècles, la Sicile est restée une monnaie d'échange pour les puissances étrangères. En 1265, poussant ses pions, le pape Clément IV imposa Charles d'Anjou, frère du roi de France Louis IX, comme roi de Sicile. Pour mâter les Siciliens, et bien décidé à appliquer strictement le décret papal, Charles Ier débarqua dans l'île à la tête d'une puissante armée. Il devint rapidement l'un des monarques les plus arrogants et les plus brutaux de tout le Moyen Âge.

Le temps passant, une fable est née, issue de la haine féroce du Sicilien pour Charles Ier d'Anjou et les administrateurs français, et qui pour certains explique l'origine du mot *Mafia.* Suivant cette légende, la haine du Français s'exprimait dans un slogan diffusé par les rebelles siciliens, qui se saluaient en prononçant les mots ***M**orte **a** la **F**rancia **I**talia **a**nelia* (Mort aux Français, cri de l'Italie !).

Pour que ce cri de ralliement ne vienne pas aux oreilles des militaires français, la phrase fut transformée en l'acronyme *Mafia.* Au mieux, il s'agit là d'une source apocryphe, la plupart des dictionnaires faisant remonter le mot « mafia » à un dialecte sicilien où il signifie « vantard » ou « viril », et en Sicile, le terme en question n'a pas nécessairement une connotation criminelle. Quelle que soit son origine, « Mafia » a fini par désigner la nature méfiante et secrète communément attribuée aux Siciliens.

Charles et son armée ont à ce point brutalisé les Siciliens, que toute la population de l'île devint une bombe, dont le détonateur fut trouvé le jour de Pâques 1282, d'une manière qui allait devenir classique chez les « mafiosi ». Ce jour-là, une jeune Sicilienne de Palerme allant assister aux vêpres fut accostée et insultée par un groupe de soldats français. Sans avertissement, plusieurs Siciliens enragés ont alors attaqué et tué les soldats. Quand la nouvelle s'est répandue dans les villes et villages environnants et jusqu'à l'autre bout de l'île, des Siciliens se sont joints au mouvement et ont anéanti la garnison française. Ce violent soulèvement est connu aujourd'hui sous le nom de « vêpres siciliennes ». Les chefs siciliens se doutaient bien que leurs jours étaient comptés, et que Charles Ier enverrait en Sicile une armée bien décidée à tuer tout ce qui bouge. En bons stratèges, ils sont allés chercher l'appui de Pierre III d'Aragon, ennemi juré de Charles Ier et propriétaire de vastes domaines en Espagne. Pierre se fit bien sûr un plaisir d'accéder à leur demande, se déclarant suzerain de la Sicile et empêchant du même coup Charles d'Anjou d'exercer la plus terrible des vengeances sur le dos des Siciliens. Après la mort de Pierre, les gouverneurs espagnols se sont succédé pendant plus de cinq cents ans en Sicile.

Contrairement aux musulmans, qui avaient ouvert la Sicile aux autres cultures, la gouvernance espagnole imposa une stricte censure à toute l'île. Pendant les siècles qui ont suivi, la Sicile fut isolée du reste du monde, au moment même où l'Europe occidentale se livrait aux travaux artistiques et scientifiques de la

Renaissance. Avec le résultat que le mouvement de la Renaissance qui a transformé en profondeur la civilisation européenne a simplement contourné la Sicile. L'essor de la musique, de la peinture, de la sculpture, de la philosophie, de l'agriculture, de la science et de l'architecture, et le bouillonnement de l'époque sont demeurés inconnus pour tout un peuple vivant à quelques brasses de la botte italienne, en pleine effervescence culturelle.

Les Espagnols ont maintenu en place le système féodal imposé par les Normands bien après son effondrement sur le continent européen. Les Siciliens ont davantage souffert du joug espagnol que de la règle normande, car en matière de justice, ils ont fait prévaloir discrimination et brutalité. De puissants seigneurs espagnols s'accordaient ainsi le droit de ne jamais payer d'impôts. Pour appliquer les quotas, d'autres seigneurs pressuraient davantage leurs propres vassaux et serfs, accentuant encore plus les inégalités dans la population sicilienne.

Les Siciliens qui osaient braver les règles espagnoles le faisaient au risque de leur vie, les seigneurs et l'administration espagnole en général étant toujours prompts à punir les récalcitrants. L'autre bras de la justice espagnole, la redoutable Inquisition, ajoutait volontiers des tortures abominables aux peines infligées à toute personne osant défier l'autorité. D'autres cultures ont été asservies au cours de l'histoire, mais la machine judiciaire imposée en Sicile a été la plus implacable de toutes, et le peuple n'eut d'autre choix que de se refermer sur soi pour se défendre et survivre. Nulle part ailleurs qu'en Sicile une population entière ne fut tenue si longtemps éloignée des influences bénéfiques de la Renaissance et des opinions de plus en plus éclairées de l'Église catholique elle-même. Et nulle part ailleurs qu'en Sicile quelque chose comme la Mafia ne s'est dressée pour affronter une aussi longue histoire de violences et d'humiliations.

Vers l'an 1500, l'Europe de l'époque a laissé une trace importante en Sicile, soit la formation en guildes des commerçants de l'île. Dans d'autres pays, les guildes avaient institutionnalisé la formation des adhérents et établi des standards de qualité, un peu comme les francs-maçons avaient commencé à le faire en Angleterre. Les guildes siciliennes avaient ceci d'unique que leurs activités comportaient un aspect judiciaire: elles imposaient elles mêmes, de leur propre chef, des peines à leurs membres sans faire appel à la police, qui n'avait la confiance de personne.

Le développement des guildes s'est fait au même rythme que celui des bandes de brigands. Rappelant les hors-la-loi légendaires menés par le non moins légendaire Robin des Bois, cinq cents ans plus tôt, en Angleterre, les bandes volaient et assassinaient les nobles espagnols, constituant de fait la seule résistance sicilienne organisée face à l'oppresseur. Elles distribuaient aussi de la nourriture aux familles mourant de faim dans les villages entourant Palerme. Pour assurer une distribution équitable des vivres, les familles élisaient un représentant, qui les répartissait entre les frères, les sœurs et les cousins. Plusieurs de ces hommes appartenaient à des bandes: on les appelait *capodecina,* ou plus familièrement *capos.*

Comme les hors-la-loi de la forêt de Sherwood, les bandits siciliens eurent leurs propres figures légendaires, et leur bravoure et leurs exploits furent perçus comme autant de gestes de galanterie. Le plus célèbre d'entre eux, nommé Saponara, fut capturé et emprisonné en 1578. D'après ce que l'on racontait dans les campagnes, Saponara fut torturé par ses ravisseurs espagnols qui voulaient connaître les noms de ses acolytes, mais il préféra mourir dans d'atroces souffrances plutôt que de trahir les siens. Sa bravoure est devenue un symbole pour tous les Siciliens qui croyaient que seule la loyauté pouvait assurer leur salut.

Comme les exactions commises contre eux par les bandes de hors-la-loi devenaient de plus en plus audacieuses et habiles, plusieurs propriétaires fonciers espagnols choisirent de quitter la campagne et de se replier sur Palerme, la plus grande ville de Sicile. Au début du XVIe siècle, la plupart des grands domaines étaient administrés par des *gabelloti,* des régisseurs désignés par les propriétaires espagnols pour leur ascendant et l'influence qu'ils exerçaient sur les citoyens ordinaires. La principale fonction des *gabelloti* était la collecte des impôts, effectuée par des *uomo di fiducia* chargés de visiter personnellement chaque citoyen et de recueillir les sommes dues. Les collecteurs d'impôts étaient fréquemment accompagnés de *campieri*, des hommes à cheval armés qui étaient chargés de maintenir la paix et d'assurer l'harmonieux déroulement de l'opération.

Les personnes familières avec la Mafia moderne verront dans les *gabelloti*, les *uomo di fiducia* et les *campieri* une première esquisse d'organigramme mafieux. Même les techniques de gestion nous sont familières. D'une résidence luxueuse, quelque part au loin, l'ordre est donné à toute une liste de *boss*, ou *capos*, d'aller prendre l'argent des petites gens. Suivant les instructions des *capos*, des agents de niveau inférieur rendent personnellement visite aux détenteurs potentiels de biens, accompagnés d'hommes en armes pour donner du poids à leur requête. Ni Al Capone ni Tony Soprano n'auraient pu trouver meilleure source d'inspiration pour l'élaboration du système qui les a enrichis.

L'abandon des campagnes par les seigneurs espagnols et leur remplacement par des *boss* nommés comme tels a amené les Siciliens à vouloir prendre leur avenir en main. Coïncidant avec la formation tardive d'une classe moyenne qui cherchait à s'enrichir en assumant un rôle d'intermédiaire, le moule était en place pour fournir richesse et pouvoir, et il s'est maintenu après le départ des Espagnols, au milieu du XIXe siècle.

Mais ce départ a laissé un vide hiérarchique. Pendant en gros un millénaire, la Sicile avait vécu sans gouvernement officiel, et avec le retrait des Espagnols, il est apparu que la seule organisation en place capable de gouverner était la Mafia. Quand, en 1860, Garibaldi le libérateur a fondé l'Italie et amené la Sicile dans le giron italien, il a dû tenir compte de la situation de la Sicile : la culture du secret et, pendant plusieurs siècles, un farouche sentiment d'indépendance. Et quand on regarde d'un peu plus près, on constate que les deux sont toujours présents. La Mafia a continué à exercer son pouvoir et à jouer de son influence dans les institutions gouvernementales imposées par Rome à la Sicile, et en l'espace de quelques années, la quasi-totalité des fonctions politiques et judiciaires a été infiltrée puis contrôlée par des éléments mafieux.

Des siècles de domination par les puissances étrangères avaient profondément marqué la Sicile, où presque aucun insulaire ne faisait confiance à une autorité imposée de l'extérieur, même légitime ou jugée impartiale. Aucune loi imposée par un gouvernement ne pouvait être juste. Pour la plupart des Siciliens, seule une vendetta était efficace, car tous les crimes étaient des crimes contre la personne, et toute vengeance devait être le fait à la fois de la victime et de sa famille, comme le veut l'*omerta*.

L'*omerta* est un code décrétant que toute personne faisant appel aux représentants de la loi pour redresser un tort est soit un imbécile soit un lâche, et que toute personne victime d'une agression ou d'un crime qui dévoile le nom de son assaillant est un moins que rien. La réponse obligée d'un homme offensé ou blessé, à haute voix ou en silence, était: « Si je survis, je te tue. Si je meurs, tu seras pardonné. »

La force de la Mafia a toujours été due à sa structure organisationnelle. Quelque peu primitive, en tant qu'association de bienfaisance, en tout cas si on la compare aux divers gouvernements ou à l'Église catholique, la Mafia a néanmoins réussi à articuler ses instances décisionnelles de manière à assurer la discipline de ses membres. Avec le temps, elle s'est façonné une organisation efficace, comme ces guérilleros un peu échevelés qui finissent par devenir une véritable unité de combattants après avoir adopté les techniques d'une armée régulière et motivée.

Du plus bas au plus élevé, la Mafia sicilienne inclut les grades suivants:

Capo crimini/Capo de tutti capi (le *boss*, le patron des patrons)

Capo bastone (le *boss* adjoint, le deuxième en importance)

Contabile (le conseiller financier)

Caporegime ou Capodecima (le chef d'un groupe de dix *sgarristas*)

Sgarrista (l'homme de terrain, le fantassin qui veille journellement à la bonne marche des affaires familiales)

Picciotto (au bas de l'échelle ; le service d'ordre)

Giovane d'onore (l'associé non sicilien ou non italien)

Les Italiens ont raison de dire que la Mafia est à l'origine de stéréotypes insultants. Bien sûr, tous les Italiens n'appartiennent pas à la Mafia, pas plus que tous les Chinois ne font partie des Triades ou que les musulmans appuient tous Ben Laden. Mais même le plus ardent patriote italien doit concéder que la Mafia n'est qu'une des nombreuses sociétés secrètes ayant des activités criminelles. Il y a des gangs violents dans presque toutes les grandes agglomérations urbaines, mais ce qui fait la particularité de la Mafia, c'est sa structure, inchangée au cours des âges, et son recours à la violence comme moyen d'atteindre ses buts.

En fait, il existe de nos jours au moins trois autres organisations criminelles italiennes qui s'inspirent de la Mafia ou qui sont appuyées en sous-main par celle-ci. Celle qui s'en rapproche le plus, géographiquement et historiquement, est la 'Ndrangheta. Très active dans les zones rurales et difficiles d'accès de la Calabre, la partie la plus au sud de la « botte » italienne, la 'Ndrangheta est née des vains efforts du gouvernement italien de casser la Mafia, dans les années 1860, en expulsant de Sicile ses leaders les plus violents et leurs familles.

Politique malavisée, car les familles se sont simplement réinstallées sur le continent, de l'autre côté du détroit de Messine, dans des villages isolés où elles ont mis sur pied une société secrète distincte qui ne diffère de la Mafia que sur deux points : elle est plus secrète et, pour certains, elle est plus violente encore. Un porte-parole haut placé du gouvernement italien déclarait récemment que, « vu son extrême brutalité, la 'Ndrangheta est devenue l'organisation criminelle la plus puissante et la plus dangereuse d'Italie ».

L'organisation tire son nom du mot grec *andragathes*, désignant l'homme noble et courageux digne de respect. Se rappelant ses origines – les familles violentes chassées de leurs terres siciliennes – la 'Ndrangheta s'organise autour de la lignée familiale, ce qui la distingue très nettement de la Mafia sicilienne. Cette dernière est liée par un serment, et la 'Ndrangheta par le sang. En outre, la 'Ndrangheta fait occasionnellement jouer un rôle actif aux femmes, même si la direction est à prédominance masculine.

À la structure classique pyramidale propre à la Mafia, la 'Ndrangheta préfère une distribution horizontale des rôles, répartis en segments familiaux clairement découpés, ou *'ndrinas.* Il n'y a pas entre les familles de chevauchement des activités ou des zones d'influence, chacune a pleine autorité sur son territoire et a les coudées franches dans ses activités. L'étanchéité de sa structure et le lien du sang assurent à la 'Ndrangheta le contrôle quasi parfait du secret et de la fidélité de ses membres, les mariages entre *'ndrinas* étant soigneusement planifiés pour obtenir cette complète cohésion. Rien n'est plus sacré que la famille dans la culture sicilienne et calabraise, et là où il existe un lien matrimonial, une famille s'exposerait à tomber dans le plus grave déshonneur si elle s'avisait de compromettre la sécurité de la famille élargie. Comme l'expliquait un prêtre sicilien : « La solidité de la famille tient à sa structure, forteresse sacrée, imprenable. » *Seul le sang ne trahit jamais.*

Comparée à la 'Ndrangheta, la Mafia paraît relâchée, pour ne pas dire négligente en matière de discipline interne. Les fils des mafiosi sont libres de rejoindre leur père dans l'organisation, alors que les fils des *'ndranghettisti* n'ont pas le choix. Devenir membre d'une famille du crime constitue leur *diritto di sangue* (droit du sang) acquis à la naissance. Leur subsistance étant assurée pour le reste de leurs jours à partir de l'époque de la puberté, les enfants mâles deviennent des *giovani d'onore*, ou garçons d'honneur. À la maturité, ils sont faits *picciotti d'onore*, soldats de deuxième classe qui exécutent sans discuter les ordres de leurs supérieurs. Les plus méritants sont alors faits *camorrista*, responsables des *picciotti*. Une fois promus *santista*, ils peuvent demander leur part du gâteau, fixée d'avance, ils n'ont plus à se contenter des maigres appointements des débutants.

S'il s'avère exceptionnel, et après avoir solennellement prêté serment sur une bible, un *santista* peut être promu *vengelista*, et joindre éventuellement le *quintino*: le cercle des cinq patrons adjoints directement liés au *capo crimini*, la plus haute autorité au sein de la famille 'Ndrangheta. On permet aux membres du *quintino* de s'identifier à l'aide d'un tatouage représentant un pentagramme.

Le plus grand secret et une réputation de violence extrême sont la vraie force de la 'Ndrangheta, la source de son pouvoir et de son influence. À la différence de la Mafia, personne ne peut avancer de chiffres fiables sur le nombre de ses effectifs et l'étendue globale de ses activités criminelles. En 2004, le gouvernement italien a laissé entendre que la 'Ndrangheta comptait cent cinquante-cinq clans familiaux et un peu plus de six mille membres.

Est-ce le résultat de l'ignorance, du secret ou d'une tentative de minimiser son pouvoir? Des observateurs font valoir que les non-Italiens échappent à l'intimidation du groupe, et c'est aussi l'avis des Italiens sur le sujet. Quand il veut promouvoir la région comme destination de vacances, l'Office calabrais du tourisme reconnaît que « vous ne trouverez pas de villes comme Florence ou Venise en Calabre ». Mais, faisant preuve de franchise, l'Office avertit que « les routes de la Calabre ne sont pas toujours sûres et sont souvent coupées par des barrages policiers ». Aux amateurs de tours organisés, il promet d'« éviter les itinéraires traversant certaines régions de l'arrière-pays constituant d'éventuelles places fortes de la 'Ndrangheta, la Mafia locale [*sic*], dont la principale source de revenus est le kidnapping d'enfants des riches industriels du Nord, qu'elle cache dans des cavernes inaccessibles de l'Aspromonte en attendant le versement de rançons astronomiques. Il faut rappeler que les touristes ne font jamais l'objet d'enlèvements et que, bien sûr, si vous allez en

Calabre, vous ne serez sans doute jamais exposés à aucune de ces vicissitudes ».

Voilà qui est rassurant, merci. Mais il n'est pas exclu qu'arrivant dans un village calabrais, vous découvriez ce qu'ont vu un jour les habitants de Taurianova, situé à quelques kilomètres de Reggio di Calabria : le corps, décapité par la *'ndrina* locale, d'un conseiller municipal qui s'opposait au contrôle qu'elle exerçait sur la région. Et pour les amateurs de la chose, la tête a servi de cible à ceux qui désiraient pratiquer le tir sur la place centrale du village. Ce n'est pas un épisode de la vie au Moyen Âge, ou d'il y a un siècle : c'est arrivé très précisément en 1995.

Dans les années 1860, le voyageur arrivant à Naples par la mer pouvait remarquer, après avoir payé son billet au passeur, qu'un individu s'approchait de lui, murmurait quelques mots, et recevait une part de la somme avant de s'évanouir dans la nature ; et que descendant de la voiture qui l'avait amené à son hôtel, la même scène se reproduisait : sorti de nulle part, quelqu'un s'approchait du chauffeur, puis réclamait sa part après avoir vérifié le montant versé ; et qu'arrivé à sa chambre d'hôtel, aussitôt donné le pourboire au portier, ce dernier en versait une part à un troisième homme, aussi furtivement et silencieusement que les deux autres. Ce soir-là, à l'opéra, il découvrait des gens habillés pour la circonstance, bien comme il faut, en train de compter l'argent échangé entre les clients et le préposé à la vente des billets. Quand, le lendemain, espérant une explication, ce voyageur a décrit la scène à un ami, celui-ci a juste baissé les yeux, secoué légèrement la tête et laissé tomber un mot : *Camorra*.

La Camorra – le mot remonte peut-être au mot « dispute », en espagnol, bien que de nos jours la traduction la plus courante soit « gang » – est la mouture napolitaine de la Mafia et de la 'Ndrangheta. À la différence de ces deux organisations criminelles, ce ne sont pas les liens du sang qui la constituent, mais les criminels de droit commun, qui une fois libérés, offrent aux organisations leurs talents d'intimidateurs.

La Camorra est installée à Naples et dans ses environs. Elle rassure les citoyens et les commerces de la ville : ils ne seront harcelés par personne – sauf, cela va de soi, par les membres de la Camorra s'ils dérogent à leurs obligations de payer. Ce fut le schéma adopté par les familles mafieuses des États-Unis durant les années 1920, où l'on a parlé de « *racket* de la protection ». Les membres se disaient aussi prêts à régler les différends et à offrir de l'aide aux familles démunies ou aux victimes d'accidents ou de maladies.

L'organisation s'est révélée aussi implacable avec ses membres qu'avec le grand public en général : elle a siphonné tout le monde. Pour être admis, le postulant devait commettre un crime important : il démontrait ainsi son courage et sa détermination. Le fait même de se voir invité à faire partie de la Camorra était risqué, car l'individu qui refusait d'entrer dans l'organisation en commettant un crime s'exposait à être abattu par un autre candidat moins scrupuleux et plus courageux !

Les autorités gouvernementales ont-elles jugé futile de combattre les *camorristi* ou de mettre en œuvre leurs propres stratégies machiavéliques ? Beaucoup affirment que non seulement les autorités gouvernementales napolitaines ont fait preuve de tolérance à l'égard des *camorristi*, mais qu'elles se sont servi de ces derniers pour arriver à leurs propres fins ! Ainsi, pendant des années, les prisons napolitaines ont été gérées et contrôlées par la Camorra, et aux dires de plusieurs, l'organisation a travaillé main dans la main avec la police pour dépister et punir les criminels étrangers à la Camorra…

Pour l'essentiel, cette dernière emprunte les structures de la Mafia, avec un *capo di Camorra* qui reçoit et redistribue l'argent à une multitude de petits groupes composés de leaders de deuxième ordre et de leurs affidés. À la différence de la Mafia, toutefois, elle ne semble pas avoir adopté les initiations et les autres pratiques mystiques.

Comme toutes les sociétés secrètes impliquées dans des activités criminelles, la Camorra a connu des hauts et des bas. Les politiciens partis en guerre clament alors qu'elle n'existe plus ou qu'elle est si affaiblie qu'elle n'est plus que l'ombre d'elle-même. Mais les plus récentes évaluations font état d'une centaine de clans et d'environ sept mille membres.

Pendant presque tout le XXe siècle, la Camorra a principalement tiré ses revenus de la contrebande des cigarettes en Italie et dans les pays avoisinants : elle a si bien réussi qu'elle s'est ensuite associée avec la Mafia pour s'occuper de la distribution européenne des drogues, laquelle s'est révélée très lucrative. D'où la guerre des gangs en quête de territoires, au sein même de la Camorra. Bilan sombre : environ quatre cents morts violentes, sans compter l'exil de deux cents membres de la Camorra aux États-Unis, où furent rapidement rassemblés des gangs spécialisés en blanchiment d'argent, extorsion, vol, chantage, enlèvement et contrefaçon. Malgré cette expansion anarchique, la Camorra demeure une entreprise essentiellement napolitaine qui n'a ni le côté mystique ni le panache de la Mafia.

Un autre groupe mafieux a poussé dans le sud de l'Italie, à Puglia, située dans le « talon » de la « botte ». La Sacra Corona Unita a connu les débuts de la Camorra, avec des repris de justice regroupés dans des régions excentrées où ils pouvaient échapper à la surveillance des autorités centrales. Elle a ses quartiers généraux dans la ville portuaire de Brindisi, où elle tirait beaucoup de ses revenus du transport des voyageurs entre la Croatie, l'Albanie et d'autres pays de l'Adriatique. Ses activités n'ont jamais eu l'ampleur de celles de la Mafia et de la Camorra, ni en Italie ni aux États-Unis.

Si elle était demeurée en Italie, la Mafia aurait figuré uniquement dans la liste des organisations criminelles. Son établissement aux États-Unis au début du XXe siècle et sa pleine intégration parmi les sociétés secrètes américaines ont contribué à la faire connaître du public et lui ont valu une place dans la culture populaire. Tout le monde, aux États-Unis, connaît la Mafia – peu cependant connaissent ses structures, ses activités et l'étendue de son pouvoir.

Ainsi, le mot « Mafia » ne convient pas tout à fait pour désigner le pendant américain ; ses membres parlent d'ailleurs davantage de Cosa Nostra, « cette chose bien à nous[1] ». La branche américaine a bien sûr conservé l'*omerta* et les autres techniques du secret, mais plutôt que de maintenir les engagements mystiques du Moyen Âge, elle a adopté l'organigramme du monde des affaires américain.

C'est à La Nouvelle-Orléans, en 1891, qu'on rapporte un premier incident lié à Cosa Nostra. Une famille du crime sicilienne a assassiné le chef de police local pour mettre un terme aux arrestations et au harcèlement dont elle faisait l'objet. Les chefs de la famille furent traînés en justice, mais grâce à l'intervention de quelques témoins bien rémunérés et à quelques menaces de mort, ils furent tous acquittés. Mais avant qu'ils soient relâchés, une foule de lyncheurs en colère hurlant des slogans anti-italiens ont forcé les portes de la prison, tiré dehors les coupables et ont abattu ou pendu seize d'entre eux. Un message avait été lancé : bien que La Nouvelle-Orléans ait un taux de criminalité très élevé, Cosa Nostra n'y a jamais eu la même importance que d'autres communautés du crime, contrairement à ce qu'affirme Oliver Stone dans son film *JFK*.

Cosa Nostra était solidement implantée aux États-Unis, vers la fin de la Première Guerre mondiale, mais deux événements, l'un en Italie, l'autre aux États-Unis – ont propulsé l'organisation dans les ligues majeures.

La prohibition, en 1919, fut une occasion rêvée pour toute organisation criminelle : peu de frais en amont, demande forte en aval, et profits faramineux en bout de ligne, spécialement pour ceux qui pouvaient à la fois fabriquer, importer et distribuer leurs produits à l'insu (mais parfois aussi avec leur collaboration) des

1. Les journalistes écrivent fréquemment *la* Cosa Nostra, ce qui est grammaticalement incorrect.

forces de l'ordre. Aucune autre activité criminelle n'a jamais paru aussi lucrative.

Entre-temps, Benito Mussolini prend le pouvoir, et jure, entre autres, d'éradiquer le crime et de faire arriver les trains à l'heure. Il a rempli ces deux promesses. Son administration fasciste fut la seule capable, par sa brutalité, de menacer la Mafia, et l'on vit donc peu après des familles de la Mafia émigrer outre-Atlantique, où elles joignirent leurs forces à celles des familles déjà en place pour amasser des sommes colossales dans la vente illégale d'alcool.

Des villes du Nord comme New York, Chicago, Cleveland et Detroit viennent tout de suite à l'esprit quand on parle de Cosa Nostra, mais une vingtaine d'autres villes quelque peu bucoliques comme Des Moines, dans l'Iowa, et San Jose, en Californie, sont aussi devenues des centres d'opération névralgiques. La levée de la prohibition en 1933 a laissé l'organisation intacte et prête à chercher d'autres moyens illégaux d'engranger des profits. Deux ans avant la prohibition, l'État du Nevada avait légalisé le jeu, et peu avant la Deuxième Guerre mondiale, les États-Unis avaient pris goût aux stupéfiants. Au tournant des années 1950, Cosa Nostra était un acteur de premier plan dans presque toutes les sphères du crime organisé aux États-Unis, et l'un des principaux bénéficiaires de la vache à lait que constituait Las Vegas : c'est par dizaines de millions de dollars que l'on comptait à l'époque les profits provenant du jeu, de la prostitution, des narcotiques et du vieux *racket* de la protection.

Peut-être inspirée par les stratégies de la 'Ndrangheta, Cosa Nostra a maintenu sa structure interne de type familial, mais elle a renoncé à l'obligation de tenir compte du lien de sang. En fait, elle a même laissé de côté la question de l'origine ethnique de ses partenaires, accueillant parmi ses associés les mafieux juifs et irlandais.

Si presque chacun des centres urbains américains était sous la coupe d'une ou de plusieurs familles, c'est New York, et le New Jersey voisin, qui ont le plus attiré l'attention, et notamment à cause de cinq familles dont les activités faisaient régulièrement la manchette.

BONANNO. Fondée par Joseph (Joe Bananas) Bonanno, la famille a été un moment active dans l'industrie du vêtement; elle fut infiltrée à tous les niveaux par le FBI, comme l'a montré le film *Donnie Brasco.* On le verra un peu plus loin: son plus récent *boss*, Joe Massino, a causé beaucoup plus de tort à sa famille que tous les Brasco du monde.

COLOMBO. Son premier parrain s'appelait Joe Profaci; il en a été le chef entre 1930 et 1963, année où Joe Colombo a pris la relève. Ce dernier a solidement dirigé les affaires avant d'être abattu en 1971 au cours d'un rassemblement italo-américain. Il a survécu aux coups de feu, mais il est resté sept ans dans le coma avant de mourir. Une lutte fratricide s'en est suivie, d'où est sorti un vainqueur: Carmine Persico. Arrêté, il fut condamné à cent trente-neuf ans de prison, pour meurtre et *racket.*

Son fils Alphonse (Allie Boy) Persico est l'un des rares *boss* de Cosa Nostra à avoir fréquenté l'université, où il a apparemment décroché un diplôme en garde-robe personnelle. Allie Boy aime être bien habillé, même quand il s'active dans les Key Islands de Floride à bord de son hors-bord de quinze mètres baptisé *Lookin' Good.* Un jour, après une inspection minutieuse de son embarcation, des agents de la garde côtière américaine ont trouvé un revolver et un fusil de chasse. Ils lui ont enjoint de vider les armes, ont continué leur inspection, constaté que tout était en ordre, puis ils sont partis.

Chanceux, Allie Boy s'en est tiré parce qu'aucun agent de la garde côtière n'avait songé à consulter son dossier criminel. Et c'est seulement rentrés au port qu'ils ont appris que Persico avait déjà fait de la prison pour *racket* à l'encontre d'un agent fédéral, qu'on lui avait interdit de posséder des armes à feu, et qu'une peine de dix ans de prison lui pendait au bout du nez en cas de récidive. Même un apprenti aurait jeté ses armes à la mer aussitôt les agents de la garde côtière partis, mais Persico avait apparemment séché tous ses cours de logique : à peine quelques heures plus tard, la vedette des garde-côte se glissait le long du *Lookin' Good*, amarré à Key West, et Persico se retrouvait derrière les barreaux pour dix ans de plus. Il n'en fallait pas plus pour qu'Allie Boy devienne le nul parmi les nuls aux yeux des autres familles de New York, qui ont coupé toute relation avec lui.

GAMBINO. Il s'agit de la famille John Gotti, de sinistre réputation, qui remonte aux années 1920, et dont le nom vient de Carlo Gambino, seul maître à bord de 1956 à 1976. Considéré comme l'un des chefs de famille (*don*) les plus efficaces de Cosa Nostra, Gambino a toujours préféré demeurer discret, évitant toute publicité et soignant ses relations familiales, et il s'est bâti une fortune colossale avec les stupéfiants et le jeu. Dans les années 1970, il a ajouté à son tableau de chasse le vol des voitures, expédiant au Moyen-Orient, par le Koweit, de voitures de luxe volées. Le successeur de Gambino, son cousin Paul (Big Paulie) Castellano, a réussi à s'aliéner la sympathie de divers *capos*, dont John Gotti et son assistant Salvatore (Sammy le Taureau) Gravano, qui a orchestré l'assassinat de Castellano en 1985. Gotti est mort en prison en 2001, où il purgeait une peine de condamnation à vie ; quant à Gravano, reconnu coupable d'une vingtaine de meurtres, il s'est inscrit au programme de protection des témoins. Après plusieurs autres, le fils Gotti, John Junior, dirige aujourd'hui la famille.

GENOVESE. Autre famille de New York remontant aux années 1920, le gang Genovese remonte à Charles (Lucky) Luciano et Frank Costello. Plus de cinquante ans avant que John Gotti se pavane tel un dandy dans les pages des journaux et le journal télévisé comme s'il venait de s'échapper de la vitrine de Saks de de la Cinquième Avenue, Frank Costello est devenu la référence en matière d'élégance vestimentaire, pour autant qu'un parrain de Cosa Nostra puisse être considéré comme une référence…

Possédé par le démon de la politique et très doué en matière de planification stratégique, Costello se faisait appeler « Monsieur le Premier Ministre » par ses confrères de la pègre ; il aimait mieux parler calmement et offrir des pots-de-vin que de faire parler les armes, à moins qu'on le force à le faire, ce qui arrivait aussi… Pendant des années, les maires, les gouverneurs, les juges et les officiers de police arboraient un large sourire quand ils apercevaient ou entendaient juste mentionner le nom de Frank Costello, car dans un cas comme dans l'autre, une enveloppe suivait. Costello fut le premier *don* tiré à quatre épingles; il portait des complets sur mesure à mille dollars, des chaussures commandées spécialement pour lui, se faisait manucurer, et arborait une coupe de cheveux pare-balles.

Pour Frank, l'apparence était tout. Accusé d'évasion fiscale, Costello s'est vu conseiller par son avocat de ne pas paraître en cour vêtu de façon trop élégante, de peur de heurter la susceptibilité des membres du jury issus de la classe ouvrière. « Il faut que tu portes des habits bas de gamme, des vieux souliers, une cravate pas possible, lui conseilla l'avocat. Comme ça, tu as plus de chances de mettre les jurés dans ta poche… »

Mais Frank ne fut pas d'accord. « J'aimerais mieux perdre ce maudit procès » fut sa réponse.

Et c'est ce qui arriva. De sa prison, Costello a essayé de diriger les affaires de sa famille, mais Vito Genovese, l'implacable homonyme de la famille, nourrissait d'autres projets. Il voulait remplacer Costello au sommet et il a alors utilisé la technique courante. Un jour, peu après être sorti de prison, Costello marchait, tranquille, dans une rue de New York lorsqu'il entendit derrière lui une voix menaçante l'interpeller et dire : « J'ai quelque chose pour toi, Frank ! » Ce dernier a alors tourné la tête, et la balle du tueur un peu trop bavard lui a tout juste grillé le scalp.

Frank a bien reçu le message. Pendant sa convalescence, il a fait savoir à tous les intéressés qu'il se retirait des affaires de la famille, et il a nommé comme successeur Albert Anastasia. Ce dernier n'a pas eu la chance de Luciano ou de Costello : en octobre 1957, il a été abattu dans le fauteuil du coiffeur où il attendait de se faire raser. Genovese l'a remplacé en donnant son nom à la famille, mais il n'a pas eu vraiment le temps de profiter de sa nouvelle notoriété : après quelques années, il fut condamné à quinze ans de prison pour *racket*, et il est mort d'un cancer dans un pénitencier fédéral. Le patron actuel s'appelle Dominick (Quiet Dom) Cirillo, un pur produit Gambino qui a fait de sa famille le groupe le plus puissant et le plus uni de New York.

Quant à Frank Costello, il a passé le reste de ses jours à fréquenter le gratin de New York, offrant des fêtes dans son appartement de Manhattan ou dans son domaine de Long Island. Parmi ses invités figuraient les personnalités les plus en vue du monde politique de son époque, comme le grand patron du FBI, John Edgar Hoover, dont Costello a su exploiter à son avantage l'homosexualité et le penchant pour le travestisme. Quand le « Premier Ministre » de Cosa Nostra est mort dans son sommeil, en 1973, son legs le plus célèbre fut peut-être sa voix rauque, imitée par Marlon Brando dans le rôle de Vito Corleone, dans *Le Parrain.*

LUCHESE. Dans les années où il a exercé ses fonctions, de 1953 à 1967, Gaetano (Thomas) Luchese fut actif dans l'industrie du vêtement de New York. Parmi ses *capos*, on trouvait un dénommé Paul Vario, qui a inspiré le personnage de Paul Cicero dans le film *Goodfellas*. La famille a subi d'importants revers au cours des dernières années, trois membres clés de son organisation – Alfonse (Little Al) D'Arco, l'adjoint Anthony (Gas Pipe) Casso, et Peter (Fat Pete) Chiodo – s'étant faits témoins pour l'accusation.

À mesure que s'imposait l'image de Cosa Nostra dans le grand public, le monde des gangsters gagnait en prestige, conséquence prévisible de leurs bonnes relations avec des célébrités du monde du spectacle. Pendant toute sa carrière, on a vu Frank Sinatra côtoyer les parrains de Cosa Nostra, tout comme ses copains Dean Martin, Al Martino, George Raft et, dit-on, Bing Crosby et Jimmy Durante. Par ses grands-parents paternels, Sinatra a à tout le moins du sang sicilien. Il a nié avec véhémence entretenir des liens avec les familles du crime, mais une photographie devenue célèbre, qui le montre bras dessus bras dessous avec les parrains Carlo

Gambino et Paul Castellano, et le tueur à gages Jimmy Fratianno, suggère qu'il était familier avec ces personnes. On pourrait certes discuter beaucoup pour savoir si le chanteur s'est laissé attirer par les gangsters ou si ces derniers ont été amenés à fréquenter le chanteur d'origine sicilienne.

L'attrait exercé par Cosa Nostra vient surtout de l'*omerta*, l'engagement d'honneur échangé lors d'une initiation secrète visant à imprégner les initiés du sentiment du sacré. Le secret et d'autres éléments plus ou moins mystiques de l'organisation ont été divulgués en 1990, lorsque le FBI a enregistré le rituel d'intronisation de Robert (Bobby Dee) Deluca dans la famille Patriarca de Boston. Rassemblée dans une petite résidence de Bedford, au Massachusetts, la famille, par l'intermédiaire de son porte-parole et chef, déclare d'une voix forte, dans un dialecte sicilien: «*In onore della Famiglia, la Famiglia e abraccio*» (En l'honneur de la Famille, la Famille est déclarée ouverte).

Les micros du FBI ont alors enregistré la voix de Deluca répétant le serment prononcé par le parrain: «Moi, Robert Deluca, demande l'autorisation d'entrer dans cette organisation pour protéger ma famille et pour protéger mes amis. Je jure de ne divulguer ce secret à personne, et d'obéir dans l'amour et l'*omerta.*»

Puis, les huit membres présents se sont incisé le bout de l'index et ont fait couler un peu de sang sur une image pieuse représentant le saint patron de la famille Patriarca. On mit alors le feu à la carte, pendant que Deluca prêtait le deuxième serment: «Comme brûle ce saint, ainsi brûlera mon âme. J'entre vivant dans cette organisation, et j'en sortirai mort.»

L'attrait de la société secrète, le comportement très macho de ses leaders et, pour les plus efficaces, l'argent qui coule à flots, ont eu vite fait d'attirer les femmes vers les hommes de Cosa Nostra. On a aussi vu l'inverse: plusieurs jeunes Italiens ambitieux ont souhaité adhérer à l'organisation parce que ses membres attiraient les belles femmes. Toute femme s'associant à Cosa Nostra apprend vite que les leçons inculquées à la société sicilienne par les musulmans mille ans auparavant prévalent toujours chez les hommes de l'organisation. Pour ces derniers, les femmes ont le choix entre deux rôles : ange ou putain, épouse ou maîtresse.

Les épouses en retirent de gros bénéfices, mais à quel prix ! Les avantages incluent la perspective de voir leur homme monter suffisamment en grade pour leur apporter à elles et à leur famille des avantages impressionnants, tels qu'une vaste résidence, des vêtements haut de gamme, des voitures de luxe et des vacances partout en première classe. Autre à-côté non négligeable : le respect assuré de son mari et de ses sbires. La famille demeure un puissant facteur d'unité chez les Siciliens, et plus particulièrement chez les membres de Cosa Nostra. Vous ne placez pas votre épouse dans des situations embarrassantes, et vous ne la maltraitez pas non plus. Il y a des exceptions, mais un membre de Cosa Nostra réputé battre sa femme ou la traiter avec mépris baisse dans l'estime de tous les autres.

Le prix à payer pour les épouses est toutefois énorme – et reconnu comme tel. La promiscuité des mâles dans le groupe est considérée comme un signe de virilité, et la sexualité de n'importe quel « petit malin » qui n'a pas une ou deux maîtresses prête flanc aux soupçons. Les dames sont priées de bien vouloir comprendre, voire de se résigner, tout comme il leur est demandé de sauver les apparences. Une femme qui jure risque de se voir traiter de *puttana* – prostituée –, et tromper son mari, surtout si ce dernier fait partie des « hommes qui montent », est un crime capital.

Pour éviter d'embarrasser leurs épouses, les hommes de Cosa Nostra réservent les vendredis soir pour leurs copines, et les samedis soir pour leur femme. Personne ne déroge à cette loi : c'est la seule façon d'éviter qu'un membre de Cosa Nostra et son épouse ne rencontrent une connaissance à eux accompagnée d'une femme qui n'est pas la sienne. Dans d'autres situations, la tradition est plus flexible – on a souvent vu un type emmener dans une croisière de luxe sa femme et sa maîtresse, l'épouse habitant la suite et la maîtresse confinée à une cabine économique.

Le sexe et le meurtre sont un mélange détonant dans la Mafia, et les conséquences peuvent être uniques. Ainsi, Vito Genovese a fait assassiner l'un de ses hommes parce que Vito voulait pour lui l'épouse de la victime. Ses pairs lui ont pardonné, puisqu'il était bien connu que chez un homme passionné, les règles et l'honneur ne peuvent pas toujours parvenir à contenir les élans du cœur... Par ailleurs, si une sexualité quelque peu exubérante peut rehausser le statut d'un membre de Cosa Nostra, le plus léger soupçon d'homosexualité peut décider de l'élimination d'un individu, quelle que soit sa position dans la hiérarchie de l'organisation, comme le montre le cas de John (Johnny Boy) D'Amato.

D'Amato dirigeait la famille DeCavalcante, la plus importante au New Jersey, dont on dit qu'elle a inspiré la populaire série télévisée *Les Sopranos.* Il avait aussi été un confident du célèbre John Gotti, ce qui à une autre époque et dans d'autres circonstances aurait pu le protéger. En compagnie de sa copine Kelly, D'Amato a commencé à fréquenter des clubs où hommes et femmes échangeaient leur partenaire et s'adonnaient aux pratiques sexuelles collectives. À plusieurs reprises, l'amie de D'Amato l'a aperçu pratiquant le sexe oral sur d'autres hommes. Effondrée, elle s'en est ouverte à l'un des hommes à tout faire de D'Amato. Quand l'individu en question a fait remonter l'information au poids lourd Vincent (Vinnie Ocean) Palermo, le grand patron a ordonné son élimination. La raison était on ne peut plus claire: « Personne ne va plus nous respecter si un *boss* gay commence à parler affaires », a déclaré l'assassin de D'Amato.

Un millénaire de secret et d'actions impitoyables assurent sans doute la bonne santé relative de la Mafia en Italie, en dépit des déclarations répétées des groupes en charge de l'ordre public suivant lesquelles ils ont « brisé » l'organisation. Mais aux États-Unis, l'avenir de Cosa Nostra est plus problématique. Contrairement à la Mafia italienne, Cosa Nostra subit la concurrence d'organisations rivales encore plus féroces, comme les magnats colombiens de la drogue, les gangs de rues vietnamiens et les truands russes.

Plus menaçant encore pour la survie de Cosa Nostra, et précisément au moment où elle en aurait bien besoin : l'*omerta*, le code ancestral, est de plus en plus enfreinte, et il est intéressant à cet égard de comparer le sort de deux membres de la Mafia rencontrés un peu plus tôt : Louis (Lepke) Buchalter et Joseph (Big Joey) Massino.

Buchalter a pris du galon dans la hiérarchie mafieuse au cours des belles années 1920 et 1930, où il jouait le rôle de fier-à-bras dans le quartier du vêtement de New York, et où il se fit rapidement une réputation d'individu violent et impitoyable. Tout confectionneur ou commerçant qui oubliait de payer son dû n'était pas seulement averti : si on ne lui cassait pas les deux jambes, il était simplement abattu, souvent derrière son comptoir. Buchalter avait aussi ses habitudes : après chaque meurtre, il saccageait le commerce et mettait le feu. De cette manière, il n'y avait jamais de preuves…

Trop connu, et aussi grâce à la trahison de certains de ses collègues, Buchalter fut accusé de meurtre et condamné à la peine de mort sur la chaise électrique, le 4 mars 1944. Ses avocats eurent beau aller en appel pour faire commuer sa peine, la sentence fut appliquée et il fut exécuté avec deux de ses associés. Il est mort le dernier, et alors que les deux premiers étaient arrivés dans la chambre d'exécution en titubant, glacés d'effroi, Lepke y est entré en pleine possession de ses moyens : il s'est laissé couler sur la chaise et est demeuré aussi impassible que s'il allait prendre le métro pour se rendre à son travail. Cinq minutes après avoir été sanglé, il était déclaré mort.

Le jour suivant sa mort, la veuve de Buchalter a donné une conférence de presse dans un hôtel situé tout près de la prison d'Ossining, à New York, où son mari avait été exécuté. « Mon mari, révéla-t-elle aux journalistes, m'a dicté cette déclaration depuis sa cellule, et je l'ai transcrite mot pour mot. » Selon Beatrice Buchalter,

Lepke avait insisté pour que sa déclaration ait la plus grande diffusion possible, et les journalistes présents ont transmis le mot à mot de la déclaration de Béatrice.

« Je tiens à dire – et j'insiste, avait dicté Lepke, que je n'ai parlé ni donné aucune information en échange d'une promesse de commutation de ma sentence. Je n'ai rien demandé ! » Selon sa veuve, Lepke avait insisté sur le point d'exclamation.

Buchalter, tout le monde l'avait compris, envoyait un message clair aux sbires de la Mafia : il n'avait pas rompu l'*omerta.* On a laissé entendre ici et là que son message visait à protéger les siens contre d'éventuelles représailles, mais d'autres y ont vu quelque chose de moins pragmatique, une émotion réelle. Même dans la mort, il était important que tous sachent qu'il s'était comporté honorablement vis-à-vis ses collègues, à la rigueur vis-à-vis ses victimes. C'était là, en dépit des cinq mille volts d'électricité qui dans quelques heures allaient lui griller le corps, une question de fierté personnelle.

Soixante ans plus tard, Big Joey Massino était le *boss* de la famille Bonanno de New York, la première des cinq plus puissantes organisations mafieuses de Manhattan. Mais l'homme de cent quatre-vingts kilos, maître en extorsion dans la même industrie du vêtement que Lepke avait terrorisée, se trouvait être un tout autre genre d'homme. L'*omerta* avait du sens pour Buchalter, mais ne signifiait rien pour Big Joey – surtout dans la perspective d'un dur et long emprisonnement pour meurtre et *racket.* Mis en liberté sous caution en septembre 2004, le *boss* a commis l'irréparable, pour un homme de son importance dans la plus puissante société criminelle au monde : il a accepté de porter un microphone du FBI et d'enregistrer les propos d'un collègue sur l'assassinat d'un associé et sur la prochaine élimination d'un procureur fédéral. Sa coopération a permis l'arrestation et la comparution de dizaines de membres de sa famille, et il a pu ainsi échapper à une possible condamnation à vie.

Quand la nouvelle a couru que Massino avait tourné sa veste, les membres de Cosa Nostra ont été foudroyés. Non que l'*omerta* n'ait jamais été rompue : Joe Valacchi avait été le premier, en 1963, lorsqu'il avait témoigné devant la Commission d'enquête du Congrès sur l'action de la Mafia, à utiliser l'expression de Cosa Nostra, une révélation pour le grand public. Et depuis, des dizaines de membres avaient cherché à obtenir un allégement de peine en collaborant avec les procureurs. Il faut toutefois dire qu'ils se situaient plutôt dans les plus bas échelons de la hiérarchie, et qu'ils étaient par conséquent peu au fait des opérations de la famille, sans grand espoir d'atteindre les niveaux où il se gagnait le plus d'argent, et peut-être aussi avaient-ils gardé rancune à l'un ou l'autre de leurs supérieurs. Le retournement d'un *boss* était un événement sans précédent et annonçait peut-être la totale disparition de la discipline au sein de l'organisation. Comment les grandes familles de Cosa Nostra pouvaient-elles inspirer respect et loyauté, et garder une quelconque autorité sur ses membres des niveaux inférieurs, si elles trahissaient l'organisation dans son ensemble ?

Se pose pour les années à venir la question de la pertinence du secret au sein de la branche américaine de la Mafia, Cosa Nostra. Va-t-elle perdurer ? Assurera-t-elle une emprise forte et continue sur les activités criminelles qu'on lui a longtemps associées ? Cela semble moins que certain.

9

LES YAKUZAS

Traditions et amputations

LE QUARTIER GINZA DE TOKYO n'a pas changé depuis la fin de la Deuxième Guerre mondiale : une zone de loisirs luxueuse et tape-à-l'œil, mélange de Broadway et de Soho, avec un zeste de Las Vegas. Un soir, récemment, dans une rue de Ginza, quelques dizaines d'hommes d'affaires japonais regardaient, émerveillés, une machine ressemblant à un flipper, où des petites boules étincelantes se frayaient chacune un chemin compliqué dans un labyrinthe vertical piqué d'aiguilles métalliques. C'est le *pachinko*, qui fait fureur chez les Japonais. Le nom vient du bruit répété que font les boules de chrome en heurtant les aiguilles.

Juste au-dessus de la petite salle, dans un club privé pour hommes, l'atmosphère était très différente. L'éclairage était réduit, l'ameublement luxueux, et une musique douce jouée sur des instruments japonais traditionnels flottait dans l'air enfumé. En retrait dans un coin, un homme dans la soixantaine était assis devant une table basse, flanqué de deux jeunes femmes qui gloussaient à chacun des ordres secs, donnés d'une voix gutturale, à un peloton de jeunes hommes s'activant tout autour. À son commandement, les jeunes hommes se sont approchés, ont hoché la tête en signe d'assentiment à ses instructions, puis ils ont salué en s'inclinant légèrement et se sont retirés ailleurs dans le club ou les rues avoisinantes. Un simple signe de tête du vieil homme suffisait pour qu'une serveuse attentive lui apporte une boisson ou un tempura [mélange de poissons, de coquillages et de légumes frits – NDT], et le même geste a coupé la conversation d'un jeune homme en plein milieu d'une phrase. Le vieil homme souriait parfois aux jeunes femmes, l'une en robe de cocktail courte, l'autre vêtue comme une écolière d'une jupe à carreaux plissée et d'un éclatant chemisier blanc. Quand il glissait la main le long d'une jambe de la femme en robe ou caressait le chemisier de l'autre dans son uniforme d'« écolière », toutes deux riaient nerveusement en se cachant la bouche.

Pour un Occidental, la scène semblerait la réplique japonaise d'un parrain de la Mafia distribuant ordres, châtiments et récompenses à ses subalternes. D'une certaine façon, c'était un peu cela – jusqu'à ce qu'un jeune homme fasse son apparition à l'entrée du club, immobile et attendant qu'on ait remarqué sa présence. Vêtu comme les autres jeunes gens de son âge, vêtements collés au corps, cheveux brillants et chemise blanche impeccablement amidonnée, le jeune homme, blanc comme un linge, s'attardait nerveusement sur le seuil, s'appuyant sur un pied puis sur l'autre. Sa main gauche portait un pansement. Sa main droite tenait un petit objet minutieusement emballé.

Enfin, en réponse à un petit signe de tête de la part du vieil homme, le jeune homme s'est approché, tête inclinée et les yeux baissés. Les jeunes femmes ont cessé de rire. Les autres jeunes gens se sont écartés pour lui laisser le passage. Un profond silence s'est installé.

Faisant maintenant face au vieil homme, le nouveau venu a déposé le petit paquet sur la table, mais des deux mains, donnant à son geste un caractère solennel. Le vieil homme regarda la main bandée du jeune homme, approuva, puis passa la main au-dessus du paquet en faisant signe qu'on le lui enlève de sous les yeux. L'un des jeunes gens s'approcha et l'emporta.

Ce qu'il y avait dans le paquet, c'était, amputée, la dernière phalange d'un petit doigt du nouvel arrivant. Il l'avait coupée puis déposée devant le vieil homme pour signifier son regret et sa demande de pardon. Quelque chose dans la conduite du jeune homme avait offensé le vieil homme, son patron. Selon toute apparence, d'autres hommes dans la pièce l'avaient offensé de la même façon, car à eux aussi, il manquait le bout d'un petit doigt. Certains n'avaient plus de petits doigts du tout, indiquant peut-être de multiples affronts. C'est ceux qu'on appelle les yakuzas japonais, les membres d'une société criminelle secrète dont les origines remontent aux samouraïs, et qui applique toujours la terrible discipline traditionnelle.

Comme les preux chevaliers défendant l'honneur de leur dame et les shérifs au regard d'acier du Far West américain, les samouraïs sont aux yeux de plusieurs les gardiens des règles morales japonaises du Moyen Âge. Une fois encore, la réalité diffère quelque peu de la légende.

Les samouraïs sont nés d'une coalition formée par des chefs de guerre au XIIe siècle. Le Japon de l'époque se dirigeait vers une société féodale très proche de celle déjà établie en Europe. Comme dans le féodalisme européen, les groupes et les chefs moins importants prêtaient allégeance aux plus forts en échange d'une protection. Liés par des liens de loyauté ou familiaux, ces groupes ont sélectionné les meilleurs combattants pour servir de « guerriers-gentlemen », experts en maniement d'armes et voués au service de leur chef personnel (« samouraï » veut dire « celui qui sert »).

Outre leurs talents de guerriers, les samouraïs se faisaient remarquer par leur loyauté fanatique. Avec le temps, cet engagement a prévalu sur toutes les autres dimensions de la vie personnelle du guerrier : femme, enfants, devoirs filiaux et peur de la mort sont devenus secondaires. Seuls importaient la loyauté la plus absolue et la férocité au combat. Les affrontements entre factions donnaient froid dans le dos. Tout en jouant de l'épée contre leurs adversaires, les samouraïs vantaient leurs exploits et les prouesses de leurs illustres ancêtres.

Dévouement et férocité ont fait des samouraïs une caste à part, bientôt dotée de privilèges. Ainsi, seuls les samouraïs reconnus avaient le droit de posséder leur propre *katama*, l'épée à deux mains qu'ils révéraient comme un objet sacré. Si un samouraï jugeait avoir été insulté par quelqu'un de plus basse extraction, il avait le droit de couper son adversaire en deux, sans procès d'aucune sorte. Les armes des samouraïs sont devenues le centre d'un code de l'honneur très sophistiqué. On disait que les épées ayant trucidé plusieurs adversaires étaient dotées de pouvoirs surnaturels, et les nouvelles épées étaient testées sur des corps humains, le plus souvent sur des cadavres de criminels décapités.

Comme les chevaliers du Moyen Âge, les riches samouraïs combattaient à cheval, avec casque et armure légère, alors que les autres, moins fortunés, servaient de fantassins. À la différence des Européens toutefois, les samouraïs étaient motivés, non par une ferveur religieuse ou un code chevaleresque, mais par le simple dévouement à leur seigneur, à qui ils obéissaient aveuglément. Sur ce plan, ils font davantage penser aux *capos* de la Mafia qu'à des combattants héroïques.

Et contrairement à l'aura de prestige dont s'entoure le guerrier samouraï, les mêlées guerrières ne donnaient pas seulement lieu à de la bravoure. Un chroniqueur du XIIIe siècle raconte un assaut sur le palais d'un empereur :

> Les nobles, les courtisans, et même les dames d'honneur du quartier des femmes furent égorgés… Le palais fut transformé en torche, et quand ses occupants se sont élancés à l'extérieur pour échapper aux flammes, les guerriers les attendaient… [D'autres] par dizaines ont sauté dans un puits : les premiers furent vite noyés, ceux du milieu furent écrasés par les corps en chute, et ceux qui étaient empilés sur les autres avaient été massacrés ou brûlés.

Fatalement, les nobles principes des samouraïs ont fini par se corrompre, et avec le temps, même leur noble cause perdit tout son sens. Au XVIIe siècle, une bande échevelée de samouraïs indépendants, les *hatamoto-yakko* (serviteurs des shoguns), rendus inutiles par une trop longue période de paix, et incapables de vivre comme tout le monde dans une société ordinaire, se sont donné une nouvelle vocation : non plus servir un seigneur, mais semer le grabuge dans la population. Dans certains cas, ils se comportèrent comme les héros populaires de la légende de Robin des Bois, offrant leurs services à la veuve, au pauvre et à l'orphelin, et partageant leur butin avec les paysans affamés. Mais la plupart du temps, et en dépit de leurs beaux discours sur le sens de l'honneur et le respect du cérémonial, ils furent d'aussi impitoyables exploiteurs que n'importe quel chef de bande de truands.

Cette évolution du samouraï, hier héros de guerre, aujourd'hui sévissant en bandes organisées, a donné des idées aux victimes de ses pillages : on oublie le samouraï, objet de culte, et on s'organise en milices citoyennes ! Et cela a donné le *machi-yokko*. En quelques années, les rôles furent inversés : les *machi-yokko* étaient les nouveaux protecteurs des Japonais ordinaires contre les samouraïs, et tout en échappant à tout cadre juridique, leur notoriété inspira bientôt le respect, voire la déférence – ce qui autorise une comparaison avec la Mafia sicilienne. Une fois les samouraï soumis, les *machi-yokko* sont demeurés les défenseurs du petit peuple, même après que la culture japonaise moderne eut imposé une autorité centralisée et des forces de l'ordre – ce qui d'office faisait des *machi-yokko* des hors-la-loi.

À peu près à la même époque, les diverses filiales des groupes de *machi-yokko* ont commencé à donner à leurs membres le nom de *yakuza*, terme qui vient de leur passion pour le jeu. L'un de leurs jeux préférés, le *hana-fuda* (des cartes représentant des fleurs), se jouait avec trois cartes, dont la pire combinaison imaginable était une main donnant un total de vingt points. *Ya*, en japonais parlé signifie 8, *ku*, 9, et *sa*, 3, pour le total redouté de vingt points. Cela signifiait que les yakuzas étaient les « mauvaises mains » de la société.

Comme l'ont fait les francs-maçons avec la légende des Templiers, les yakuzas ont privilégié une association défendant les valeurs les plus nobles des samouraïs et la pratique consistant à couper une partie de l'auriculaire comme punition qui remonte tout droit à l'ancienne caste des guerriers. Quand il maniait une *katana*, le petit doigt du combattant était celui qui, plus que n'importe quelle autre partie de la main, assurait le meilleur contrôle de l'arme. Un samourai amputé ou blessé au petit doigt était dans une situation de nette infériorité dans la bataille, et il devait compter sur son maître pour le protéger – même chose pour la punition infligée par les patrons yakuzas à leurs membres fautifs.

Couper un petit doigt, le *yubizeum*, est la punition infligée à qui a déplu ou déçu un maître yakuza, ce qui souligne à la fois la faute et le courage du membre. Celui qui a commis l'offense se voit forcé de s'amputer un doigt quand son supérieur lui présente deux articles : un couteau et un bout de tissu pour éponger le sang. Rien n'est dit. Aucun mot n'est nécessaire. L'offenseur ne doit avoir aucun contact avec le groupe tant qu'il n'a pas lui-même procédé à l'amputation, confirmé l'acte, et reçu le pardon du maître.

On reconnaît les yakuzas, outre un petit doigt écourté ou amputé, aux tatouages impressionnants appliqués sur les parties du corps normalement recouvertes par les vêtements de tous les jours ; contrairement à ce qui se pratique en Occident, où chacun choisit ses symboles, les yakuzas se voient recouverts de véritables peintures montrant des dragons, des fleurs, des paysages et des dessins abstraits. Le visage, le cou, les avant-bras, les chevilles et les pieds n'étant pas tatoués, un yakuza nu a l'air de porter un sous-vêtement. L'application méticuleuse des dessins est une affaire de centaines d'heures et de milliers de dollars, mais personne n'est au courant du tatouage, si ce n'est l'éventuel(le) partenaire. On veut ainsi montrer à ceux qui découvrent cet art corporel à la fois la richesse et le courage de l'individu capable de supporter pareilles souffrances – et une telle dépense.

Les Occidentaux qui rencontrent des yakuzas sans savoir à qui ils ont affaire trouvent que ces derniers sont – sans le vouloir – un peu comiques. Ils aiment en effet les vêtements en soie très serrés sur le corps, les chaussures très pointues, des cheveux longs passés à la brillantine et de style pompadour, et un petit air fanfaron qui rappelle davantage « Fonz », le personnage de la comédie télévisée, que les bouchers du genre Vito Genovese et Lepke Buchalter. Mais le cliché du gangster américain s'impose, quand on découvre la préférence affichée des yakuzas pour les voitures Cadillac et Lincoln, surdimensionnées et très ostentatoires au pays des Toyota et des Honda.

Bien que similaire, par sa structure pyramidale classique, à la Mafia/Cosa Nostra, l'organisation des yakuzas apparaît plus complexe, plus stratifiée, peut-être à cause de la relation entre ses membres dite *oyabun-kobun. Oyabun* veut dire « rôle paternel » et *kobun* « rôle filial ». Une loyauté sans faille envers son chef est exigée de chaque yakuza. Un règlement précise : « Quand ton chef dit que le corbeau est blanc, tu dois dire "Il est blanc" », et les subalternes jouant le rôle de fils ne doivent jamais être en désaccord avec l'opinion du « père ». En retour, *l'oyabun* est tenu d'offrir protection et conseil à tous ses « enfants ».

Au sommet de chaque organisation de yakuzas trône le *kumicho*, le chef suprême. Juste sous lui, c'est le *saiko koman*, le doyen de ses conseillers, puis le *so-honbucho*, ou responsable du quartier général. Les *wakagashira* sont des chefs de région à la tête de plusieurs bandes, chacun étant assisté d'un *fuku-honbucho*, qui peut lui-même diriger les activités de plusieurs autres bandes. Les chefs régionaux moins importants sont les *shateigashira*, assistés de *shateigashira-hosa*. On trouve aussi dans chaque famille plusieurs *shatei*, ou jeunes frères, et des *wakashu*, de jeunes leaders.

L'initiation chez les yakuzas est truffée de symboles mais étonnamment passive pour l'aspirant. Ce dernier s'assoit face à son *oyabun*, pendant qu'on lui prépare des verres de saké pour la cérémonie ; on ajoute à la boisson chaude du sel et des écailles de poisson, et l'on remplit le verre des deux hommes. Les verres ont la même dimension, mais celui de l'*oyabun* est toujours plein à ras bord alors que celui de l'aspirant contient moins de saké. L'*oyabun* lève alors son verre et le candidat fait de même. Les deux hommes s'échangent alors leur gobelet, buvant à même celui de l'autre. Ce partage des boissons scelle l'entrée du jeune homme dans le groupe.

Pendant trois cents ans, les yakuzas n'ont pas eu d'impact majeur sur la société, bien que ses membres aient été des acteurs majeurs dans le monde corrompu de la société japonaise des années 1920 et 1930. Au cours des années qui ont suivi la Deuxième Guerre mondiale, cependant, une plus grande liberté et la prospérité générale ont fait bondir spectaculairement le nombre des yakuzas. D'après une estimation récente, il y aurait eu cinq mille deux cents gangs de yakuzas opérant sur tout le territoire japonais, et un grand total de cent quatre-vingt mille membres, c'est-à-dire davantage que les forces armées japonaises à l'époque.

Les pressions policières ont bien sûr réduit l'influence des yakuzas au cours des dernières années, mais ils constituent toujours une puissance à respecter, vu leurs nombreux réseaux dans le monde politique coréen, chinois et même philippin. Ils ont une préférence marquée pour le marché du sexe, en particulier la prostitution des jeunes filles achetées aux familles pauvres de Chine et des Philippines. D'autres jeunes femmes sont attirées au Japon avec des promesses d'emploi bien rémunéré en tant que serveuses, standardistes et modèles. Une fois au Japon, on en fait des strip-teaseuses, puis des prostituées.

Au cours des dernières années, les yakuzas ont diversifié leurs activités, comme la contrebande des drogues et des armes automatiques, même si les narcotiques traditionnels comme l'héroïne et la cocaïne semblent actuellement moins populaires que les méthamphétamines [drogues synthétiques – NDT]. On dit également qu'ils sont très présents dans les casinos à travers le monde, choisissant de préférence les joueurs japonais de Las Vegas, d'Atlantic City, de Monte Carlo et d'ailleurs, à qui ils offrent de prêter de fortes sommes d'argent liquide. Leurs clients fortunés se disent que personne ne va rien leur demander une fois rentrés au Japon, et ils empruntent avidement. S'ils perdent – ce qui arrive bien sûr à la plupart –, ils découvrent une fois revenus dans leur pays que les partenaires yakuzas de leurs prêteurs sont bien décidés à collecter les sommes nécessaires et à un taux d'intérêt littéralement criminel.

Mais leurs activités les plus rentables et la diversification qui a le plus rapporté ont, semble-t-il, rapport au domaine de l'industrie, dont les leaders s'adonnent à une forme typiquement japonaise d'extorsion. Après avoir acheté quelques actions d'une grande compagnie ouverte au grand public, les yakuzas montent un dossier d'informations scandaleuses portant sur les grands dirigeants. Certains d'entre eux ont même parfois été incités à utiliser des drogues ou à fréquenter des prostituées. D'autres pratiques tout aussi exemplaires ont cours, comme les pots-de-vin pour acheter de l'information concernant ceux qui pratiquent l'évasion fiscale, ou des conditions de travail inhumaines dans les usines, ou le non-respect des lois environnementales. Quand on tient un bon dossier d'informations compromettantes, les yakuzas entrent en contact avec les dirigeants du comité exécutif de l'entreprise, mais juste avant la réunion annuelle des actionnaires – et là, ils frappent un grand coup. Un ultimatum. Ou bien les yakuzas reçoivent de fortes compensations en échange de la destruction des preuves, ou bien les *sokaiya* du groupe (leurs représentants) vont dévoiler l'information à l'assemblée des actionnaires. Les *sokaiya* sont choisis pour leur style brutal ; avec leurs cris, ils sont capables de faire taire quiconque veut leur imposer le silence ; quant à leur description des méfaits de la direction, elle se fait en termes colorés et provocants.

Les Japonais sont sensibles aux révélations honteuses ou embarrassantes, et les directeurs généraux sont prêts à payer n'importe quelle somme exigée par les yakuzas. D'après des sources japonaises, cette technique a rapporté des millions de dollars à l'organisation.

Il se peut toutefois que leurs jours de gloire soient comptés. Beaucoup de citoyens refusent de se laisser intimider par les gangsters ; ils sont même arrivés à nettoyer certaines banlieues en dépit des menaces, des passages à tabac et des meurtres. La fissure est aussi présente à l'interne, car à la différence de la Mafia ou de Cosa Nostra, les membres des gangs de yakuzas ne consacrent pas toute leur vie à l'organisation. Plusieurs fiers-à-bras qui s'y sont joints à une époque de leur vie où ils étaient particulièrement manipulables ont choisi de la quitter dans leur trentaine, soit qu'ils aient assuré leurs vieux jours, soit qu'ils aient eu envie d'une existence un peu moins épuisante, comme dans les conseils d'administration. Dans certains cas, ces *drop-out* ont découvert que les techniques de gestion acquises au cours de leurs belles années d'activité comme yakuzas étaient hautement appréciées dans la monde de l'industrie, et, à ce que l'on dit, plusieurs d'entre eux occupent aujourd'hui les suites luxueuses d'entreprises qu'ils ont peut-être ciblées autrefois comme de belles proies pour les *sokaiya*.

Comment ils arrivent à expliquer à leur entourage un petit doigt manquant ou un tatouage de grand style demeure un mystère…

10

LA WICCA

La Grande Déesse et le dieu à cornes

PARTOUT DANS LE MONDE, des sociétés secrètes se déclarent telles de manière à éviter de se voir harceler par des groupes et des individus qui pourraient se sentir menacés par leur existence. Aucun groupe, sans doute, ne fut plus durement persécuté dans l'histoire, en Europe mais aussi ailleurs, que les sorcières. Depuis les débuts du Moyen Âge jusqu'à la Renaissance, des milliers d'inconnus sont morts dans d'horribles circonstances pour avoir été simplement soupçonnés ou faussement accusés de sorcellerie. Sauf exception, les victimes furent des femmes, et dans plusieurs cas, leurs persécuteurs furent des hommes de l'Église du Christ.

On limite souvent au Moyen Âge et à la Réforme la période pendant laquelle on a instruit le procès des sorcières, mais dans les faits, la sorcellerie hante toute l'histoire du christianisme. À l'origine, le terme s'applique à n'importe quel individu pratiquant la magie, et tant les Grecs que les Romains d'avant le christianisme font une distinction entre « magie blanche » et « magie noire ». La première est positive, elle donne par exemple le pouvoir de guérir les maladies ou peut vous porter bonheur, tandis que la deuxième inclut toute pratique mystique pouvant causer du mal à autrui. Les Romains décrétèrent que tout magicien ou sorcier causant la mort de quelqu'un à l'aide de sorts ou de potions serait soumis à la même peine qu'un meurtrier quelconque utilisant l'épée ou le poison, ce qui semblait logique à l'époque.

Dans les faits, la sorcellerie n'était guère plus qu'un sous-produit des religions païennes affirmant que leurs dieux personnifiaient des pouvoirs naturels semblables à ceux des druides. Certaines de ces croyances n'attribuaient pas de pouvoirs à l'ordre végétal, comme le chêne ou le gui révérés par les druides, mais à certains animaux comme le bouc et certains bestiaux, et en Europe tout particulièrement : aux chats. Bon nombre d'expériences magiques de cette époque étaient aussi inoffensives que n'importe quelle pratique spirituelle personnelle. Certains de ces « pratiquants » n'étaient toutefois pas sans remarquer le respect conféré à celui ou celle qui affirmait avoir – avec quelque raison – le pouvoir de jeter un sort ou de mélanger des potions : la crainte engendrée et certains bénéfices assurés par la crédulité du voisinage y contribuaient. Dans pareil climat social, la sorcellerie apparaissait comme un commerce parmi d'autres, tout comme la médecine, dont les succès et les échecs s'apparentaient étrangement à ceux des « sorciers ».

Le christianisme allait tout changer en imposant une nette distinction entre des pratiques mystiques en l'honneur du Dieu des chrétiens et des activités similaires non sanctionnées par l'Église. La version ecclésiastique de la formule « Vous êtes avec nous ou contre nous » a fait que les activités mystiques non sanctionnées furent imputées à Satan, et donc condamnées.

De tous les péchés définis par le christianisme, ceux qui étaient le plus liés au satanisme impliquaient le plus souvent l'acte sexuel, et comme tout le pouvoir dans l'Église était détenu par des hommes souvent tentés par la vue ou l'attitude passive des femmes, toutes les femmes devinrent un jour victimes de la persécution dirigée contre les sorcières. Quel meilleur stratagème, en effet, pour Satan, que de tenter un homme craignant Dieu avec les ruses d'une femme bien en chair?

Les femmes étaient donc l'instrument du diable dans sa croisade pour ravir l'âme des chrétiens – surtout des hommes – et, avec d'autres, ce dernier facteur a justifié des siècles de persécution. On les a pendues, noyées, brûlées, emprisonnées et mutilées, et cela par milliers, au cours des deux derniers millénaires: ce n'était pas l'idéologie, une dissidence religieuse ou une discrimination raciale qui était en cause, c'était le sexe. Et vu cette dominance séculaire des hommes sur les femmes, c'était aussi, au-delà de la sexualité et du pouvoir économique, tout ce qui touchait l'autorité spirituelle.

Et tout en nous montrant tolérants, voire amusés par ceux et celles qui se disent dotés de pouvoirs magiques, il faut bien voir que les chrétiens fondamentalistes, eux, trouvent dans la Bible tout ce qu'il leur faut pour justifier leurs soupçons. « Car la rébellion est le péché de la sorcellerie », lisent-ils dans le premier livre de Samuel (15,23) – ce qui prouve bien que la faute majeure des sorciers est de ne pas obéir aux ordres. Mais que faire d'eux? Les chrétiens invitent alors à lire le livre de l'Exode (22,18): « Tu ne toléreras pas l'existence d'un sorcier... »

Les théologiens modernes peuvent certes débattre de l'interprétation à donner de ces admonitions, mais encore au XIXe siècle, les pays d'Europe et d'Amérique y ont puisé le droit légitime de les brûler, de les pendre ou de les noyer sur la base de comportements *ressemblant* à de la sorcellerie. Dès le début, les oppresseurs de ces milliers de femmes condamnées à travers les siècles furent des hommes, et la première de toutes les accusations portées contre elles fut associée au premier de tous les péchés: l'acte sexuel.

Pire: l'accusation la plus accablante qui pût être portée contre les sorcières dans la mythologie chrétienne a été celle de commettre le péché de la chair avec le diable. Voulant sans doute récompenser ceux qui s'adonnaient à leur vice, Satan, disait-on, accordait à ses partenaires des pouvoirs occultes, comme contrôler les pensées d'autrui, jeter des mauvais sorts et déplacer des objets dans l'espace par le seul pouvoir de la pensée ou du geste.

À travers l'histoire, l'Église catholique romaine a été la principale institution à diaboliser les sorcières, spécialement à partir de 1450, où elle a déterré plusieurs de ses vieilles accusations contre les païens. Confondant allégrement magie, sorcellerie et religions de la terre, comme certaines formes de druidisme, l'Église n'avait qu'un but: convertir les païens au catholicisme. Comme il arrivait souvent, ses méthodes comme ses intentions étaient à la fois maladroites et peu respectueuses des faits. Ainsi, prétendre que les païens «adoraient le diable», c'était oublier – et cela faisait l'affaire de tout le monde – que le diable est une invention judéo-chrétienne. Comment des païens pouvaient-ils «adorer» un être dont ils ne connaissaient pas l'existence?

Mais il en fallait davantage pour décourager les responsables ecclésiastiques. Les sorcières, décidèrent-ils, kidnappent les nouveau-nés, tuent et mangent leurs victimes, font grêler, déclenchent des tempêtes, rendent soudain les chevaux fous, vendent leur âme à Satan (ou en tout cas leur corps, selon toute apparence) et – accusation assez fantastique de la part d'hommes voués au célibat –, non seulement elles provoquent l'impuissance et l'infertilité masculine, mais elles peuvent faire en sorte que les testicules – ultime castration – disparaissent ou s'évanouissent dans l'air…

Même le stéréotype du balai de la sorcière a été lié au sexe. Aux yeux de ses accusateurs, surtout puritains, le manche avait plus à voir avec un godemiché stimulant l'orgasme qu'avec le voyage par la voie des airs. La véritable origine est sans doute moins sexuelle: dans certaines cultures médiévales, les femmes couraient dans les champs à cheval sur un balai pour taquiner le grain et l'inciter à pousser, ou sautaient par-dessus le manche pour l'enjoindre de pousser aussi haut qu'elles sautaient elles-mêmes.

Sur le sujet des sorcières, les protestants n'étaient pas plus ouverts que les catholiques. Dans l'un de ses commentaires sur l'épître de saint Paul aux Galates, Luther écrit: « Je ne devrais ressentir aucune compassion pour ces sorcières; je les brûlerais toutes. » (Il a aussi écrit: « Qu'une femme enceinte, épuisée, finisse par en mourir, laisse indifférent. Qu'elle en meure, elle est faite pour ça! ») Et Calvin rappelle de son côté: « La Bible nous enseigne qu'il y a des sorciers et qu'on doit les tuer [...] La loi divine est une loi universelle. » Quant à John Wesley, fondateur de l'Église méthodiste, il sermonnait quiconque niait la réalité de la sorcellerie. Ce n'était pas seulement la Bible qui s'y opposait, mais aussi la sagesse accumulée « des plus sages de tous les hommes, de toutes les époques et de toutes les nations ».

Théologiens comme psychologues affirment que la vraie raison de la persécution des femmes soupçonnées d'être des sorcières était de renforcer la foi des sceptiques en apaisant leurs propres doutes sur la doctrine chrétienne. Que des femmes puissent se voir conférer des pouvoirs maléfiques par Satan allait prouver qu'il existe bien un monde spirituel, prouvant du même coup l'existence de Dieu. Pas de Satan sans Dieu, *donc* Dieu existe. Un spécialiste commente: « Sans les sorcières, quelques théologiens du Moyen Âge faisaient face à un vrai dilemme: comment, en effet, expliquer les fléaux de la planète? Dans la vision du monde qui était la leur, biblique et préscientifique, l'alternative logique aux sorcières et aux démons comme causes de tous les malheurs était que Dieu n'était pas assez puissant pour empêcher les malheurs d'arriver, ou qu'il n'était pas assez bienveillant pour se mettre à la tâche. »

Souvent dans l'histoire, les religions organisées se sont servies des femmes comme boucs émissaires, pour expliquer les événements ou les problèmes de la vie que les responsables sont incapables d'éclaircir. Les sorcières ne furent pas les seules victimes de cette approche de la divinité, pas plus que les catholiques et les protestants ne furent les seuls groupes à débattre le problème d'un Dieu infiniment bon et tout-puissant régnant sur un monde mauvais. Mais dans toute l'Europe de l'Ouest, de l'an 1000 à 1800, puis aux États-Unis, la Bible fut une commune inspiration: il y avait là, pris à la lettre, les moyens d'éradiquer la sorcellerie. Les méthodes ont différé – les catholiques avaient recours au bûcher, les protestants à la pendaison –, mais les résultats furent identiques.

Il fallait bien sûr des faits pour prouver que les accusées étaient des sorcières, et leurs persécuteurs ont rivalisé d'imagination pour trouver les moyens de les obtenir, le verdict étant presque toujours « coupable ». Ces moyens étaient les suivants.

- Le jugement par l'eau bouillante. On fait bouillir de l'eau dans une vasque profonde, et on demande à l'accusée d'aller chercher au fond soit une pierre, soit un anneau. La main ébouillantée est bandée, et le bandage solidement fixé ; si une seule petite cloque apparaît quand on l'enlève, même pas plus grosse qu'une noix, la femme est déclarée coupable. On conseillait aux accusées, la veille du procès, de prier et de jeûner. Apparemment, la plupart le faisaient. Peu y trouvaient un bénéfice.
- Le jugement par le feu n'est qu'une variante du premier. On demande à l'accusée de marcher pieds nus sur une rangée de socs de charrue chauffés à blanc. Si la malheureuse s'en tire sans brûlures sur la plante des pieds, elle est déclarée innocente.
- Le jugement par la noyade. Nous touchons là le sommet du jeu à somme nulle. On jette l'accusée dans un fleuve ou une rivière et les juges vérifient si elle remonte à la surface. Si la victime coulait à pic et se noyait, elle était déclarée innocente ; si elle arrivait à surnager ou à flotter, elle était déclarée coupable et pendue ou brûlée sur les lieux mêmes de la scène ; il arrivait qu'on la torture, espérant – et l'espoir souvent se réalisait – qu'elle livrerait le nom de complices.
- Le jugement par la croix. L'accusée et l'accusateur sont amenés dans une église durant un office. On oblige alors les deux à tenir les bras étendus à la manière du Christ sur la croix. Le premier qui lâche est considéré comme étant dans le tort.

Les vagues de persécution des sorcières étaient liées aux événements, et notamment aux désastres naturels et aux luttes religieuses intestines. La période comprise entre 1550 et 1650, particulièrement marquée par de violents affrontements entre catholiques et protestants, a vu juger puis exécuter un si grand nombre de « sorcières » en France, en Allemagne et en Suisse, qu'on en a parlé comme de l'« ère des bûchers ». Il a fallu attendre le XVIIe siècle pour qu'un début de tolérance se fasse jour. En 1610, la Hollande a interdit la mise à mort des sorcières, et 1684 fut la dernière année où l'on a exécuté une sorcière en Angleterre. À l'époque des procès de Salem, en Nouvelle-Angleterre, où l'on a vu des dizaines de femmes et une poignée d'hommes être exécutés ou emprisonnés à vie pour cause de sorcellerie, la vague de persécutions en Europe avait commencé à redescendre.

L'effet durable des attaques protestantes et catholiques contre des gens qui avaient choisi d'explorer une spiritualité inspirée de la terre, associée à une forme de satanisme par leurs persécuteurs, fut de pousser le mouvement vers la clandestinité, et beaucoup du savoir et des traditions acquises au cours des siècles a été perdu à jamais, à la suite de la chasse aux adorateurs de Satan décrétée par les évêques. Des pratiques antérieurement jugées ouvertes et libres, comme de reconnaître les bienfaits de la nature, furent conservées, mais au risque, pour leurs auteurs, de se voir torturer et mis à mort de façon effroyable. Le risque n'a pas empêché quelques-uns de continuer à s'y adonner ; d'autres, pourtant innocents, ont connu le même triste destin, à la suite de dénonciations de leurs voisins.

Les croyances à la base de la sorcellerie ont pu survivre parce que ceux qui en observaient scrupuleusement les rituels et s'accrochaient dur comme fer à son credo cultivaient le secret. Leurs descendants au milieu du XXe siècle se sont fait connaître comme membres de la Wicca, terme plus moderne choisi par les fondateurs pour se distinguer de leurs ancêtres persécutés.

En tant que système de pensée relativement cohérent, la Wicca puise ses origines à la fois dans la modernité et dans des époques plus reculées. Très répandue, par exemple, est la détestation particulièrement virulente de ses membres pour certaines pratiques des industries, comme la destruction des forêts tropicales et des régions sauvages, l'extermination des espèces menacées et une consommation vorace des ressources limitées. Révoltés, surgissant un peu partout, divers mouvements d'appellations différentes s'en réclament et recrutent beaucoup, particulièrement chez les jeunes. Mus par un sentiment d'urgence – il faut protéger l'environnement et assumer nos responsabilités –, plusieurs militants zélés ont franchi le pas, endossant plusieurs des croyances de l'organisation Wicca.

L'autre puissant courant derrière la réémergence de la Wicca est le retour en force du shamanisme, qui est précisément l'ancêtre de la sorcellerie et qui remonte à l'ère préchrétienne. « Shaman » vient peut-être du mot sibérien signifiant « celui (ou celle) qui sait », encore que l'on retrouve la notion de l'homme du village ou de tribu sachant guérir les maladies ou servir de guide spirituel dans pratiquement toutes les religions. Se faire shaman était un moyen pour les femmes vivant dans une société essentiellement mâle d'acquérir un statut social, pratique qui a peut-être influencé la Wicca, laquelle se vante d'ailleurs de compter en son sein plus de femmes que d'hommes. La littérature grecque classique reconnaît des rites et pratiques relevant du shamanisme au cours de la première époque hellénique, et certains chefs spirituels romains vont plus tard les adopter. Pendant des millénaires, le bouddhisme tibétain est apparu comme intrinsèquement lié aux croyances du shamanisme, et toutes les nations amérindiennes des Amériques, depuis les Inuits de l'Arctique jusqu'aux tribus de la Patagonie, ont eu des pratiques qui n'en sont que des variantes.

Là comme partout ailleurs, et sous l'impulsion des conquistadors, les zélotes chrétiens ont eu un effet dévastateur sur le shamanisme. Les prêtres et les missionnaires catholiques ont dénoncé les shamans comme adorateurs de Satan, et ils les ont tués par milliers. Bien que ces massacres aient été principalement perpétrés entre les XVIe et XIXe siècles, on a vu encore récemment – pratique apparemment banale dans les années 1970 – des missionnaires débarqués en Amazonie mutiler de vieilles inscriptions gravées dans la pierre représentant des légendes ou des croyances du shamanisme.

La situation n'était pas plus rose au nord, où les shamans amérindiens se voyaient qualifier de sorciers guérisseurs (*witch doctor*), et où l'on s'entendait à ridiculiser leurs prétentions à guérir des maladies à l'aide de plantes. Les chercheurs ont découvert plus tard que beaucoup de traitements universellement répandus, comme le fait de mâcher de l'écorce de saule pour soigner le mal de tête et la fièvre, étaient scientifiquement fondés ; le saule est en effet une source naturelle d'acide salicylique [antiseptique bactéricide – NDT], premier composant de l'aspirine. C'est seulement après une réévaluation mondiale, très favorable d'ailleurs, des pratiques shamaniques que les shamans ont retrouvé le respect d'autres cultures. Et une fois leurs enseignements bien assimilés et intégrés au souci environnemental grandissant, la Wicca a remis en application les quelques principes de base qui avaient échappé à mille ans de persécution.

Mais les vieux réflexes tiennent bon. Le monde « civilisé » dans son ensemble demeure hostile au mouvement Wicca, pour des motifs religieux ou moraux ; l'on craint aussi ses idées jugées séditieuses, son sens aigu du secret, ou tout simplement l'anticonformisme de ses adhérents. Avec le résultat qu'au XXe siècle le mouvement Wicca est demeuré mystérieux et a toujours été redouté ; obnubilés par des images de mauvais sorts et de sorcières jacassantes, certains l'ont considéré comme une société secrète.

« Wicca » vient du terme médiéval *wicce*, signifiant « plier, se plier », mais la plupart des dictionnaires associent plutôt « Wicca » à « sorcière »[1]. L'étymologie suggère ici que la pratique a peut-être voulu se plier (!) aux besoins du praticien. C'est exactement le

1. Lien étymologique seulement possible en anglais : « wicca and witchcraft » (NDT).

contraire de ce qu'enseigne toute doctrine religieuse comportant des dogmes. Dans les faits, le cœur de la doctrine morale wicca, appelée *Règle de Wicca*, est « *Ne fais de mal à personne, et fais ce que tu veux* », qui est l'écho lointain de la règle d'or judéo-chrétienne. Cette souplesse morale inquiète les religions officielles, qui y voient une éthique opportuniste, véritable abomination pour ceux qui prêchent des codes éthiques rigides inspirés des dix commandements ou du Coran. Comment, demandent-ils, pareille souplesse ou flexibilité peut-elle amener une conduite morale ferme ? Les adeptes de la Wicca répondentqu'il faut suivre la règle de Trois.

Cette dernière, liée à la *Règle de Wicca*, constitue le fondement de la morale des membres de la Wicca. Suivant cette règle, toute l'énergie déployée par un individu lui est retournée multipliée par trois, ce qui n'est pas sans faire penser à une interprétation mystique de la loi de Newton action/réaction. Ainsi, toute énergie positive allant dans le sens de la guérison – l'amour, les prières pour obtenir la santé ou le succès d'une entreprise – revient à l'émetteur trois fois plus forte. Il en va de même pour l'énergie négative qui, sous une forme ou une autre, a des effets trois fois plus néfastes sur celui qui l'avait dirigée contre sa cible.

La Wicca est-elle une religion ? Peut-être. Ses adeptes parlent de « religion païenne », ce qui pour plusieurs évoque la bonne vieille quadrature du cercle. D'autres membres parlent d'une « célébration positive personnelle de la vie », ce que beaucoup de gens souhaiteraient voir se refléter dans les objectifs et les pratiques des religions traditionnelles.

Toutes les religions révèrent une entité suprême quelconque, et à cet égard, la Wicca répond à la définition : elle n'adore pas un, mais deux dieux. La divinité principale est appelée, tout simplement, la Grande Déesse, bien que cette dernière englobe des divinités parallèles ou secondaires comme la Terre Mère, la Dame de la Lune et la Déesse de l'Étoile. On parle parfois de la Reine du Monde d'en bas, ou de la Triple Déesse. Surgissent ici trois personnages :

la Vierge, l'Épouse et la Vieille [Sorcière]– si l'on préfère : la jeune fille, la mère et la vieille bique.

En tant que Vierge, elle est la créatrice, l'inspiratrice et l'éternelle compagne virginale du dieu à tête de bouc Pan, ce qui n'est pas sans soulever de sérieuses questions sur le type de relation qu'ils entretiennent. Dans la légende Wicca, elle est l'amour universel, mais elle n'est liée à personne par le lien du mariage, et sa couleur sacrée est le blanc. Elle correspond au premier décan de la lune, et Vénus fait figure d'étoile du matin et d'étoile du Berger (du soir). La description n'est pas évoquer à la Vierge Marie, mais les adeptes de la Wicca rétorquent que cette grande figure a existé bien avant le christianisme. Et bien sûr, ce ne serait pas la première fois qu'une religion emprunterait à une autre qui l'a précédée.

Puis l'Épouse ou la Femme mariée. Cette autre facette de la Grande Déesse découle directement de son rôle de Protectrice. Elle est la déesse des troupeaux, la Dame de l'amour, de la fécondité et de la fertilité, représentée par la pleine lune et les champs où paissent les troupeaux et poussent les plantes gorgées de sève. La couleur sacrée de l'Épouse est le rouge.

Enfin, troisième et dernier rôle de la Grande Déesse : elle devient la Sorcière exterminatrice, la Déesse de la nuit et du monde d'en bas, des caves et des cimetières. L'âme chaleureuse et imprévisible de Wicca devient alors sombre et sinistre. La Sorcière exterminatrice est la truie qui dévore ses petits, l'une des actrices principales du cycle de la mort et de la dégénérescence, mais qui va en dernière instance redonner la vie. Pour parler de la Sorcière exterminatrice, les adeptes de la Wicca évoquent le dernier décan de la lune, un point de passage, à minuit, fait d'ombres et de silence. Sa couleur sacrée est bien entendu le noir.

La Grande Déesse a un partenaire : le Dieu à cornes. Rien que l'appellation fait dire aux religions traditionnelles qu'il s'agit là de Satan ou d'un Satyre. Le Dieu cornu est nettement associé à une activité sexuelle débordante et extraconjugale, mais les enseignements de la Wicca lui donnent des noms variés et parallèles, comme (l'ancien) Dieu de la fertilité, Seigneur de la vie, Géniteur, et plus précisément l'Époux à cornes de la Grande Déesse. Au-delà, les titres deviennent plus flous et plus complexes. Le Dieu à cornes est à la fois le chasseur et le chassé, Seigneur de la lumière et Seigneur de l'ombre, soleil diurne et nocturne.

C'est ici que l'origine païenne de la Wicca ressort plus clairement. Le destin du Dieu à cornes est de mourir avec les moissons, d'être mis en terre et de devenir semence, et de ressusciter au printemps dans le sein de la Terre-Mère. À l'instar des dieux des religions et traditions préchrétiennes, on le représente souvent avec les cornes du taureau, du bouc, du bélier ou du cerf, ce qui achève de convaincre les critiques qu'il s'agit bien de Satan, quoi que dise la Wicca sur le rôle du démon dans sa doctrine.

Le lien supposé avec le diable et quelques-unes des pratiques héritées du shamanisme renvoient à des siècles de préjugés et de persécutions qui ont débuté bien avant l'« ère des bûchers ». Comme les shamans, les adeptes de la Wicca cherchent à transcender le monde physique et à entrer dans un monde psychique parallèle en utilisant des outils et des méthodes inconnus des gens ordinaires. Pour eux, la transition se réalisera grâce à des états de conscience alternatifs, et les outils pour y accéder sont, eux, familiers à tous. Il s'agit du jeûne, de la soif, de la concentration, des hallucinogènes et des souffrances physiques auto-infligées. Les effets psychédéliques sont accrus quand on accompagne ces pratiques de roulements de tambour, de bruits de crécelle, de musique, de chants et de danses exécutés le plus souvent dans l'obscurité mais en y ajoutant la lueur tremblotante d'une flamme.

Ces techniques sont utilisées dans les cérémonies de n'importe quelle tribu indigène partout dans le monde, ce qui conforte le scepticisme des critiques, pour qui la Wicca n'est qu'une version blanche et anglo-saxonne des danses guerrières auxquelles nous ont habitués bon nombre de vieux films sur les Amérindiens d'Amérique du Nord – ou de purs clichés raciaux importés des tribus primitives africaines. C'est oublier que toutes les grandes religions, prétendument portées par des valeurs plus intellectuelles et spirituelles, ont elles aussi mis au point des rituels tout aussi mystiques, au cours de l'histoire. L'Église catholique, par exemple, change « magiquement » du pain sans levain en chair et du vin en sang en s'aidant de la fumée de l'encens, d'une musique émouvante et de bouts de phrases répétés à l'unisson (et pendant des siècles, de chants grégoriens) – et l'objectif est le même. De même pour la communion, qui est une métaphore, mais qui vise les mêmes buts.

Les adeptes de la Wicca n'utilisent plus la souffrance comme moyen d'accéder au monde psychique, et la plupart d'entre eux s'opposent à l'utilisation des hallucinogènes. Mais la Wicca demeure vulnérable, stigmatisée comme elle l'est par des gens qui la ramènent à l'adoration du diable, aux orgies rituelles et aux divers stupéfiants. C'est ce qui fait que plusieurs de ses membres, hommes et femmes, tiennent secret leur appartenance au mouvement, par peur du ridicule, de l'intimidation, parfois d'un congédiement – et, dans les couples, par peur de perdre son conjoint ou le droit de garde des enfants. (faisant montre d'un humour grinçant, certains membres de la Wicca décrivent l'éventuel aveu public de leurs croyances en ces termes : « C'est comme si on sortait tout droit de l'armoire à balais... ») Comme nous l'avons vu auparavant, le secret encourage la suspicion, qui vient renforcer ce dernier.

Même si la Wicca peut être considérée comme la plus libérale et la moins réglementée des sociétés secrètes, elle soumet ses membres à une forme d'initiation qui a évolué au cours des siècles. Le rituel prévoit à l'occasion la présence d'un groupe de sorciers ou sorcières, mais les postulants peuvent aussi décider de s'initier eux-mêmes en concluant un engagement personnel. Dans le jargon psychologique de notre époque, on parle du « contrat avec soi », par lequel le postulant détermine d'abord le chemin qu'il ou elle entend suivre, et une fois faite la promesse de s'y engager, se déclare lui-même (ou elle-même) fils ou fille de la foi Wicca, puis jure de se plier à la *Règle de Wicca*, et de veiller à sa croissance spirituelle.

La comparution devant un groupe de sorciers ou de sorcières peut comporter un rituel plus complexe, voire une période d'attente, souvent « un an et un jour », avant que ne soit officialisée l'appartenance au groupe. Les « juges » peuvent aussi distinguer plusieurs niveaux ou statuts au sein du mouvement, chacun correspondant à un niveau déterminé de compétence, d'expérience ou d'initiation. Ces niveaux ou degrés peuvent impliquer des rituels sacramentaux liés à des attentes et à des obligations précises.

Le concept de « sorcier » déclenche toujours dans l'esprit des gens peu familiers avec la Wicca, des images de femmes toutes habillées de noir en train de remuer une soupe bouillonnante un soir de pleine lune, un peu comme dans *Macbeth*. Ou,dans un décor plus moderne, en train de danser nues dans la forêt. Macbeth est une fiction de part en part, mais il peut y avoir une part de vérité dans les scènes de nudité de la Wicca actuelle.

Quelques membres préfèrent les rituels où ils sont « revêtus de la lueur nocturne », qui leur permettent de se dépouiller de leurs vêtements pour dire leur fierté du corps que les dieux leur ont donné. Ils peuvent s'y adonner seuls ou en présence du groupe de sorciers/sorcières, car comme pour presque tout ce qui est associé à la Wicca, la décision finale revient à l'individu. Certains membres ont ainsi choisi de porter des vêtements confectionnés pour un rite donné, spécialement lors des festivals ou à l'occasion de certaines cérémonies sacramentelles plus formelles. Et nous allons le voir bientôt, « le vêtement par la lueur nocturne » a peut-être plus à voir avec le voyeurisme du mâle moyen du XXe siècle qu'avec des traditions païennes.

L'une des activités les plus courantes pour les membres de la Wicca consiste à projeter le « Cercle Magike » [*sic*][2], vu comme une sphère les coupant du reste du monde et de ses forces négatives. Cette sphère passe au-dessus d'eux et sous la terre ou le plancher, et

2. Dans ce contexte précis, on attribue à Aleister Crowley la graphie « magike » (« magickal »).

présente donc un problème pour les membres de la Wicca habitant un appartement moderne, puisque le cercle au diamètre approprié pourrait déborder chez les voisins du haut et du bas. Les membres qui habitent des tours d'habitation se voient donc inviter à tracer leur cercle la nuit, au moment où les voisins endormis ne risquent pas de traverser le « Cercle Magike ».

Un Cercle Magike inclut quatre tours de garde, une par quadrant, et chacun représente l'un des quatre éléments : terre, air, feu et eau. La terre est au nord et elle structure toute la vie. En tant qu'élément lourd et sombre, elle est Mère, source de toute vie, et notre destination finale. De l'air, les membres de la Wicca tirent le souffle vital et la brise rafraîchissante du changement ; il est au point le plus à l'est du cercle, là où le soleil se lève. L'air est un attribut masculin : il est clarté de l'esprit, vérité et expression consciente de la vérité.

Au point le plus au sud du cercle : le feu, l'énergie vitale, le soleil à son zénith, au plus chaud de l'été. C'est aussi une vertu masculine, fournissant à la terre l'énergie nécessaire, donnant des moissons généreuses ; pour les membres de la Wicca, il est source de courage, de passion, de conviction. Mais un manque de respect à son endroit déclenche colère et hostilité.

L'eau est le ventre de la Terre-Mère, gardienne du quadrant occidental du Cercle Magike. C'est là où le soleil se couche et où l'âme rejoint le monde invisible. L'eau correspond à la lune, dont les effets sur les marées sont ainsi reconnus. C'est un élément intuitif capable de brouiller la pure rationalité de l'air, et les membres de la Wicca s'en remettent à l'eau pour la purification, la sensibilité, la compassion et l'amour.

La technique du Cercle Magike fait penser à celle, un peu naïve, utilisée par Harry Potter. Tout se passe en fait dans l'imaginaire personnel de l'individu qui, lorsqu'il trace un cercle pour son usage personnel, n'a besoin que d'entourer son propre corps. Le procédé semble varier avec les personnes, mais les éléments les plus récurrents sont les suivants.

1. Le lieu où l'on trace le cercle peut être aussi bien un édifice en hauteur situé en pleine ville qu'une clairière luxuriante au beau milieu de la forêt ou de la jungle. L'endroit importe peu.
2. Le premier geste à faire consiste à nettoyer l'emplacement. On le bénit, soit en passant le balai ou la vadrouille, soit en faisant du vacarme pour chasser les ondes mauvaises (à éviter dans un appartement, surtout en pleine nuit !).
3. Le membre seul se tient au milieu du cercle ; s'ils sont trois ou plus à former le cercle, ils se placent de manière à s'adosser à la circonférence. Après un moment de relaxation pour bien sentir monter les énergies venues de la Terre, ils se tournent face à l'une des tours de garde, saisissant d'une main toute l'énergie spéciale qui s'en dégage, tout en appelant de l'autre main celle qui est descendue du ciel.
4. Des deux mains, ils appliquent l'énergie accumulée à la sphère imaginaire qui les englobe, répétant l'opération pour chacune des trois autres tours. Chaque application érige les murs de la sphère, les rends plus massifs et plus protecteurs.
5. Lorsque les membres de la Wicca sentent que la sphère invisible est stabilisée, ils mettent un terme à l'érection du mur. La sphère peut alors être perçue de différentes façons – jeu de couleurs, air plus dense, mur d'énergie électrique ou simplement mélodie fredonnée à voix très basse.
6. Si l'un des membres doit quitter le cercle avant la fin du rituel, ils doivent se tailler avec leurs mains un « passage » à travers les « murs », tenant les doigts bien droits et dessinant un espace rectangulaire qu'il franchit d'un pas, en prenant bien soin de refermer la « porte » derrière lui. Une fois de retour, il ouvre la « porte », la referme doucement et en « polit » le contour avec la main.
7. À l'intérieur du cercle, les membres sentent une nette baisse de la température ; pratiquer une « ouverture » crée un appel d'air froid, indiquant des énergies négatives.

Le cercle assure à ses membres un lieu sûr et confortable pour effectuer des changements en faisant converger leurs pouvoirs naturels – changements en eux-mêmes, chez leurs proches et dans le monde en général. Le changement doit toutefois être positif ; la Wicca interdit l'usage des pouvoirs magiques pour faire du mal à autrui.

Descendante directe du shamanisme et de son culte de la nature, la Wicca fait reposer beaucoup de ses croyances et coutumes sur les cycles vitaux, la lune, et particulièrement les saisons, scandées de huit jours fériés de « sabbats » au cours de la « roue de l'année ». Les sabbats principaux ou majeurs coïncident en gros avec les équinoxes du soleil, les autres avec les jours marquant le franchissement d'un « quartier », ce qui se produit le premier jour de février, de mai, d'août et de novembre, ou peu de temps avant ou après. Les sabbats incluent les jours suivants [la liste des noms qui suit comporte entre parenthèses des mots anglais qui, liés à d'autres *sons*, rendent le mot d'origine celte en partie compréhensible pour le lecteur anglophone, mais totalement intraduisibles en français, voire a-signifiants. On les laisse donc tels quels. NDT].

Imbolg (im-molg), aussi connue sous le nom de Chandeleur, fêtée le 2 février pour souligner les premiers bourgeonnements du printemps et le retour de la lumière dans le monde.

Ostara (oh-star-ah), ou l'équinoxe de printemps, le 21 ou le 22 mars, moment où la nuit et le jour ont une durée égale, la lumière prenant le pas sur l'obscurité.

Beltane (bell-tane) le 1er mai, début de l'été chez les Celtes (Beltane vient du gaélique « Bel-fire »). Le jour de Beltane, on allumait les feux pour fêter le retour de la vie et de la fertilité ; d'autres cultures y voient aussi une occasion de célébrer un événement. Le lien avec la fertilité s'établit pour tous les couples d'amoureux qui se forment ce jour-là.

Litha (lee-tha) ou le solstice d'été ; il salue le don que nous fait le soleil de sa chaleur, de sa lumière et de la vie.

Lammas ou *Lughnasadh* (loon-na-sah), le 1er août, pour tout le monde, le signal de la moisson et des préparatifs de l'hiver. Lughnasadh vient du nom celte Lug, un guerrier qui a épargné la vie de son ennemi en échange du secret de la prospérité agricole. C'est là le premier des quatre sabbats liés aux récoltes.

Mabon (may-ben), l'équinoxe d'automne, le 21 ou le 22 septembre, jour de fête, durée égale de la nuit et du jour, mais cette fois la nuit se rend maître du jour. C'est aussi l'époque de la deuxième récolte.

Samhain (sow-in). Le 31 octobre, jour capital en ce qu'il marque, entre autres choses, le début de l'année wicca. Le mot vient une fois encore du gaélique *samhuuinn*, signifiant « fin de l'été ». Les chrétiens ont changé Samhain en Hallowmas, ou jour de la Toussaint, visant à honorer les âmes des défunts canonisés cette année-là, et la nuit précédant Hallowmas fut appelée Halloween, veille de tous les saints, ou Hollantide. Le jour de Samhain, principal sabbat de la Wicca, le voile séparant le monde matériel du monde spirituel est à son plus fin ; c'est le moment choisi par les esprits de nos chers défunts pour se réunir autour des feux de Samhain, de se réchauffer et d'exprimer leur amour pour leurs proches.

Yule (Yool) le solstice d'hiver, le 21 ou 22 décembre, la nuit la plus longue de l'année, qui nous rappelle que les dieux doivent renaître pour ramener lumière et chaleur à notre terre.

Les bienfaits de la Wicca se font le plus sentir dans l'esprit de ses adeptes, qui auraient raison d'ajouter que cela n'enlève rien à son pouvoir. Mais comme on l'a vu avec la Rose-Croix, la Kabbale moderne et le Prieuré de Sion, les faits réels de l'histoire du mouvement et plusieurs de ses « vieux » mythes laissent perplexes. Dans ce cas-ci, il demeure au moins un fait qui alimente le scepticisme à l'endroit de la Wicca moderne, et c'est le suivant.

Rappelons-nous les horribles procès instruits contre les sorcières à l'ère des bûchers, particulièrement ceux menés par l'Inquisition et au moment où les tortures se faisaient les plus atroces. L'Église catholique a une réputation pour la consignation méthodique des choses : les séances de tortures infligées aux sorcières sont racontées dans le détail. Chaque déclaration de l'accusée, et même tous ses gémissements ou cris de douleur ont été consciencieusement notés sur le papier. Peur ou angoisse, sous la torture, elle reconnaissait n'importe quel méfait. Sa confession faisait parfois état des rapports sexuels avec le diable, des sorts qu'elle avait jetés sur des âmes innocentes, des bouleversements du climat, ouragans ou sécheresses, de sa transformation en chat et en d'autres formes animales, bref de n'importe quel crime contre nature venant à l'esprit des inquisiteurs qui exigeaient des aveux.

Or, nulle part encore on n'a vu des « sorcières » évoquer une certaine Grande Déesse ou un Dieu à cornes. Aucune des transcriptions ne fait état de cercle magique ou de fêtes données à l'occasion de sabbats. Il est difficile de croire qu'aucune des milliers de sorcières soumises à la question n'ait jamais entendu parler de ces rituels ou que toutes aient été trop faibles pour en parler. Faut-il penser alors qu'aucune sorcière n'a jamais été arrêtée par l'Inquisition, et que ces tortionnaires n'ont jamais eu l'occasion de les interroger sur les vraies racines du mal qu'ils tentaient d'éradiquer ?

L'on peut par contre juger plausible l'idée que les « anciens » principes ne sont pas si anciens que cela, et que nous n'avons affaire qu'à une invention moderne jaillie de l'esprit de gens recherchant gloire, richesse et satisfaction sexuelle sur la base de connaissances prétendues secrètes ou anciennes. S'il s'agit de cela, nous tenons ici deux suspects à la réputation louche.

L'un s'appelle Aleister Crowley, qui s'est servi de l'occultisme pour enfreindre tout précepte moral se mettant en travers de son existence débridée. Peu avant sa mort, à Hastings, vivant presque comme un mendiant, il reçut la visite d'un dénommé Gérald Brosseau Gardner. Intrigué par la prétention de Crowley qui disait posséder des pouvoirs occultes, Gardner fut aussitôt initié à l'Ordre hermétique de l'aube d'or et à l'Ordre maçonnique du Temple de l'Orient (OTO). En tant que membre d'honneur de ces organisations, il a maintes fois été mis en contact avec Crowley avant sa mort, survenue en 1947. Peu après le décès de ce dernier, Gardner déclara avoir été fait Grand Maître de l'OTO et devoir assumer sa destinée, qui était de prendre la place de Crowley comme chef de tous les mouvements occultes dans le monde anglo-saxon.

À plusieurs égards, Gardner paraissait être doué pour la fonction. Né en 1884 d'une famille britannique de la haute société, il avait passé plusieurs années de sa jeunesse en Méditerranée et au Moyen-Orient, et tout jeune homme encore, il avait vécu à Ceylan (le Sri Lanka), à Bornéo, à Singapour et en Malaisie, s'intéressant à chaque étape aux questions de l'occultisme. Il avait fait partie de plusieurs organisations, notamment des Rosicruciens, et d'un groupe anglais se faisant appeler le Rite des Mystères Égyptiens.

Vers 1930, Gardner s'est marié et s'est installé en Angleterre, devenue passionné de naturisme. Il a commencé à écrire, faisant publier deux ou trois récits « romanesques », puis, en 1954, *La Sorcellerie de nos jours*, l'œuvre de sa vie et premier ouvrage moderne à faire état de la Wicca. Intéressante coïncidence : le livre a été publié à peine trois ans après que l'Angleterre eut aboli la loi interdisant la pratique de la sorcellerie, et son contenu est très révélateur. S'appuyant sur l'œuvre de Margaret Murray, une occultiste qui, dans *Le Dieu des Sorcières*, ouvrage paru en 1933, définissait la sorcellerie comme une religion païenne antérieure au christianisme, le livre de Gardner a lancé l'idée de la Grande Déesse et du Dieu à cornes. C'est aussi le premier ouvrage où apparaît le terme de Wicca (Gardner épelait « Wica ») pour identifier le mouvement.

Succès immédiat de librairie, qui rendit l'auteur célèbre (et qui cultiva une apparence vaguement satanique, avec moustache de bouc et cheveux ébouriffés…). Il publia un deuxième ouvrage, *Le Sens de la sorcellerie*, en 1959, prétendant qu'un « cône de pouvoir » suscité par des sorcières indigènes avait sauvé l'Angleterre d'une invasion des nazis durant la Deuxième Guerre mondiale. Forcé de préciser sa pensée, Gardner est resté très vague. « Fut accompli, expliqua-t-il, ce qui ne peut être accompli que dans des circonstances extrêmes. » Et « une énergie suprême fut déployée, dont je n'ai pas le droit de vous parler. Mais pour le faire, il faut l'énergie accumulée de toute une existence. »

Peut-être que non. Gardner lui-même a noté que « les sorcières ont l'art de se payer votre tête ; ces techniques font partie de leur vieux savoir-faire ». Lui-même se payait notre tête ou fraudait carrément quand il déclarait avoir obtenu un doctorat de l'Université de Singapour, obtenu en 1934 – une enquête sur ses antécédents avait révélé que 1934, c'était plusieurs années avant même la fondation de ladite université. Son doctorat en littérature de l'Université de Toulouse en a fait douter plusieurs, personne, dans cette ville, n'ayant connu ou n'ayant aperçu le dénommé Gardner sur les bancs de l'université.

D'autres drapeaux rouges sont apparus. Outre l'occultisme en général, Gardner s'est montré particulièrement affamé dans le domaine pudiquement appelé par ses disciples l'« épanouissement charnel », des excès répétés en la matière menant peut-être au développement de la spiritualité. L'une des règles de Gardner appliquée à ses adhérents de sexe féminin, « revêtus de la seule lueur nocturne », était qu'il devait participer aux divers rituels, mais à courte distance, sans doute davantage pour se rincer l'œil que pour favoriser la communication des sorcières. Il était aussi partisan du Grand Rite, où Gardner lui-même, étendu sur une table de métal, avait un rapport sexuel avec la Grande Prêtresse choisie parmi les femmes de l'assemblée des sorcières. Si aucune ne se portait volontaire, Gardner, esprit pratique, s'offrait les services d'une prostituée.

Il est mort en 1964. En moins de quelques années, son mouvement, peut-être voulu par son fondateur moins comme un moyen de progrès spirituel que comme un moyen de se livrer à la débauche, a connu en Amérique du Nord une ascension foudroyante coïncidant avec l'immense succès des expériences psychédéliques et de la

« morale » hippie. Leurs descendants de la fin des années 1970, un peu refroidis, ont infusé dans la Wicca une forte dose de néopuritanisme modéré : son caractère amène, quasi narcissique, a trouvé à s'exprimer dans des scènes où des nymphes angéliques revêtues de longues robes diaphanes dansaient à la lueur de la lune et sur les rives de cours d'eau étincelant sous le ciel étoilé…

La Wicca demeure une organisation secrète, car ses adhérents redoutent d'être tournés en ridicule ou simplement ostracisés par les bien-pensants. Il est donc difficile d'évaluer le nombre de membres qui s'adonnent à la pratique du Cercle Magike ou qui font partie de clubs de sorciers/sorcières. Leurs activités peuvent apporter satisfaction à des gens qui sont en quête de progrès spirituel ou de paix intérieure, et qui sont incapables de se les procurer ailleurs, mais leur prétention à se dire la source d'une sagesse et de mystères remontant à des temps anciens demeure pour le moins contestable.

11

LES SKULL AND BONES

Les dirigeants secrets des États-Unis

La plupart des sociétés secrètes sont soit des associations fraternelles aux rituels compliqués, soit des groupes criminels dont les activités pourraient être réduites si les forces de l'ordre s'en occupaient vraiment.

L'une d'entre elles cependant exerce une influence sur la vie d'à peu près tout le monde sur la planète, et elle atteint ses fins non par l'intermédiaire d'une organisation fortement structurée, mais par une association de jeunes gens de bonnes familles inscrits à une prestigieuse université. Son existence est connue de tous, son histoire est liée aux traditions maçonniques et aux objectifs des Illuminati, ses pratiques demeurent obscures, et bon nombre de ses activités sont suspectes. Elle s'appelle Skull and Bones (« Crâne et os » ou « Tête de Mort ») et est une pépinière de leaders américains dont certains ont acquis un pouvoir et une notoriété sans commune mesure avec le nombre de membres, et qui entretiennent entre eux des liens étroits pendant toute leur carrière, donnant à leur association toutes les apparences d'une cabale – et peut-être de beaucoup plus que cela.

Officiellement, Skull and Bones a son siège dans un immeuble sans fenêtre qui ressemble beaucoup à un mausolée et qui est situé sur le campus de l'Université Yale. Connu sous le nom de la Tombe, le bâtiment de grès brun fut construit en 1856, et il est encore de nos jours le lieu de réunion du groupe tous les jeudis et dimanches soir. Seuls quinze nouveaux membres sont choisis chaque année parmi les élèves de première année pour faire partie de l'association, une fois arrivés à leur dernière année d'études. Cette présélection a une signification importante : l'organisation s'intéresse non à leur bref passage à l'université, mais à leurs futures activités dans le monde extérieur. Si les autres fraternités voient les jeunes s'éclater dans les activités courantes – virées dans les bars et coups pendables – les membres de Skull and Bones s'adonnent à de plus solides nourritures, tel l'exercice d'un pouvoir global.

Les Skull and Bones font profession de détester tout le monde extérieur – en tout cas, tous les intrus du campus de Yale. Les non-membres qui s'informent de leur action ou de leur nombre sont ouvertement qualifiés par eux d'« étrangers », voire de « vandales ». Les membres, quant à eux, doivent nier toute appartenance à l'organisation ; si le nom du groupe est mentionné en public, ils doivent quitter les lieux sans faire de commentaires. De nombreuses informations nous ont toutefois été transmises sur ses membres et ses rituels au cours des cent soixante et quelques années de son existence, et elles suffisent amplement à nourrir les spéculations les plus folles sur ses buts et son influence véritable. Bien que tout, chez eux, prenne des airs de sérieux, certaines de leurs pratiques, et en particulier les rites initiatiques, seront familières aux amateurs du film *Animal House*, mais leur paraîtront plus troublantes.

En 1876, bien avant que les Skull and Bones ne soulèvent l'inquiétude grandissante des observateurs, une poignée d'étudiants de Yale se faisant appeler l'Ordre de la Lime et de la Griffe est entrée par effraction dans la Tombe, dont ils donnèrent par la suite une description enthousiaste. On aurait dit un club pour adolescents du XIXe siècle plutôt qu'une salle de réunion des futurs maîtres du monde. Sa description la plus évocatrice parlait d'un espace clos appelé Salon 323, où

> Sur le mur situé à l'ouest, parmi d'autres images, figurait une ancienne gravure représentant une voûte funéraire ouverte, où, sur une plaque de pierre, l'on avait déposé quatre crânes humains les uns près des autres, à travers d'autres objets comme une marotte de bouffon, un livre ouvert, plusieurs instruments de mesure, une poche de mendiant, et une couronne royale. Sur le plafond en voûte, quelques mots d'explication en lettres romaines : « Wer war der Thor, wer Weiser, wer Bettler oder Kaiser ? » Et sous la voûte, ces mots gravés dans la pierre : « Ob Arm, ob Reich, im Tode Gleich. » (Qui était le fou, le sage, le mendiant ou le roi ? Riche ou pauvre, dans la mort, tout revient au même.)

Un siècle plus tard, l'amie d'un initié (franchement mal choisie pour faire partie d'une société secrète) a tout raconté : sa visite de la Tombe, et son souvenir le plus vivace : un mur entier recouvert de d'immatriculation. Toutes les plaques portaient le numéro 322, l'année de la mort du célèbre orateur grec Démosthène, en 322 avant Jésus-Christ, devenue l'année mythique où, paraît-il, avait été fondé le groupe des Skull and Bones. Les membres étaient obligés de « confisquer » toute plaque minéralogique portant le numéro 322, et de la rapporter dans la Tombe où elle allait figurer en bonne place.

Comme des actes de vandalisme autrement plus graves ont été commis par des étudiants d'universités moins prestigieuses que Yale, on dira : « Peccadille ! » On peut toutefois s'interroger sur les cas similaires de « confiscation » de plaques par des jeunes venant de quartiers moins favorisés, socialement moins privilégiés vu leurs ascendants modestes, et qui étaient traduits devant un juge ou un procureur diplômé de Yale et faisant partie des Skull and Bones. Question : le délinquant appartenant à la classe inférieure était-il absous ?

Les crânes humains sont une autre affaire.

À ce qu'on raconte, chaque classe de Skull and Bones était obligée de « confisquer » le crâne d'un individu célèbre, et de le rapporter dans la Tombe comme preuve de l'ardeur de ladite classe. Il existe toujours plusieurs crânes dans la Tombe. « Confisquer » des plaques d'immatriculation n'exige que de la discrétion et un bon tournevis, alors que voler un crâne constitue carrément du pillage de tombe, tradition apparemment toujours bien vivante chez les membres des Skull and Bones, dont plusieurs aspirent à avoir une place dans l'establishment américain.

En 1989, Howard Altman, écrivain-éditeur américain et récipiendaire de plusieurs prix littéraires a raconté qu'un individu répondant au nom de Phillip Romero est venu lui rendre visite, prétendant être l'arrière-arrière-petit-fils du chef apache Geronimo. Selon Romero, les ossements de son ancêtre figuraient parmi la collection des Skull and Bones. Ils avaient été volés dans sa tombe en 1918, affirmait Romero, par un dénommé Prescott Bush, le père du 41e président et le grand-père du 43e.

Quand Altman a déclaré avoir besoin de vérifier les dires de Romero avant de les diffuser, ce dernier l'a mis en contact avec un dénommé Ned Anderson, qui vivait dans une réserve apache à San Carlos, en Arizona. Selon Anderson, un débat qui s'était tenu quelques années plus tôt entre lui et une autre famille sur le déplacement des restes de Geronimo depuis Fort Still, en Oklahoma, jusqu'en Arizona, a attiré l'attention de l'un des membres des Skull and Bones qui a souhaité l'anonymat (« appelez-moi Pat »). Selon ses dires, les ossements avaient quitté l'Oklahoma depuis soixante-dix ans, mais avaient été utilisés dans des rituels d'une mystérieuse société de Yale connue sous le nom de Skull and Bones.

Tout cela était vraisemblable. Prescott Bush tenait garnison à Fort Still en 1918, quand fut rapporté le vol du crâne de Geronimo. Donnant du poids à ce témoignage, il existerait un document imprimé, privé, signé F.O. Matthiessen, membre des Skull and Bones, qui raconte l'expédition ayant mené à la décapitation de Geronimo dans sa tombe. Un échantillon du document est conservé dans une bibliothèque de Harvard, mais en vertu d'un accord entre les Skull and Bones et les exécuteurs testamentaires de Matthiessen personne n'est autorisé à le voir.

En 1986, Anderson avait demandé au sénateur John McCain de donner suite à son enquête; George H.W. Bush était alors vice-président des États-Unis. McCain aurait arrangé une rencontre entre Anderson et un certain nombre de représentants des Skull and Bones, dont Jonathan Bush, le propre frère du vice-président. Selon Anderson, les membres des Skull and Bones lui auraient offert un crâne qu'ils prétendaient être celui de Geronino, en échange d'un document lui interdisant, ainsi qu'à eux-mêmes, de parler de l'incident. Anderson a refusé d'être ainsi bâillonné, doutant fort par ailleurs que le crâne offert fût celui de Geronimo. Comme la plupart des États, le Connecticut interdit la propriété de restes humains, sauf pour des raisons professionnelles ou judiciaires; pour les Skull and Bones, cette accusation, comme d'ailleurs celle de « confiscation » de plaques d'immatriculation, est non fondée.

La controverse sur le crâne de Geronimo a déclenché toute une série d'accusations impliquant les Skull and Bones et leur collection: il y avait dans la Tombe le crâne du légendaire révolutionnaire mexicain Pancho Villa; et parmi tous les crânes exposés, il y avait celui d'un enfant, etc. On ne peut rien avancer ici de façon certaine, étant donné la nature des accusations portées contre les Skull and Bones. Comparées à l'espionnage, à la contrebande des drogues, aux profits tirés de l'armement et à l'ingérence dans les affaires internes des gouvernements souverains, qui toutes impliquaient les Skull and Bones, les affaires de vol de plaques ou de crânes ne pèsent pas lourd.

L'origine des Skull and Bones est une affaire solidement documentée, et peu flatteuse pour ses auteurs. En 1832, de retour d'un long voyage en Allemagne, William Huntington Russell, dont la famille dirigeait une compagnie appelée Russell and Company, s'est inscrit en dernière année à Yale. L'Allemagne de l'époque était hégélienne de part en part; Georg Wilhelm Friedrich Hegel est mort à l'Université de Berlin un an avant l'arrivée de Russell en Allemagne.

Hegel a construit le concept de raison absolue, déclarant que « l'État a un droit suprême sur l'individu, dont le devoir suprême est d'être un membre de l'État ». S'inscrivant dans le courant philosophique idéaliste principalement représenté par Kant, les idées de Hegel furent d'un poids immense quand il s'est agi, pour le communisme comme pour le fascisme, de se donner une base théorique. Russell est arrivé à Yale plein d'admiration pour la société allemande et les principes philosophiques hégéliens. À peine arrivé à New Haven, il s'est joint à un camarade étudiant, Alphonso Taft, pour fonder ce qui allait devenir l'« Ordre des Skull and Bones ».

À Yale, il y avait quelque chose de particulier dans l'air qui poussait des étudiants brillants et privilégiés à former des sociétés secrètes. Au milieu du XIXe siècle, on ne comptait pas moins de sept groupes aux dénominations et aux rituels plus ou moins clandestins : autour du campus, au plus profond de la nuit, on les voyait courir d'un endroit à l'autre, faisant des signaux, s'échangeant des signes secrets ; ils s'appelaient Le Parchemin et la Clef, Le Livre et le Serpent, La Lime et la Griffe, Tête de Loup, tous également fiers de leur nom unique et de rituels exclusifs. Mais la société la plus secrète de toutes, la plus fermée et la plus ritualisée, c'était celle des Skull and Bones.

Son lien avec l'Allemagne a soulevé la question d'un rapport direct entre les Skull and Bones et les Illuminati. Ceux qui penchent pour cette hypothèse renvoient à ces mots du fondateur des Illuminati, Adam Weishaupt : « Avec les moyens les plus rudimentaires, nous allons soulever le monde et le purifier par le feu. Les postes doivent être ainsi conçus et distribués qu'ils nous permettent, secrètement, d'influencer toutes les opérations politiques. » Entre les deux organisations, les similitudes s'arrêtent à peu près là, car la famille de Russell, le fondateur, fut impliquée dans des activités infiniment plus destructrices que celles qui ont été attribuées aux légendaires (et sans doute imaginaires) Illuminati.

Quand Russell a cofondé les Skull and Bones, la compagnie familiale amassait les dollars en vendant aux Chinois de l'opium acheté aux Indes et en Turquie. Les autorités chinoises ont tout fait, mais en vain, pour interdire l'entrée des stupéfiants, qui privait le pays de devises fortes et qui affectaient aussi sa productivité. Rien n'y fit : pour les Occidentaux du XIXe siècle, la Chine était un marché, et son peuple corvéable à merci.

Le marché de l'opium a propulsé la compagnie Russell au troisième rang mondial, derrière les Écossais Jardine-Matheson et la compagnie britannique Dent ; pendant un bon moment, elle fut la seule importatrice implantée à Canton. L'hypocrisie des gouvernements anglais et américains en la matière nous paraît aujourd'hui stupéfiante : alors qu'ils interdisaient l'importation et la consommation d'opium dans leurs propres pays, ils faisaient valoir leur droit de livrer chaque année en Chine des centaines de tonnes de ce stupéfiant.

Les efforts répétés des autorités chinoises pour interdire l'opium et la résistance à ces mesures de la part des pays importateurs ont mené à la première guerre de l'opium, en 1840. Après deux années de conflit, la Chine a dû rendre les armes devant la supériorité technique des forces armées britanniques. En vertu du Traité de Nankin de 1842, l'Angleterre a humilié un peu plus la Chine en s'accordant un droit de préemption sur toutes les importations d'opium dans ce pays ; deux ans plus tard, la France et les États-Unis apposaient leur signature sur ce traité. Russell a bien sûr profité de l'officialisation de ces droits sur l'opium. Si, au cours des cent soixante-quinze ans d'existence de leur association, les membres des Skull and Bones ont pu se faire des fortunes par l'accumulation d'une myriade de petits et gros profits, les racines financières du groupe sont indissolublement liées à l'un des épisodes les plus sanglants et les plus scandaleux de l'histoire du commerce mondial.

Le chef des opérations de la compagnie de Russell au bureau de Canton s'appelait Warren Delano, grand-père du futur président Franklin D. Roosevelt. Delano vient en tête dans la longue liste des puissantes familles liées à la compagnie et aux Skull and Bones, et dont le groupe a servi d'incubateur à des hommes qui ont cherché et conquis le pouvoir. Fondateur des Skull and Bones, Russell est devenu général de l'armée américaine, puis il s'est fait élire, pendant que son compère Taft, accédant à diverses fonctions au sein du gouvernement et dans les ambassades américaines, dont celle de secrétaire à la Défense – poste détenu par plusieurs membres des Skull and Bones – préparait la voie à William Howard Taft, le seul homme dans l'histoire à avoir été à la fois président et premier magistrat de la Cour suprême des États-Unis.

Feuilleter la liste des membres des Skull and Bones revient à parcourir l'édition américaine du *Who's Who*, où figurent les hommes les plus éminents du pays: Whitney, Bundy, Harriman, Weyerhaeuser, Pinchot, Rockefeller, Goodyear, Sloane, Stimson, Pillsbury, Kellogg, Vanderbilt, Lovett et, bien sûr, Bush. La liste est encore plus impressionnante quand l'on se souvient que pas plus de quinze nouveaux membres n'étaient recrutés chaque année.

La sélection des postulants obéit, comme il se doit, à un rituel qui frappe l'imagination. Un soir d'avril, les anciens viennent à la chambre de chacun des candidats, et, l'un après l'autre, frappent bruyamment à la porte. Quand l'aspirant l'ouvre, une Tête de Mort lui envoie un grand coup dans l'épaule en disant à haute voix: « Skull and Bones – veux-tu être des nôtres ? »

Si le candidat répond oui, on lui tend une note retenue par un ruban noir et cachetée avec de la cire noire. À l'intérieur, sous le chiffre mythique des Skull and Bones, 322, il lit qu'il est convoqué à la Tombe pour son initiation nocturne, et qu'il doit se présenter sans porter sur lui aucune pièce métallique.

Tout au long de son histoire, les rites initiatiques destinés aux membres des Skull and Bones sont restés parmi les secrets les mieux gardés du groupe, mais petit à petit, des éléments ont fait surface. Le plus ancien des rituels, et il est apparemment observé encore de nos jours, consiste pour l'initié à raconter sa vie, mais en deux séances. La première a lieu un jeudi soir, et l'aspirant résume son existence, de manière factuelle ou drôle, comme il veut. La seconde séance, qui a lieu le dimanche suivant, est plus intime : couché, nu, dans un cercueil, le candidat donne des détails de sa vie sexuelle, depuis ses premières masturbations en classes préparatoires jusqu'à ses plus récentes conquêtes du samedi soir, celles de la veille s'il le faut.

Avec l'arrivée d'une clientèle mixte sur le campus de Yale, vers la fin des années 1960, les récits relatifs à la vie sexuelle amusaient beaucoup les membres mâles de l'assemblée, mais suscitaient colère et embarras chez les femmes, qui voyaient leur vie intime ainsi étalée devant quatorze autres étudiants plus « fidèles » aux Skull and Bones qu'à elles-mêmes. L'une d'elles se rappelle qu'elle a avoué à son partenaire avoir une relation intime très forte ; il avait juré de n'en rien dire à quiconque, mais quand il est revenu le lendemain de sa séance de confession sexuelle, elle a tout de suite vu à son comportement – il ne pouvait plus la regarder dans les yeux – qu'il avait trahi son serment devant ses copains des Skull and Bones.

Le rituel a varié. Entre les deux guerres, W. Averell Harriman, futur poids lourd à Washington, et Henry Luce, fondateur du *Time*, se sont, paraît-il, soumis au rite du cercueil et des histoires sexuelles. Vers la fin des années 1930, à l'époque où Potter Stewart, futur procureur de la Cour suprême était Tête de Mort, les anciens s'habillaient en squelettes et criaient contre les nouveaux candidats ; on leur demandait ensuite de se battre, nus, dans un étang de boue.

La suite valait bien l'humiliation subie. Intronisé chez les Skull and Bones, le nouveau membre recevait quinze mille dollars en argent liquide, et le jour de son mariage, on lui faisait cadeau d'une horloge de parquet de bonne qualité.

Depuis les débuts de l'association, la réaction des non-membres vivant sur le campus a toujours été négative. Amers, certes, pour n'avoir pas été approchés par l'organisation, ils critiquaient presque immanquablement l'étendue des pouvoirs dévolus à ce réseau de privilégiés. En octobre 1873, un périodique appelé *The Iconoclast*, fondé à New Haven, a consacré l'essentiel de son premier numéro à discréditer les Skull and Bones. Parmi les griefs, l'on notait :

> Cette nouvelle publication a vu le jour parce que la presse du campus est fermée à ceux qui osent parler des Skull and Bones.
>
> Les Skull and Bones choisissent leurs hommes dans chaque classe. Après avoir quitté l'Université, plusieurs d'entre eux sont devenus de grands leaders de cette société. Ils contrôlent Yale. Ils gèrent ses finances. L'argent versé doit d'abord passer par leurs mains, et ils en disposent à leur gré…
>
> Chaque année, les choses vont en empirant. Jamais autant qu'aujourd'hui, l'organisation ne s'est montrée aussi odieuse envers l'Université. Jamais autant qu'aujourd'hui, elle n'a fait preuve d'autant d'arrogance et de supposée supériorité. Elle s'est emparée des Presses de l'Université et elle fait tout pour en garder le contrôle. Elle ne daigne même pas montrer ses lettres de créance, mais elle s'agrippe au Pouvoir et garde le mutisme le plus complet – celui de qui se sait coupable.
>
> […] C'est Yale contre les Skull and Bones. Nous demandons à tous – il s'agit ici de droit – lequel des deux doit vivre ?

Une partie de la réponse ne s'est pas fait attendre : plus personne par la suite n'a entendu parler de la revue *Iconoclast*.

Même avant que l'article ne paraisse, il s'était tissé à Yale de curieux réseaux d'alliances plus ou moins douteuses entre des membres des Skull and Bones. En 1856, par exemple, à l'instar de Russell lui-même, trois des membres de l'organisation s'étaient inscrits comme étudiants de philosophie à Berlin. Une fois de retour, l'un d'eux, Daniel Gilman, a incorporé les Skull and Bones sous le nom de Russell Trust Association, se nommant trésorier, et nommant président son fondateur, William H. Russell.

La « Russell Connection » entache l'organisation depuis ses débuts. Dans certains cas, comme dans celui du commerce de l'opium chinois, les rapports sont minces entre les membres des Skull and Bones et la famille Russell. Et on n'a aucune véritable preuve de leur implication dans ledit commerce. Par contre, avec le temps, il y a eu matière à soupçons, souvent d'étranges coïncidences, et quelquefois des faits confirmés.

L'une des plus fracassantes révélations du dernier demi-siècle fut le lien supposé entre le Parti nazi et des membres des Skull and Bones, avec à leur tête Prescott S. Bush, père et grand-père de deux présidents américains.

Prescott Sheldon Bush, de la promotion de Yale de 1917, était l'intermédiaire idéal des Skull and Bones. On le voyait partout où il était bon d'être vu sur le campus : au Glee Club, l'équipe des *cheerleaders*, au Quatuor de l'Université, dans l'équipe de base-ball, ainsi que chez les célèbres Wiffenpoofs de Yale. Une fois diplômé, Bush a senti le bon filon en épousant la fille de George Herbert Walker, l'une des plus grosses fortunes américaines, un fin renard, particulièrement réputé pour son penchant à siphonner ses partenaires et amis. Il s'était d'abord fait connaître comme boxeur professionnel catégorie poids lourd, et l'on disait que ses passe-temps préférés se ramenaient à jouer au golf, chasser, boire du scotch et battre ses fils comme plâtre.

L'un des associés financiers de Walker s'appelait Averell Harriman, Tête de Mort de la promotion de 1913. En 1920, il a fondé la compagnie W.A. Harriman et Associés, nommant Walker président de la firme. Deux ans plus tard, Harriman se rend à son tour en Allemagne, décidément très intéressante pour les premiers membres des Skull and Bones, et y établit une filiale à Berlin. Profitant de l'occasion, il se lie d'amitié avec Auguste Thyssen, patriarche de la famille à la tête de l'industrie du fer et de l'acier en Allemagne. Dans l'entre-deux-guerres, on a évalué sa fortune à plus de cent millions de dollars américains – en chiffres d'aujourd'hui, il faudrait sans doute multiplier par cinquante.

Fritz, le fils d'Auguste, a hérité des biens de la famille. Inquiet de la montée fulgurante du socialisme qui avait suivi la défaite de son pays en 1918, et de l'hyper-inflation qui l'avait accompagnée, Fritz Thyssen est parti à la recherche de deux sauveurs : un leader efficace pour l'Allemagne et une bonne banque d'outre-mer qui lui servirait de bouée de sauvetage au cas où les périls se préciseraient – il a trouvé les deux en la personne d'Adolph Hitler et en celle de George Herbert Walker.

En fait, Thyssen est resté tétanisé par Hitler, comme Hitler avait tétanisé tout un peuple hurlant son besoin d'un leader fort qui remettrait le pays sur ses rails. Lors de leur première rencontre en 1923, Hitler a fait savoir à Thyssen qu'il avait un urgent besoin d'argent pour que son Parti nazi acquière une dimension nationale, se défende contre les attaques de la coalition judéo-communiste, et pour que lui-même réalise son rêve de rendre son glorieux passé à l'Allemagne. Thyssen n'a pas eu à se faire prier : il a sorti son carnet de chèques et en a signé un de cent mille marks, accompagné d'une promesse de rallier d'autres industriels à sa cause. Et c'est ce qui est arrivé : ensemble, ils ont rempli les coffres du Parti, assez pour qu'il surmonte l'épreuve du coup d'État raté concocté dans une brasserie.

Entre-temps, le cadet de Fritz Thyssen, qui avait épousé une aristocrate hongroise et acquis le titre de baron Thyssen Bornemisza de Kaszon, a emménagé à Rotterdam, où il a pris les rênes de la Bank voor Handel en Scheepvaart, qui avait son siège dans le pays. En 1924, Fritz étant toujours sous le charme d'Hitler et de ses ambitions, la banque de Harriman, avec Prescott Bush à sa tête, a scellé une alliance avec la banque hollandaise de la famille Thyssen et a fondé la Union Banking Corporation (UBC), dont l'adresse était le 39, Broadway, à New York – la même que celle de la banque Harriman. UBC a alors émis pour cinquante millions d'actions vendues à des citoyens américains, ce qui eut pour effet de donner du tonus à l'industrie allemande et de renforcer indirectement le pouvoir d'Hitler et des nazis.

Fort de ce succès, Walker a voulu donner un coup de pouce à son gendre Bush et l'aider à gravir les échelons de la compagnie en le nommant vice-président de Harriman et Associés. Une fois bien installé aux commandes, Bush est allé chercher deux de ses vieux copains de Yale, Roland Harriman et Knight Wooley, tous deux membres des Skull and Bones. Bush a travaillé fort, comme tous ceux qui étaient soumis à l'autorité de Walker, mais il a dû faire un peu plus que les autres, puisque sa carrière a soudain fait un bond : il fut nommé superviseur d'une nouvelle opération allemande baptisée United Steel Works Thyssen/Flick, une entreprise parente de la Consolidated Silesian Steel Corporation et de la Upper Silesian Coal and Steel Company, toutes deux localisées en Pologne.

Prescott Bush était donc à la tête d'un des fabricants majeurs de l'acier en Allemagne. Quand Hitler a connu de nouveaux revers financiers et s'est tourné vers l'ami Fritz Thyssen, ce dernier lui a donné entre deux cent mille et huit cent mille marks – c'est lui-même qui a avancé le plus bas des deux chiffres – et Hitler s'en est servi pour faire de l'un des Palais de Munich le nouveau quartier général moderne du parti nazi.

La crise de 1929 a fait glisser l'Allemagne comme le reste du monde vers le désastre. Par le moyen de manipulations politiques et d'actions brutales, Hitler est parvenu en 1934 à se hisser au sommet du pouvoir, promettant à la fois la renaissance de l'armée allemande et la construction d'un réseau serré d'autoroutes à grande vitesse dans toute l'Allemagne. Pour ce dernier, il s'en est remis aux aciéries de Thyssen, dont les profits ont connu un essor considérable dans les années qui ont suivi, débordant jusque dans les coffres de la Bank voor Handel Scheepvart de Rotterdam et dans la UBC de New York.

Walker et son gendre semblent donc, par l'entremise de l'organisme financier mis sur pied par Harriman, avoir toléré, pour ne pas dire encouragé, des régimes antidémocratiques. En 1927, ils faisaient des affaires tant avec l'Italie fasciste de Benito Mussolini qu'avec le Parti communiste russe à l'époque où Staline gouvernait son pays d'une main de fer. La composante russe du lien financier a amené Lord Bearsted, d'Angleterre, à recommander que la UBC coupe tout lien avec Staline. Walker a répliqué aussitôt: « Il me semble que la suggestion de Lord Bearsted de nous retirer de Russie est quelque peu impertinente… Nous avons défini une politique, nous devrions nous y attacher. » Après tout, les affaires sont les affaires.

Quatre ans plus tard, la Harriman et Associés a fusionné avec la Brown Brothers, une firme d'investissement anglo-américaine devenue Brown Brothers Harriman, dont les bureaux de New York furent dirigés par Prescott Bush.

Pendant les années 1930, l'imbrication de Bush et des finances de l'Allemagne nazie a débordé les opérations courantes de la UBC, et notamment dans la marine, par la Hamburg Amerika Line, dont le directeur, Bush, a fait une filiale à part entière sous le nom d'American Ship and Commerce Corporation. En septembre 1933, Bush a orchestré la fusion de la Hamburg Amerika, ou Hapag, avec la Lloyd Company d'Allemagne du Nord pour fonder la Hapag Lloyd. Entre-temps – autre bon coup de la compagnie sœur – était mis sur pied un organisme de coordination des échanges commerciaux entre les États-Unis et l'Allemagne nazie, Bush organisant le refinancement de la German-Atlantic Cable Company, qui assurait le seul lien de communication direct entre les États-Unis et l'Allemagne nazie. Les détails juridiques de cette dernière affaire furent finalisés par un avocat de Wall Street du nom de John Foster Dulles, lequel allait devenir sous Eisenhower un intransigeant secrétaire d'État.

La UBC est passée au rang de premier relais financier entre l'Allemagne nazie et le reste du monde, et vers le milieu des années 1930, le réseau était, aux échelons les plus élevés, solidement établi. Les noms de son conseil d'administration sont révélateurs.

E. Roland Harriman Tête de Mort, 1917	Vice-président, W.A. Harriman et Associés, de New York

H. J. Kouwenhoven	Membre du Parti nazi ; directeur associé de la Bank voor Handel Scheepvart N.V. (banque relais entre la UBC et la Banque Auguste Thyssen)
Knight Wooley Tête de Mort, 1917	Directeur du Guaranty Trust, de New York (filiale de W.A. Harriman et Associés)
Cornelius Lievense	président de la UBC ; directeur de la Holland-American Investment Corporation
Ellery S. James Tête de Mort, 1917	Partenaire, chez Brown Brothers et Associés de New York
Johann Groninger	Membre du Parti nazi ; directeur de la Bank voor Handel Scheepvart N.V. et de la Vereinigte Stahlwerke (aciérie propriété de Fritz Thyssen)
J. L. Guinter	Directeur de la UBC
Prescott Bush Tête de Mort, 1917	Partenaire au sein de Brown Brothers Harriman, de New York

Parmi les huit personnes, l'on compte six Skull and Bones ou membres du Parti nazi, et bien que la compagnie mère ait compté parmi ses employés plusieurs diplômés de Yale élevés à des postes de direction, seuls des Skull and Bones faisaient partie du conseil d'administration de la UBC.

Ce n'est pas l'établissement de réseaux qui fait problème. Surtout chez les étudiants de première année d'université, c'est là une pratique courante qui n'inquiète personne. Que toute une bande de compères d'une même organisation universitaire siège au bureau de direction d'une compagnie faisant affaire avec une entreprise aussi meurtrière que celle des nazis est peut-être une coïncidence, mais des observateurs inquiets posent une autre hypothèse. Et si le réseau en question avait été soigneusement conçu à cette fin ? Et si des générations successives de familles opulentes, très privilégiées, et leurs fils dont la carrière toute tracée d'avance prévoyait aussi qu'ils seraient membres d'une société hyper-secrète, avaient voué leur existence aux manipulations financières et politiques à l'échelle internationale ? L'hypothèse serait valable seulement si ladite société se donnait clairement comme objectif de réaliser ce type d'activités, ou si ses intérêts s'accordaient avec les ordres du jour des familles qui les contrôlaient, surtout au cours des années capitales que furent les années 1920-1980.

Pareille hypothèse fait se lever le spectre d'un complot des Skull and Bones qui expliquerait leur hantise du secret. Les sceptiques font ici remarquer que si, parmi les centaines de membres des Skull and Bones, plusieurs ont donné un aperçu de la manière d'agir de l'organisation, aucun n'a a encore parlé ou suggéré l'idée d'une vaste conspiration. Ce à quoi l'on pourrait répondre que, comme le montrent l'effondrement de WorldCom, par exemple, ou la découverte de rapports étroits, dévoilés par Arthur Andersen, entre Enron et ses experts-comptables, il a suffi d'une poignée d'individus placés aux postes clés pour orchestrer des opérations impliquant la totalité d'une entreprise mais ne profitant qu'à un petit nombre d'individus.

En outre, il n'y a pas que la gestion de la UBC et d'autres organismes par les Skull and Bones qui suscite des questions, il y a également des preuves de manipulations sournoises de la presse et de certains membres du gouvernement, comme la couverture médiatique qu'on a faite de la faillite de la UBC, qui assurait le financement de Hitler à Wall Street.

En 2003 fut publié *Duty, Honor, Country*, vibrant panégyrique de l'œuvre de Prescott Bush, signé Mickey Herskowitz, rédacteur sportif de Houston, au Texas. L'auteur avait déjà fait publier des biographies de Gene Autry, vedette de films de cow-boys, de Howard Cossell, commentateur de la télévision, et du héros du base-ball Mickey Mantle, qui avaient été aussi adulés par lui que Prescott Bush.

Avec enthousiasme, la prose de Herskowitz retrace la carrière de cet heureux père d'un président américain, et grand-père du gouverneur d'un État et d'un autre président, ouvrant à sa descendance la voie royale de la politique, élu au Sénat en 1952, puis conseiller politique de Richard Nixon.

Dithyrambique, la biographie chante les louanges du patriarche Bush – exactement le genre d'ouvrage qu'une bonne agence de relations publiques ferait écrire pour son client. Mince effort d'objectivité : l'auteur rapporte un article de la une du *New York Herald Tribune*, pendant la Deuxième Guerre mondiale, et où l'on faisait état de liens étroits entre la UBC et l'Allemagne nazie. Il avait pour titre « Thyssen a trois millions de dollars dans son coffre-fort de New York », et pour sous-titre « La UBC conserverait un joli pécule pour les hauts placés nazis qu'elle a autrefois soutenus ». Rédigé par M.J. Racusin, journaliste au *New York Herald Tribune*, l'article donnait des détails sur les liens unissant la UBC et Thyssen, y ajoutant toutefois le commentaire suivant : « Mais peut-être ne s'agissait-il pas du tout de l'argent de Herr Thyssen, comme le suggèrent certains. Peut-être s'agit-il d'argent mis de côté pour les gros bonnets nazis – comme Goering, Goebbels, Himmler ou même Hitler lui-même. »

Quel que fût le véritable bénéficiaire – et jamais l'on n'a pu prouver que l'argent avait profité à d'autres qu'à Thyssen lui-même –, la révélation a mis tout le monde mal à l'aise, et particulièrement Prescott Bush, qui avait déjà fait part de ses ambitions politiques.

D'après Herskowitz, le président de la UBC a aussitôt pris les mesures qui s'imposaient : « Promptement et ouvertement, il a pris la défense de sa compagnie, déjà bien servie par une réputation demeurée jusque-là sans tache. Il a rendu accessibles tous les dossiers et tous les documents demandés. Étant donné ce qui s'est passé dans les soixante dernières années, avec les scandales en série qui ont touché les grandes compagnies et brisé bon nombre de carrières, l'on peut dire qu'il a été en quelque sorte blanchi. »

Et l'obséquieux Herskowitz d'ajouter : « Plus tôt cette année-là, [Bush] avait accepté le poste de directeur de la USO (United Service Organizations). On l'a vu par la suite, pendant plus de deux années, parcourir le pays et lever des millions de dollars pour le

National War Fund [...] se donnant alors une stature nationale [...][et] remontant le moral des troupes.»

Bien sûr, les dossiers montrent que Bush est devenu membre de la USO au printemps de 1942. Malheureusement pour Herskowitz, son empressement à défendre son poulain lui a fait commettre une erreur capitale. D'après lui, l'article du *New York Herald Tribune* a été publié à l'*été* de 1942, laissant entendre que Prescott Bush était déjà un antinazi, vu ses activités à la USO quelques mois auparavant. Qui pourrait remettre en question le patriotisme d'un financier, poids lourd de Wall Street, qui dépense une énergie folle pour soutenir les troupes américaines (les États-Unis avaient rallié l'effort de guerre contre l'Allemagne en décembre 1941) et bien avant une révélation qui aurait pu jeter le soupçon sur son honnêteté?

Mais il se trouve que la nouvelle du *New York Herald Tribune* n'a pas paru à l'été de 1942, comme le prétend Herskowitz, mais le jeudi 31 juillet *1941*, chose qu'il n'a pas pu ne pas voir – il citait l'article même du journal! Il en résulte donc que Bush a redécouvert les vertus du patriotisme au sein de la USO *après* la publication de l'article le reliant, lui et sa banque, à un régime nazi déjà très en avance sur son programme d'assassinat de millions de civils innocents et de soldats alliés. On ne parle donc plus d'un bel engagement altruiste de la part de Bush, mais d'une tentative éperdue de réparer les pots cassés. Quant à l'article cité par Herskowicz, il apparaît qu'il avait pour but délibéré de maquiller la vérité pour blanchir son protégé.

Chaque fois que cela a été possible, Bush et sa bande de la UBC ont balayer leurs petites saletés sous le tapis, comme le montre cet inoffensif entrefilet paru le 16 décembre 1944 dans le *New York Times*:

> La Union Banking Corporation, située au 39, Broadway, à New York, a été autorisée à emménager son bureau principal au 120 de la même rue.

L'annonce oubliait opportunément de mentionner que la UBC avait été deux ans plus tôt reprise en main par le gouvernement américain, en vertu de la loi sur le Commerce avec un pays ennemi, et que le 120, Broadway se trouvait être l'adresse du Bureau en charge de la tutelle des biens appartenant à des étrangers. À la même époque bien sûr, Prescott Bush et sa bande de Skull and Bones paradaient pour la vente des Bons de la victoire dans leurs chemises empesées et enveloppés dans la bannière étoilée, fin prêts pour aborder l'étape suivante de leur brillante carrière – pour Bush : son élection au Sénat américain.

Ce qui inquiète beaucoup de gens, c'est ce mélange manifeste de politique et de finance chez les Skull and Bones. Il y a trop de fumée entre l'organisation en question et le gouvernement fédéral pour qu'il n'y ait pas au moins un petit feu quelque part. Comme on pouvait s'y attendre – et cela semble louche – la société secrète des Skull and Bones a exercé une influence majeur sur une autre société secrète, l'une des plus influentes parmi les divers services gouvernementaux : la CIA.

Voici une liste non exhaustive des Skull and Bones liés à un moment ou l'autre de leur carrière à la communauté du renseignement américain par le fait qu'ils appartenaient soit à l'OSS (Office of Strategic Services), soit à la CIA :

Hugh Wilson (1909)
Robert D. French (1910)
Archibald MacLeish (1915)
Charles R. Walker (1916)
F. Trubee Davison (1918)
Amory Howe Bradford (1934)
Hugh Cunningham (1934)
Richard A. Moore (1936)
William P. Bundy (1939)
McGeorge Bundy (1940)

Rueben Holden (1940)
Richard Drain (1943)
James Buckley (1944)
George H.W. Bush (1948)
Sloane Coffin Jr. (1949)
V. Van Dine (1949)
William Buckley (1950)
Dino Pionzio (1950)
David Boren (1963)

Les Skull and Bones sont des gens brillants, ambitieux et, vu leur admission au sein de la société secrète, éminemment qualifiés pour rendre des services à une organisation secrète comme la CIA. En surface, tout concorde. Mais l'on a raison de s'inquiéter lorsque l'on soulève le voile déposé sur telle ou telle activité ou association des Skull and Bones, que s'accrédite l'hypothèse d'actions clandestines parallèles et qu'on remarque de troublantes coïncidences.

Rappelons-nous la Russell Trust Association, vitrine officielle des Skull and Bones. Selon certains dossiers de l'État du Connecticut, où l'organisation a ses lettres de créances, la Russell Trust Association n'existe plus. Mais tout le monde sait qu'elle existe ! Ses membres sont de plus en plus actifs et, selon toute apparence, leurs activités sont de plus en plus insaisissables, comme celles qui sont chapeautées par une société sœur, la RTA Incorporated, une nouvelle raison sociale furtivement acquise à 10 h 15, le 14 avril 1961.

Il faut retenir la date et l'heure, car deux heures plus tard, la CIA déclenchait, en puisant dans ses fonds et de son propre chef, l'invasion de Cuba, qui devait se terminer par la débâcle de la baie des Cochons. Le génial concepteur de cette opération : Richard Drain, de la CIA, et membre des Skull and Bones, promotion de 1943. Le comité de liaison de la Maison-Blanche se composait de McGeorge Bundy, Tête de Mort de la promotion de 1940, et de son frère, William P. Bundy, reçu Tête de Mort en 1939 et membre du Département d'État. À eux trois, ils ont provoqué l'un des plus jolis désastres de la politique étrangère de l'histoire des États-Unis, redorant le blason de Cuba dans le tiers monde, fournissant des munitions à Castro qui pouvait maintenant dénoncer l'impérialisme américain, entraînant la crise des missiles de Cuba et conduisant la planète entière au bord de l'holocauste nucléaire.

Coïncidence encore, dira-t-on, que ce changement de raison sociale et l'invasion de la baie des Cochons, sauf que n'étant pas tout à fait néophytes en matière d'histoire et d'opérations de la CIA, nous pouvons soumettre une explication très terre à terre.

On n'a jamais su d'où provenaient les fonds ayant servi à l'invasion des mille cinq cent Cubains américains, mais l'on soupçonne le gouvernement américain d'avoir agi par l'entremise d'un groupe lié à la CIA. Sans filière nette, cependant, le lien financier ne peut être établi de manière certaine. Et comme il n'existe pas de Russell Trust Association, il est clair que toute trace écrite d'une possible implication d'une société mère des Skull and Bones comme gestionnaire occulte des fonds a été effacée le matin même de l'invasion. Un fait demeure: l'individu qui a rempli la formule servant au changement de nom et à l'incorporation de RTA s'appelait Howard Weaver, une Tête de Mort de la promotion de 1945 qui s'était judicieusement retiré des opérations noires de la CIA deux ans auparavant.

Mais les coïncidences s'accumulent. George H.W. Bush ne travaillait peut-être pas pour la CIA dans les années 1958 à 1966, époque de la baie des Cochons: officiellement, il n'était connu qu'en tant que PDG du conseil d'administration de la Zapata Offshore Oil, qui avait son quartier général à Houston, au Texas. Il est donc pour le moins étrange que, sans aucune expérience dans le domaine de l'espionnage, Bush ait été choisi comme patron de la CIA en 1974, et plusieurs sources généralement bien informées affirment que la compagnie Zapata n'était qu'une couverture pour les opérations de la CIA.

Quoi qu'il en soit, Zapata est le nom de code de la CIA pour désigner l'invasion de la baie des Cochons et, pour pimenter davantage l'histoire du complot, deux des embarcations qui ont servi à l'invasion s'appellent, l'une Houston, l'autre Barbara. Cette dernière appellation est intéressante, car, pendant la Deuxième Guerre mondiale, à chacune de ses sorties comme pilote, Bush donnait toujours à ses avions le nom de sa femme, l'indomptable Barbara Bush.

Une autre « coïncidence » ? L'assassinat du président Kennedy, le 22 novembre 1963, et la réapparition du même ancien président, George H.W. Bush. Une semaine après la tragédie, un document officiel du FBI faisait état d'une information selon laquelle un renseignement concernant une possible implication d'exilés cubains dans la mort du président avait été « transmis oralement à M. George Bush de la CIA et au capitaine William Edwards de la DIA (Defense Intelligence Agency) le 23 novembre 1963, par M. W.T. Forsyth de ce Bureau ».

Quand *The Nation* a republié la nouvelle en juillet 1988 – la bataille de Bush pour la présidence battait alors son plein –, la CIA s'est défendue aussitôt en déclarant que « le George Bush mentionné » n'était pas le même que le candidat au plus haut poste de la nation, mais un autre individu portant le même nom : George William Bush. Cela eut pour effet de détourner les soupçons concernant la carrière jusque-là inconnue d'agent secret d'un candidat à la présidence, mais pas pour longtemps. L'autre, George William Bush, est sorti de son silence et a reconnu que oui, il avait bien, entre autres fonctions gouvernementales, travaillé pour la CIA, mais seulement comme apprenti recherchiste et commis analyste. Il a par ailleurs réfuté les allégations de la CIA dans une déclaration sous serment :

> J'ai minutieusement relu le mémorandum envoyé au « Directeur, Bureau des renseignements et de la recherche, Département d'État », en date du 29 novembre 1963, qui mentionne George Bush de la CIA… Je ne puis établir aucun lien entre le contenu du mémorandum et

> l'information qui me fut fournie oralement ou autrement pendant que je travaillais à la CIA. En fait, à cette époque, jamais aucune agence gouvernementale ne m'a transmis quelle que forme que ce soit d'information orale. Et je n'ai reçu du FBI aucune information ayant rapport avec l'assassinat de Kennedy durant mon séjour là-bas. M'appuyant sur ce qui précède, je dois conclure que je ne suis pas le George Bush de la CIA mentionné dans le mémorandum de la CIA.

D'où l'on est en droit de conclure que George H.W. Bush travaillait pour la CIA à l'époque où il affirmait le contraire. Rien d'étonnant à cela, étant donné la répugnance bien compréhensible de la CIA à admettre quelque chose qu'elle n'est pas obligée d'admettre. Mais Bush avait aussi à l'époque quelque chose à voir avec les Cubains, rendus furieux par le refus de Kennedy de se mouiller dans l'affaire de la baie des Cochons. Certains observateurs ont alors établi un lien entre Bush et deux désastres dans l'histoire des États-Unis : l'invasion de la baie des Cochons en 1961, et l'assassinat de Kennedy en 1963. Les médias ont préféré noyer le poisson, amenant du coup les partisans de la théorie du complot à prolonger le débat pendant des années.

Parfois les Skull and Bones lancent de virulentes attaques contre ceux qui osent fouiller dans leurs opérations les plus secrètes, comme lorsque le producteur d'émissions de télé néerlandais Daniel de Wit a fait un film documentaire sur le sujet. De Wit partait du principe que les Skull and Bones travaillaient main dans la main avec la CIA dans la contrebande de drogues, ce qui permettait de financer des opérations secrètes interdites, tactique d'ailleurs utilisée et révélée lors des assises tenues sur l'affaire Iran-Contra de 1988. Juste avant la projection de son film, de Wit s'est vu ordonner par le gouvernement néerlandais d'enlever toutes les mentions de la CIA et des drogues, et de se faire moins virulent envers les Skull and Bones. Les passages enlevés ont ramené le film d'une durée prévue de 80 minutes à 30 minutes. Terminé en 1998, le film a été montré une seule fois aux États-Unis, un vendredi après-midi à 17 heures. De Wit a fait la remarque que tous les téléspectateurs éventuels étaient à cette heure-là dans leur voiture et rentraient à la maison. Le film est disparu des écrans.

En août 2003, de Wit a rappelé son expérience avec les Skull and Bones et la CIA. « Ces [...] institutions et leurs membres sont capables de force brutale, concentrent entre leurs mains un pouvoir énorme, écrasant même, et il est difficile, quand on y pense, de ne pas devenir très vite très cynique. Cela explique aussi le fait que les gens préfèrent se tenir éloignés de ce genre de chose. »

Les Skull and Bones n'échappent pas plus que quiconque au temps et à ses aléas, et il est bien possible que leur influence au-delà des frontières du campus de Yale soit sur le déclin. Après tout, les élections présidentielles américaines de 2004 ont vu s'affronter les Skull and Bones John Kerry et George W. Bush, de la promotion de 1968. Deux points de vue sont dès lors possibles : ou bien nous tenons la preuve que les Skull and Bones dominent l'arène politique américaine à un degré inimaginable, ou bien la fameuse conspiration n'a jamais existé, car enfin, pourquoi deux conspirateurs voudraient-ils s'affronter sur des questions idéologiques ?

Quelle que soit la réponse, les secrets les plus jalousement gardés des Skull and Bones ont fini, avec les années, par filtrer à travers les murs de pierre de la Tombe, tout comme le monde extérieur s'y est infiltré. Le changement certainement le plus important s'est produit en 1992, lorsque, après une âpre bataille d'arrière-garde menée par les anciens des Skull and Bones, l'organisation s'est résignée à accepter des membres de l'autre sexe (l'un des anciens, avocat réputé de Washington, avait laissé entendre qu'une organisation mixte « mènerait droit au viol sur rendez-vous... »). En l'an 2000, six des quinze Skull and Bones intronisées étaient des femmes.

Les nombreuses révolutions sociales survenues au cours des quarante dernières années font penser que plusieurs des vieux rites initiatiques – comme celui consistant à raconter sa vie sexuelle, nu et attaché dans un cercueil – n'ont plus cours, d'autant que les Skull and Bones ont commencé à recruter parmi les Juifs et les

Noirs, ce dont elles s'étaient abstenues au cours des cent cinquante premières années de leur existence. Avec des actifs évalués à quatre millions de dollars en l'an 2000, on imagine toutefois que les Skull and Bones pouvaient toujours offrir une somme de quinze mille dollars, et une horloge de parquet à l'occasion d'un mariage.

Le spectacle du combat de deux candidats à la présidence des États-Unis membres des Skull and Bones marque peut-être le début de l'amoindrissement de l'influence de la société secrète sur les systèmes politiques et judiciaires du pays. À une époque de messages instantanés, d'économie mondialisée et de fortunes amassées dans les hautes technologies, le maillage qui a rendu possible l'accession de la classe privilégiée américaine au sommet de la pyramide est loin d'avoir autant d'effet ou même de paraître aussi nécessaire. Le contingent mâle et WASP de la société américaine ne peut plus, comme il y a vingt-cinq ans, demeurer aussi fermé, et les sociétés secrètes des campus sont au mieux perçues comme un anachronisme, une sorte de retour à l'époque des virées en sous-vêtements, ou des fils de riches attardés s'habillant de manteaux de raton laveur. Les Skull and Bones semblent vouées à disparaître: au cours des dernières années, les étudiants de première année qui ont décliné l'invitation sont plus nombreux que ceux qui ont accepté de s'y joindre.

Leur influence au cours du siècle dernier demeure toutefois importante. Trop de leurs membres, parmi «les meilleurs et les plus brillants», ont été impliqués dans trop de désastres économiques ou de politique étrangère (baie des Cochons, assassinat de Kennedy, Vietnam et Irak) pour qu'on n'y voie qu'un phénomène de campus où une poignée de privilégiés s'amusent à déconner dans une pièce en forme de tombe. Il y aurait plus à dire, mais quoi?

12

LES SOCIÉTÉS SECRÈTES DANS LA CULTURE POPULAIRE

Une fascination qui ne se dément pas

PLUS NOS VIES SE BÂTISSENT SUR DES CERTITUDES, plus les mystères nous attirent. On n'oublie certes pas leur côté amusant, mais il se peut aussi que nous ayons besoin de menaces pour vraiment apprécier notre sécurité. Au cours du processus, nous nous interrogeons sur l'aspect inexplicable des choses, et notre conscience devient obnubilée par les menaces ou les événements très éloignés de notre train-train quotidien. Cela nous apporte quelque réconfort, ce qui explique peut-être pourquoi c'est dans l'Europe urbaine et en Amérique du Nord que l'inquiétude suscitée par les sociétés secrètes est la plus grande : c'est là en effet que les citoyens ont le plus à perdre, matériellement et spirituellement.

Pour ceux parmi nous qui ne se sentent aucune affinité avec les gens de l'ombre, c'est le secret qui inquiète le plus, et ce sont ses effets éventuels sur nos vies qui semblent le plus menaçants. En ce domaine, la proximité de la menace a beaucoup à voir. Pour les citoyens de la Calabre et de la Sicile, la Mafia est une réalité sur laquelle on n'a pas à s'interroger, puisqu'elle est partout, et partout influente. Même chose pour les habitants de Hong Kong et de Macao, qui vivent constamment dans la compagnie des Triades, et pour les hommes d'affaires japonais mis au fait des crimes commis par les membres de yakuza. Pour ces deux populations, la partie «secrète» de la société secrète n'a pas vraiment de sens, puisqu'elles y font face quotidiennement. À l'autre extrémité du spectre, nous avons des fermiers yak, en Mongolie, des réfugiés somaliens et des Inuits sur la terre de Baffin qui doivent chaque jour se battre simplement pour survivre, ce dont les classes moyennes américaines ou européennes n'ont aucune idée. Il faut juste assurer le lendemain, et cela occupe beaucoup trop leur esprit pour commencer à s'interroger sur les effets des complots millénaires ourdis d'ailleurs.

Pour nous, le mot «secret» évoque quelque chose de mystérieux, et les mystères exigent un éclaircissement. Quand il n'y a pas de solutions, les questions font l'affaire. Et quand les spéculations s'affranchissent de toute logique et finissent par comporter des sous-entendus, nous commençons à avoir le sentiment que nous baignons dans la conspiration, et nous finissons par en être persuadés, même si des preuves du contraire nous sont données.

Plus nous menons une vie confortable et rangée, plus nous paraît plausible la notion d'un complot international, car ce dernier sert à expliquer beaucoup de mystères irrésolus. Les conspirations fournissent un bouc émissaire: c'est à cause de ces gens que se produisent tant de calamités absolument inconcevables! L'exemple de l'assassinat de John F. Kennedy est particulièrement éclairant. Ceux qui ne peuvent accepter que Lee Harvey Oswald ait agi seul, qu'il ait pu abattre l'un des hommes les plus admirés de son époque veulent alimenter leurs doutes. Et là, surtout si nous fouillons comme nous venons de le faire dans les coulisses des Skull and Bones, les possibilités sont infinies. À une grande échelle, si nos rêves d'ordre économique s'effondrent, c'est à cause d'un cartel gigantesque œuvrant dans l'ombre, c'est une cabale internationale qui a empêché notre candidat préféré de se faire élire, et c'est à cause du pouvoir surnaturel d'une bande de sorcières que les bouleversements climatiques demeurent inexpliqués.

Cette recherche grandissante d'explications secrètes pour comprendre toutes sortes de catastrophes doit être mise en rapport avec la culture populaire actuelle, car l'une se nourrit de l'autre et réciproquement. Les films et les romans populaires d'autrefois montraient des personnages qui avaient des échanges directs : leurs motivations étaient l'amour, la guerre, parfois les deux, mais on savait de quoi il s'agissait ; on n'évoquait pas les complots tramés dans l'ombre. De nos jours, l'intérêt des grands médias populaires se porte non sur des choses explicables, mais sur des secrets rationnellement inexplicables et detenus par des organisations qui agissent dans les coulisses.

Prenons les récits à énigme. La plupart des spécialistes estiment que *Le Scarabée d'or* d'Edgar Allan Poe est le premier du genre. Mais son descendant direct s'appelle Dashiell Hammett, qui a inventé le prototype du détective privé tâchant de résoudre des crimes commis par des individus impliqués dans ce qui se rapprochait le plus d'une conspiration internationale, le plus souvent « Le Syndicat », autrement dit la Mafia. D'autres, comme Arthur Conan Doyle, John Bucan, Sax Rohmer (qui a créé Fu Manchu) et Saper (nom de plume d'Herman Cyril McNeile, auteur de la série Bulldog Drummond), ont inventé des personnages qui poursuivent des criminels classiques ; avec leur victime, c'était un contre un, et pour le reste, c'était la peu ragoûtante salade habituelle : meurtres, vols et autres forfaits mystérieux.

Ce n'est que récemment que les sociétés secrètes sont sorties de l'ombre et ont envahi la culture populaire. Des lecteurs d'Ayn Rand ont évoqué l'idée que son roman *Atlas Shrugged* traite de certaines valeurs propres aux Illuminati (de Bavière), ce qui expliquerait la grande popularité du livre. Les communistes étaient souvent la cible des romans américains des années 1950, mais dans ce cas précis, il semble que le fait de les voir partout a fini par ennuyer : les nouvelles en parlaient chaque jour et, pour la plupart, les œuvres de fiction en faisaient des « méchants » sans cervelle.

C'est avec Ian Fleming et ses émules, Robert Ludlum et John Grisham, que l'on a commencé à titiller les peurs du lecteur face à des comploteurs de l'ombre qui exercent un terrifiant pouvoir sur la vie des gens ordinaires. Une variante de cette intrigue a propulsé la série Harry Potter dans le livre des records, laquelle est devenue l'aventure éditoriale la plus éclatante de l'histoire de la littérature enfantine et de la littérature en général. Au moins trois sociétés secrètes figurent dans les aventures de Potter, comme l'Ordre du Phénix, où l'on voit non seulement le héros lui-même, mais le monde entier trembler pour sa sécurité.

Harry Potter nous fait rire, bien sûr, même quand il file en coup de vent au-dessus de la lande, poursuivi dans l'ombre par des « méchants ». Mais c'est un cas plutôt unique. En général, et si l'on oublie certains aspects grotesques d'organisations comme celle des rosicruciens, sans doute nées d'une frasque de collégien, et le décès malheureux d'un postulant lors d'une initiation à la franc-maçonnerie, les sociétés secrètes sont rarement ridiculisées dans la culture populaire. À la télévision, on a vu dans les années 1950 que la comédie de Jackie Gleason, *The Honeymooners*, évoquait fréquemment l'Ordre international des gentils descendants des ratons laveurs, dont les membres agissaient de manière suspecte, comme les maçons et les adeptes du Tombeau mystique, avec leur langage codé et les salutations de la queue de leur bonnet en poil de raton laveur. Plus récemment, et sur un ton plus acidulé, la série télévisée *Les Simpsons* a incorporé les Coupeurs de pierres dans plusieurs de ses épisodes. Nettement inspirés par les maçons, les Coupeurs de pierres se réunissent une fois par semaine dans un édifice en forme de pyramide, où ils vont rendre hommage à leur Parchemin sacré, pour ensuite se payer une cuite et jouer au ping-pong. Pour prouver leur puissance, les Coupeurs de pierres tentent de contrôler la monarchie britannique et d'empêcher que le système métrique ne soit utilisé aux États-Unis ! On a bien senti la parodie : c'est clair, implacable et drôle, et l'on reconnaît certains aspects plus anodins des sociétés secrètes.

Dans un autre genre, plus léger, et en partie parce que l'auteur a su s'inspirer de la fascination du public pour les sociétés secrètes malfaisantes, les adaptations cinématographiques de la série des James Bond, d'Ian Fleming, furent parmi les premières à susciter l'intérêt d'Hollywood pour les conspirations internationales.

L'ennemi de Bond, le « SPECTRE » (Special Executive for Counter-intelligence, Terrorism, Revenge and Extortion), montre un individu à l'accent étranger, sociopathe, immensément riche et qui aspire à dominer le monde : c'est toujours amusant, mais cela n'a que peu de rapports avec la réalité. Même chose pour les versions cinématographiques qui ont suivi des livres de Robert Ludlum, Len Deighton et autres, dont les complots impliquent la CIA américaine, le M16 britannique et le KGB russe, avec d'occasionnelles incursions chez les néonazis ou dans le Mossad israélien.

Il a fallu attendre la trilogie du *Parrain*, de Francis Ford Coppola, pour mettre en pleine lumière les agissements révoltants de Cosa Nostra, et *Les Aventuriers de l'Arche perdue*, le premier d'une série de sept films de Steven Spielberg, pour explorer ce qui subsiste des vieilles sociétés secrètes, grâce à une tonifiante injection des clichés habituels sur le méchant nazi.

Serait-ce parce que leur existence dans le monde d'aujourd'hui semble en gros invérifiable ? Les Illuminati de Bavière jouent souvent le rôle de ténébreux personnages dans les films et les jeux vidéo. La production de *Lara Croft : Tomb Raider* a renversé l'ordre habituel du jeu vidéo dérivé de films. Le jeu du même nom, très populaire, est devenu un film qui met en vedette Angelina Jolie et John Voight. Ce n'est pas étonnant, étant donné sa source, mais l'intrigue oppose une nouvelle image de la stupidité, incarnée par Mlle Jolie, et le pouvoir des Illuminati, notamment leur capacité de contrôler le temps de manière à asservir l'humanité.

Autre jeu très populaire, *Deus Ex* associe cette fois les Illuminati et les templiers dans leur entreprise commune de domination mondiale. Outre leurs pouvoirs économiques et politiques exercés notamment par l'entremise de l'Organisation mondiale du commerce, les Illuminati gardent en stock une multitude de virus qu'ils menacent de lancer sur des groupes ou des pays entiers qui refusent de se plier à leurs exigences. Les templiers ont un rôle un peu moins bien défini : c'est l'un des quatre pouvoirs auquel peut s'allier le joueur pour atteindre les buts de la partie. Mais l'un et l'autre groupe ressemblent peu à leur organisation homonyme.

Dans ces productions vidéo, littéraires ou cinématographiques, lecteurs et spectateurs distinguent facilement entre fiction et réalité. En sortant du *Parrain*, par exemple, nous avons l'impression de mieux connaître les opérations de Cosa Nostra, mais peu parmi nous sentent une nouvelle menace planer sur leur vie. Puis le film et le livre sur lequel il s'appuyait ont laissé de côté l'histoire de l'organisation, préférant insister sur des criminels sans pitié qui sont unis entre eux par le sang et le mariage, et qui ne voient dans leur travail qu'un moyen parmi d'autres de faire des affaires. Les groupes bien réels ne faisaient pas que la menace elle aussi bien réelle se rapproche, et les origines de la Mafia furent elles aussi passées sous silence.

Il a fallu attendre la satire philosophique d'Umberto Eco *Le pendule de Foucault*, où l'on voit trois éditeurs italiens pris dans le filet d'un réseau de sociétés secrètes dont l'histoire remonte à l'époque de la Crucifixion, pour qu'un roman important aborde la question historique. Dans l'exubérant récit d'Eco, souvent très drôle, des organisations comme les templiers, les francs-maçons, le Prieuré de Sion, les Assassins, les rose-croix, la Kabbale, les druides et les gnostiques – la panoplie totale, avec ses principaux personnages – surgissent, tels des revenants, dans le monde d'aujourd'hui. Mélange de scénario imitant ceux des films des Marx Brothers, d'histoire à suspense à la Robert Ludlum et de traité philosophique, le récit d'Eco a plu à deux catégories de lecteurs complètement opposés : les adeptes de la théorie du complot, qui soupçonnent que huit milliards de vies sont contrôlées par une poignée de conspirateurs de l'ombre, et les sceptiques enchantés de voir qu'à la fin « le roi est nu ».

Le pendule de Foucault s'inspirait clairement d'un ouvrage de 1982 ouvertement présenté comme un essai, mais qui n'a pas échappé à l'impression d'histoire fantaisiste ne s'appuyant que très épisodiquement sur des faits réels. *L'énigme sacrée* a été publié six ans avant l'ouvrage d'Eco, mais alors que ce dernier est distrayant, voire instructif, pour les lecteurs capables de s'y reconnaître dans les sinuosités de l'intrigue et ouverts à son humour teinté de cynisme, l'autre touche une tout autre corde dans un tout autre public : ceux qui sont prêts à tout gober.

L'énigme sacrée s'inspire de l'expérience d'un producteur cinématographique et ancien acteur britannique, Henry Soskin, qui a joué de petits rôles dans la série télévisée des années 1960, *The Avengers.* Devenu « Henry Lincoln », il est passé derrière la caméra ; entre-temps, il avait découvert dans un ouvrage oublié de Rennes-le-Château la traduction perdue d'un message crypté. Après une enquête sur l'abbé Saunière et sa mystérieuse et subite opulence, Lincoln a fait un film documentaire sur le prétendu trésor, épiçant l'histoire de tous les ingrédients propres à la rendre dramatique.

Un peu plus tard, Lincoln a fait la connaissance de Richard Leigh, auxiliaire d'enseignement, écrivain en herbe, et qui se disait fasciné par les templiers. Et si le mystère entourant l'histoire de Saunière avait un lien avec les templiers ? Et si l'on pouvait remonter de l'époque contemporaine jusqu'à la Crucifixion ? Leigh a recruté un ex-photographe de presse du nom de Michael Baigent, et les trois hommes ont alors passé quatre années de leur vie à enquêter, spéculer, postuler, puis écrire un ouvrage rempli de suppositions toutes liées à une théorie. Résultat : pratiquement toutes les sociétés secrètes répertoriées au cours des deux derniers millénaires ont été reliées entre elles. Au cœur de ce récit, trois affirmations non prouvées (et impossibles à prouver) :

1. Le Christ n'est pas mort sur la croix; un imposteur a pris sa place, permettant au Christ de s'échapper et se rendre en France via la Méditerranée.
2. Le Christ n'était pas célibataire; il a épousé Marie-Madeleine et il fut le père d'au moins un fils, qui a accompagné ses parents dans leurs pérégrinations.
3. Les descendants des enfants du Christ dirigent les destinées du monde depuis deux mille ans.

En tant qu'ouverture de roman historique, nous tenons là quelque chose de fabuleusement accrocheur. Sous la plume d'auteurs d'époques et de styles aussi différents que Thomas B. Costain ou Don de Lillo, nous aurions eu droit à un travail débridé de l'imagination, et à un regard amusant, voire instructif, sur quelques-uns des moments forts de l'histoire.

Les auteurs et leur éditeur n'ont pas vu les choses de cette façon. Ils ont cru que l'examen d'une hypothèse [sous forme d'essai] intéresserait davantage, et rapporterait plus qu'un roman historique. Ils avaient vu juste. À peine sorti de chez l'imprimeur, en 1982, *L'énigme sacrée* a figuré presque immédiatement parmi les succès de librairie. Il a aussi inspiré le seul livre ayant sérieusement concurrencé la série des Harry Potter sur la plan commercial: *Da Vinci Code* de Dan Brown. Jusque-là, on ne pouvait pas dire que l'écrivain Brown avait mérité un titre quelconque à la renommée internationale. Son livre précédent, *Anges et démons*, rapprochait les Illuminati des Ismaéliens de Syrie d'une manière ridiculement gauche, sans compter que l'auteur s'appuyait sur une prémisse erronée, à savoir que tous les musulmans de Syrie, d'Irak, d'Iran et de l'Inde parlaient et écrivaient la même langue.

L'énigme sacrée et *Da Vinci Code* sont aussi proches, sur le plan littéraire, que peuvent l'être le parent et l'enfant – mieux: le second est le miroir du premier. *L'énigme sacrée* est une fiction bien tournée se présentant comme vraie, et *Da Vinci Code* est une prétendue réalité prenant l'apparence d'une fiction.

En dépit de ses affirmations suivant lesquelles plusieurs des sociétés, personnages et péripéties de son livre sont bien réels, Brown parvient clairement à éluder les critiques de son roman en arguant que celui-ci est une « fiction ». Les trois auteurs qui ont concocté *L'énigme sacrée* n'ont pas la partie aussi belle. Pour protester contre les attaques malhonnêtes lancées par les plus sceptiques de leurs critiques, ils n'ont que leur conviction et la fougue dont ils ont fait preuve dans les éditions ultérieures de leur livre. Mais se plaindre d'attaques malhonnêtes n'élimine pas d'un coup les faiblesses détectées par des lecteurs minutieux et toujours incrédules.

Dans l'histoire qu'ils racontent, ils posent fréquemment la question : « Qu'arriverait-il si... ? » Qu'arriverait-il si le pouvoir des templiers devenait aussi étendu que celui d'un éminent contemporain ? Dire cela, est-ce *montrer* un rapport entre les deux ? Peut-être, mais ça ne le prouve pas. En mettant partout des « Qu'arriverait-il si ? », les auteurs font croire à un fait avéré, puis ils tissent tout autour un réseau de suppositions. Cela fait penser à une toile d'araignée : elle semble bien soutenir son ouvrière, mais une petite brise matinale suffit à l'emporter...

La plupart des essais sérieux s'appuient sur des faits contrôlables et dont les sources, fiables, sont nettement indiquées. *L'énigme sacrée* adopte une tout autre position, pour le moins étonnante. Les auteurs prétendent en effet que l'histoire peut être interprétée de manière sérieuse seulement lorsque les chercheurs tirent des conclusions rapprochant des faits sans rapports entre eux, et même si ces faits sont, dans le meilleur des cas, apocryphes. Ils laissent ainsi entendre que des faits avérés, documentés, n'ont pas plus d'importance – et qui sait ? peut-être *moins* d'importance – qu'une histoire bien tournée. Si c'est vraiment le cas, une masse énorme de nouvelles informations ne demandent qu'à être révélées au grand jour par des historiens imaginatifs qui relient, par exemple, l'emprise nazie sur l'Europe qui se dessine au début de 1944 et les chutes de neige sans précédent de cet hiver-là en Amérique du Nord.

La métaphore de la toile d'araignée peut évoquer sa force, mais elle cache mal l'incapacité des auteurs lorsqu'ils se voient forcés de répondre à de vraies questions. Eux-mêmes demandent quelquefois pardon à leurs lecteurs pour leurs fréquents tours de passe-passe. Voici quelques-unes des portes de sortie de l'édition en livre de poche de 1996 :

> Il s'agissait là bien sûr d'une hypothèse possible, sans documents qui puissent l'attester (p. 115).
>
> On ne peut certes rien prouver, mais on ne peut non plus rejeter cette possibilité (p. 116).
>
> Sur la base de ces rapports, nous avons formulé une hypothèse provisoire (p. 117).

Lincoln et ses pairs ne manquent pas une occasion de saisir les hypothèses attrayantes allant dans le sens de leurs théories et d'écarter les faits susceptibles de les invalider. Il leur arrive aussi de mettre de l'avant, comme preuves de leurs dires, des éléments non seulement contestables, mais dont on a souvent confirmé la fausseté. Leur thèse repose ainsi, et largement, sur *Les dossiers secrets de Henri Lobineau,* qui contiendraient prétendument des lignages détaillés remontant à la dynastie mérovingienne, et qui établiraient le lien, par une mystérieuse Giselle de Razes, entre Mérovée, le premier des rois francs, et Sigebert, au IXe siècle. Tout cela fut qualifié de faux par celui-là même à qui l'on en attribue la paternité, le farceur et alcoolique Philippe de Chérisy, qui a présenté devant la cour des documents en réclamation de sommes versées à un certain Pierre Plantard pour production de faux. Plantard, qui se disait directeur du Prieuré de Sion et descendant en ligne directe de Giselle et de Dagobert, n'a jamais démenti les dires de Chérisy, mais il n'en a pas moins concocté plus tard l'histoire que Chérisy avait simplement copié des originaux tombés entre ses mains. Or, dans *L'énigme sacrée*, aucune mention n'est faite du procès de Chérisy contre Plantard, ni des antécédents plutôt douteux du dénommé de Chérisy.

Dans *L'énigme sacrée,* Noël Corbu figure seulement comme acheteur de la villa Béthania. Il pleure la mort de Marie Denarnaud et déplore que son décès ait empêché cette dernière de relater son histoire en détail. Or, c'est à lui que l'on doit une bonne partie de cette légende, sans doute jugée alléchante pour attirer une clientèle de touristes à son hôtel. De la légende jouée par des comédiens devant sa clientèle prenant le repas du soir, pas un mot non plus. Ces deux faits suffiraient à eux seuls à discréditer toute la thèse des auteurs, qui préfèrent sans doute que rien ne vienne contrecarrer leur projet: résoudre ce qui constitue peut-être le plus grand mystère de tous les temps.

Le auteurs de *L'énigme sacrée* disaient à leurs lecteurs: vous devez accepter la véracité d'un fait non confirmé, car vous ne pouvez pas prouver que l'événement hypothétique n'est *pas* arrivé! Prouver que quelque chose n'existe pas est sans doute possible en mathématiques, où des éléments marqués d'un « moins » peuvent être théorisés et pris en compte, mais pas en histoire. *L'énigme sacrée*, c'est du vent – un peu comme si l'on écrivait un essai sur l'existence du Père Noël en s'appuyant sur le fait que personne encore n'a prouvé qu'il n'existait pas…

On pourrait ne voir en tout cela que disputes littéraires entre critiques vétilleux qui se balancent leurs lectures dans la *New York Review of Books* ou le *Times Literary Supplement* – rien de bien grave quand tout ce qui en sort est ici et là un ego écorché ou des crises de jalousie chez les auteurs et éditeurs (« Mais comment ai-je pu ne pas y penser *le premier*? »). Et l'on tournerait vite la page s'il ne s'agissait effectivement que de cela. Mais voyons cela d'un peu plus près.

Il peut être amusant de suivre à la trace les méandres d'un esprit alerte qui accumule des indices historiques, qui tisse des dizaines de liens pour asseoir un début de preuve, mais il faut voir ce que cette pratique risque de déclencher chez les plus fragiles d'entre nous – démesure qui touche en premier lieu les extrêmes, gauche et droite, de l'éventail politique. Ceux-là voient facilement tous leurs problèmes – personnels ou autres – s'expliquer par d'obscures cabales dirigées par de puissants manipulateurs. En surface, rien de bien grave. La paranoïa est vieille comme la terre, et elle n'a rien d'inquiétant quand elle touche une catégorie de gens qui veulent occuper leurs temps libres. Malheureusement, à la base de cette paranoïa, il y a souvent du racisme, et là, les choses deviennent autrement plus sérieuses.

Si *L'énigme sacrée* arrive à faire croire à des faussetés notoires comme le Prieuré de Sion, elle peut aussi convaincre une autre catégorie de personnes toutes prêtes à admettre comme vraisemblables les aberrations des *Protocoles des sages de Sion.*

Les *Protocoles* apparaissent dans *L'énigme sacrée* d'une manière qui, malheureusement, illustre à la perfection l'argumentation de ses auteurs. Dans un premiers temps, ces derniers nient leur authenticité : « De nos jours, les experts concluent – et avec raison, avons-nous conclu – qu'au moins sous leur forme actuelle, les *Protocoles* sont un faux aussi vicieux qu'insidieux. » Mais plus loin, après avoir reconnu ce fait, ils affirment que ce gros volume « revêt pour le Prieuré de Sion une extraordinaire importance ».

Comment cela ? Et pourquoi ? On ne le dit pas. Deux cent trente pages plus tard, on évoque à nouveau les *Protocoles,* mais en passant et pour la dernière fois – ça tombe bien : les auteurs veulent étayer leur affirmation qu'un nouveau roi viendra qui « sera porteur de la semence de David ». Si les *Protocoles* sont un faux, « vicieux » et « insidieux », pourquoi s'en remettre à ce document pour prouver quoi que ce soit ? Les auteurs exécutent ici une valse autour d'un document fielleux, mais en se gardant bien de trop s'en éloigner, au cas où il fournirait de l'eau à leur moulin…

Rien de ce qui a été établi sur les *Protocoles* ne permet d'y voir autre chose qu'une affabulation présentée comme véridique et ayant des visées discutables et même abominables. Leur histoire, la voici en bref.

En 1868, un romancier allemand du nom de Herman Goedshe, sous le nom de plume de Sir John Retcliffe, a fait paraître un roman intitulé *Biarritz.* L'histoire est centrée sur une cabale juive visant à dominer le monde. Il semble que Goedshe ait été inspiré par l'écrivain français Maurice Joly, dont les *Dialogues infernaux entre Machiavel et Montesquieu* racontent une histoire d'opposants à Napoléon III. Antisémite notoire, Goedshe a enjolivé l'intrigue de Joly en faisant des Juifs les « méchants ».

Tout cela aurait pu être relégué dans les oubliettes de l'histoire, comme n'importe quel autre récit bas de gamme, n'eût été le pouvoir chancelant du tsar Nicolas II au tournant du XXe siècle. Cherchant à renforcer ses appuis populaires et, en même temps, à affaiblir ses adversaires politiques, le tsar a exigé qu'on lui trouve un truc pour présenter ces derniers comme un groupe de conspirateurs visant rien moins que la domination du monde. Pour nous, l'idée d'une « domination mondiale » fait penser au scénariste d'Hollywood qui proposerait un énième version de James Bond. Cependant, dans le climat de folle paranoïa de la Russie de 1895, il y avait là matière à une histoire potentiellement convaincante.

S'efforçant de répondre aux vœux du tsar, l'Okhrana, la police secrète russe, s'est mise au travail et a pillé un maximum de sources pouvant lui fournir une idée. Ses agents l'ont trouvée dans le roman de Goedshe, et en 1897 paraissait un livre sérieux dans lequel il est dit que les Juifs se livrent à une vaste conspiration. Huit ans plus tard, les *Protocoles* étaient traduits en anglais, et largement diffusés comme notes figurant au procès-verbal du premier Congrès sioniste tenu à Bâle, en 1897, présidé par nul autre que le « Père du sionisme moderne », Theodor Herzl.

Les *Protocoles,* présentés comme un manuel d'instruction pour la domination mondiale, font rire ou donnent froid dans le dos, selon que vous faites partie des amateurs d'humour noir ou des gobe-mouches. Les francs-maçons, munis d'un programme qui était dicté par les Sages, ainsi que les Illuminati de Bavière, dupes ou non de l'entreprise en cours, étaient liés aux conspirateurs qui visaient la domination du monde.

Tantôt les leçons pratiques de Protocoles prennent l'allure d'une farce grossière, tantôt ils donnent le frisson dans le dos. Le Protocole n° 1, par exemple, avertit: « Donc, en matière de gouvernement du monde, les meilleurs résultats sont obtenus par la violence et l'intimidation, non par des débats académiques » ; le numéro 23 propose de rendre les gens malheureux, donc soumis, en interdisant l'ivresse, par exemple.

Certains des protocoles les plus inquiétants furent adoptés par des politiciens de droite désireux de motiver leurs plus ardents partisans. En sélectionnant tels ou tels éléments jugés utiles et en les accomodant avec la bonne vieille sauce antisémite, tout le monde, y compris Adolf Hitler, a déclaré que les *Protocoles* étaient authentiques.

Et ils sont devenus une mine d'arguments pour les racistes. Protocole n° 10: « Nous allons détruire au sein des masses l'importance de la famille et de sa valeur éducative. » Protocole n° 12: « Nous allons museler [la presse], lui mettre la bride... Pas une nouvelle ne sera diffusée sans notre consentement. » Et pour bien verrouiller le processus, le Protocole n° 14 proclame: « Il serait préférable pour nous qu'il n'existe aucune autre religion que la nôtre... Nous devons donc extirper tout autre type de croyance. »

Dans le chaos économique et politique qui a suivi la Première Guerre mondiale et la Révolution russe, une simple allusion aux *Protocoles* prouvait, dans la culture populaire américaine ou européenne, l'existence d'une conspiration secrète. L'un de ses propagandistes était le magnat de l'automobile Henry Ford, qui a fondé à Dearborn, en 1920, le journal *Independent*, en partie pour faire connaître les *Protocoles* et en partie pour expliquer ses prises de position anticommunistes. Pendant un bon moment, Ford s'est accroché à sa conviction: les *Protocoles* montrent une conspiration juive à l'échelle mondiale. Lors d'une interview donnée au *World* de New York, le 17 février 1921, Ford a déclaré: « La seule chose que je tiens à dire sur les *Protocoles*, c'est qu'ils concordent en tous points avec ce qui se passe. Ils datent d'il y a seize ans [*sic*], et jusqu'à ce jour, ils ont bien décrit l'évolution du monde qui est le nôtre aujourd'hui. » Entre-temps, Hitler citait les *Protocoles* dans *Mein Kampf*, et on lisait à haute voix des extraits de ces derniers au Parlement de Roumanie : ils venaient donner des arguments aux partisans de l'expulsion des Juifs hors du pays.

Peu à peu, et grâce à des enquêtes menées par des journalistes restés sceptiques, la vérité a éclaté sur les véritables origines des *Protocoles.* Philip Graves, journaliste au *Times* de Londres, fut un des premiers à dévoiler la fraude remontant à Joly et Goedsche. Avec le temps, la preuve est devenue si probante, que même le grincheux Henry Ford a dû reconnaître qu'il s'était trompé. En 1927, à l'occasion d'une rétractation publique, il s'est excusé d'avoir été la dupe du canular des *Protocoles,* blâmant son entourage de l'avoir embobiné.

Mais le mal était fait. La dénonciation feutrée des Protocoles par les auteurs de *L'énigme sacrée*, et leur utilisation ultérieure pour appuyer les hypothèses de départ de ces cerniers ont pour effet d'entretenir le soupçon que peut-être – et l'on pense à ceux qui se lancent avidement sur les plus minuscules indices – cette hypothèse délirante a quelque fondement dans la réalité…

En mentionnant les *Protocoles* dans leur ouvrage, les auteurs de *L'énigme sacrée* créent précisément l'effet de miroir mentionné plus haut : un ouvrage n'appartenant pas au monde de la fiction traite un événement fictif comme s'il comportait des éléments réels. Dans *Da Vinci Code*, une œuvre de fiction, Dan Brown dénonce une organisation bien réelle, l'Opus Dei, comme si elle représentait pour l'humanité une menace aussi réelle et pernicieuse que la fiction des *Protocoles.*

L'usage téméraire que fait Dan Brown de certains faits réels pour accréditer la vraisemblance de son œuvre de fiction a fait un peu partout l'objet de vives critiques ; nous n'allons ici considérer que la description tendancieuse qu'il donne de l'Opus Dei.

L'Opus Dei est le « méchant » de l'intrigue, tellement occupée à protéger le secret de la descendance supposée du Christ, qu'elle utilise des tueurs à gages, dont l'un au moins est un sadique caractériel. Il n'y aurait rien à redire si l'on était dans une histoire à la James Bond, luttant contre un SPECTRE imaginaire, ou dans les récits de Len Deighton décrivant les habituelles atrocités nazies, mais il a semblé scandaleux à beaucoup de gens, catholiques et non catholiques, que l'on prête à une organisation bien réelle des traits aussi fantaisistes pour étayer une prémisse elle-même fantastique.

L'Église catholique romaine est certes une cible idéale pour ses divers critiques, surtout à cause des activités peu admirables auxquelles elle s'est livrée au cours du dernier millénaire. Mais s'il est vrai, pour prendre cet exemple, que le programme d'activités que l'Opus Dei destine aux familles peut le prêter le flanc lui aussi à la critique par son caractère conservateur – c'est en tout cas le point de vue des catholiques plus libéraux –, la description qu'en donne Dan Brown semble particulièrement biscornue. Cette intrigue montrant un moine albinos sadomasochiste se base sur la croyance que l'Opus Dei fonctionne comme un ordre monastique. C'est là de la fabulation, et en outre la vraie mission des monastères y est oubliée : atteindre l'état de sainteté pour les moines se fait en se retirant de la société. Or, l'Opus Dei a choisi de s'impliquer dans les affaires du siècle.

D'autres éléments du roman de Brown apparaissent comme du pur dénigrement de personnes, comme ces recrues de l'Opus Dei que l'on drogue en cachette, l'usage masochiste d'un cilice en fil barbelé, et l'insinuation que l'Opus Dei a « renfloué » le Vatican quand sa banque a connu des difficultés, profitant de l'occasion pour obtenir des faveurs spéciales du pape. Dans son acharnement maniaque à vouloir dénigrer le Vatican, Brown a même réussi à confondre les entrées du quartier général de l'Opus Dei à Manhattan. Les hommes et les femmes peuvent entrer par la porte de leur choix, mais comme le quartier général a des résidences séparées pour les hommes et pour les femmes célibataires, leurs occupants entrent par la porte de leur choix. Forçant un peu la note, Brown prétend alors que tous les hommes entrent par la porte principale, et les femmes par une porte latérale. D'abord, il s'agit là d'une fausse discrimination des sexes, puis c'est exactement l'inverse qui se passe : les femmes gagnent le secteur des résidences par la rue Lexington, et l'entrée des hommes est située dans la rue adjacente.

Les défenseurs de Brown et son éditeur rappellent qu'après tout, *Da Vinci* est une œuvre de fiction, et brandissent l'habituelle dénégation de responsabilité (« Les personnages et événements de cet ouvrage sont inventés, et toute ressemblance avec des personnes réelles, mortes ou vivantes, est une pure coïncidence »). Mais voilà que vous tournez la page, et vous lisez que le Prieuré de Sion « existe réellement », que l'Opus Dei est présumée « mener des opérations de lavage de cerveau, exercer de la contrainte et encourager la dangereuse pratique connue sous le nom de " mortification corporelle" », et que « toutes les descriptions d'œuvres d'art et d'architecture, de documents et de rites secrets de ce roman sont exactes ». Aucune ironie ne perce dans l'une ou l'autre de ces trois affirmations…

Quelle attitude prendre devant ces contradictions ? Et il y en a d'autres… On pourrait bien sûr se dire : après tout, ce n'est qu'un *roman*, et pas très sérieux, en plus ! Les auteurs doivent pouvoir jouir de ce luxe qu'est la liberté, quand, laissant libre cours à leur imagination, ils inventent des histoires dont le but premier est de nous faire passer un bon moment, que leur point de départ soit une pauvre affaire policière ou que l'œuvre soit digne de Dickens ou de Hemingway. Personne, ni dans ces pages ni ailleurs, ne lèvera la moindre objection sur cette question, du moins on l'espère.

L'imagination est une chose et le dénigrement de personnes réelles ou d'organisations existantes pour faire plus réaliste en est une autre. Il n'est pas exagéré de rapprocher, en fait de choc et de conséquences à long terme, *Les Protocoles des sages de Sion* et leur première apparition dans une œuvre de fiction, le roman *Da Vinci Code*. Bien que l'Église catholique ne soit pas aussi vulnérable, et de loin ! que les Juifs vus par la lorgnette des *Protocoles*, le principe demeure le même.

Pendant des siècles, les maçons, les rose-croix, les druides, les gnostiques, les membres de la Wicca et d'autres, ont vu leurs pratiques excentriques mais somme toute peu dangereuses être l'objet d'attaques venant de gens prêts à détecter une conspiration derrière le symbole le plus anodin, et des complots tramés par on ne sait trop qui derrière chaque événement imprévu. Dans plusieurs cas, il est arrivé que ces soupçons venus de nulle part aient eu un regrettable effet sur l'ensemble du corps social. Depuis presque un siècle maintenant, le gribouillage hystérique et antisémite d'une Nesta H. Webster continue d'être pris pour argent comptant par des lecteurs par ailleurs pointilleux de son ouvrage *Secret Societies and Subversive Movements.*

Le livre de Webster, à acause de son style ampoulé, continue pourtant d'être publié quatre-vingts ans après sa première parution. Son approche globale impressionne cependant (ses références à des sources souvent inconnues témoignent d'une exceptionnelle tenue universitaire). Au total, l'ouvrage constitue l'exemple parfait d'une recherche universitaire sérieuse débouchant sur des prémisses fragiles et animée de sentiments profondément racistes. Selon elle – point de vue exprimé au lendemain de la Première Guerre mondiale –, les menaces majeures à la paix dans le monde étaient les francs-maçons du Grand Orient, la théosophie, le pangermanisme, la finance internationale et l'Internationale juive.

Ses inquiétudes concernant l'Allemagne ne doivent pas être vues comme prouvant un sens prémonitoire élevé : déjà à l'époque où elle écrivait son ouvrage, au début des années 1920, le Lion britannique rugissait après les « Huns ». À l'extrême-droite de l'éventail politique, son patriotisme enflammé s'accompagnait de la haine de toute idée socialisante et de la haine du Juif. Elle fait preuve de parti pris car elle ne mentionne ni Marx, ni Lénine, ni le mouvement communiste, ou elle insiste pour dire que la Révolution française fut le résultat de l'action de sociétés secrètes. Il est significatif que la Révolution américaine reçoive autant d'attention que le communisme...

Webster avait le droit d'exprimer ses opinions, et les lecteurs devraient continuer à se battre pour la liberté de s'en imprégner ou non. Même remarque pour le *Mein Kampf* de Hitler ou *Le petit livre rouge* de Mao.

Cette liberté doit toutefois s'accompagner d'une évaluation du risque encouru, à savoir que des organismes sociaux et leurs membres soient ciblés d'une manière telle qu'ils se voient dans l'impossibilité de prouver leur innocence – l'on pense ici à la liberté de la presse, qu'il est périlleux de mettre en question.

Le revers de la médaille, ce serait que des organisations vraiment dangereuses soient sous-estimées ou mêmes passées sous silence, parce qu'elles se trouveraient faire partie des chouchous des spécialistes des manœuvres en coulisse. Comme le loup qui sait se cacher parmi les moutons, une poignée au moins de sociétés secrètes peuvent représenter une source réelle d'inquiétude, facilement confondues par le grand public avec d'autres, jugées bénignes ou mal comprises.

Il est ainsi facile de passer ces organisations sous silence. Et dangereux.

13

CRITIQUES, ALARMISTES ET THÉORICIENS DU COMPLOT

À quel moment la paranoïa a-t-elle du sens ?

À L'EXCEPTION DES SECTES RELIGIEUSES FONDAMENTALISTES, la plupart des gens adoptent une attitude de laisser-faire face aux collègues et gens de leur entourage disant croire l'un aux fées, l'autre aux OVNI, un autre aux anges gardiens ou à des choses de ce genre. Tant que la tolérance et le scepticisme n'ont aucun impact sur nos vies, on se sent libres d'afficher nos propres opinions et de tolérer celles des autres.

Devrions-nous avoir la même attitude à l'égard d'un voisin qui dirait croire, par exemple, aux sociétés secrètes ? Comme la plupart des organisations pouvant passer pour « secrètes » sont des groupes de rencontres amicales – sauf Cosa Nostra, les Triades et les yakuzas – jusqu'à quel point pouvons-nous considérer comme sérieuse l'affirmation qu'elles manipulent nos vies sans notre consentement et sans même que l'on en ait connaissance ? Et jusqu'où devrait-on pousser l'enquête dans les activités de ces groupes ?

Cette dernière question est pratique, et comporte aussi des limites pratiques.

N'importe qui allant sur Internet peut, avec son moteur de recherche, voir apparaître des dizaines de sociétés dont les activités et les croyances affichées vont de la promotion de l'alchimie (le Temple des sciences hermétiques du centre de l'Ohio), au « satanisme bienveillant » (l'Église luciférienne unie de France) en passant par les communications télépathiques avec Mars (la société Aetherius). Plusieurs de ces organisations sont en réalité des variantes de sociétés séculaires, comme les maçons et les gnostiques, ou des religions alternatives affichant toujours leur croyance dans le karma et la réincarnation. Que l'on adhère très peu ou très fortement à leurs principes, il faut considérer leurs activités comme étant leur problème, point.

Il arrive toutefois que soit levé le voile sur les activités troublantes, souvent tragiques, de tel ou tel groupe clandestin. Parmi eux, l'Ordre du Temple solaire (OTS). Son impact fut peut-être limité, minimal, mais la leçon à tirer de sa naissance et de sa mort est importante, car elle montre bien le point de transition entre un culte et une société secrète. L'OTS a commencé comme le premier, et s'est quasi transformé en la deuxième.

Cet ordre a d'abord rassemblé quelques dizaines de membres et leurs enfants, qui ont fait confiance à deux leaders charismatiques : Joseph Di Mambro, citoyen français né au Zaïre, devenu expert autodidacte en effets spéciaux, et Luc Jouret, physicien belge qui, d'après ce que l'on raconte, tirait l'énergie nécessaire pour diriger les destinées du groupe de relations sexuelles avec l'une ou l'autre des membres de sa congrégation. L'OTS fut fondé par Jouret et Di Mambro en 1984 ; son vrai nom, révélé aux seuls membres de la haute hiérarchie, était l'Organisation internationale des Chevaliers de la Tradition solaire. Di Mambro avait abandonné sa profession de bijoutier après être devenu membre de l'AMORC, principale organisation Rose-Croix. Il l'a quittée à la suite d'accusations d'escroquerie et, en 1970, il a emménagé en France mais tout près de la frontière suisse, où il s'est longtemps présenté comme psychologue.

En 1978, Di Mambro a rencontré Luc Jouret, et ensemble ils ont adhéré à l'Ordre du Renouveau du Temple, qui utilisait les thèmes des Rose-Croix et des templiers. Jouret est devenu le Grand Maître, mais il a dû abandonner son poste dans le courant de l'année pour cause – ainsi allait la rumeur – de malversations financières. Di Mambro et plusieurs autres ont alors quitté l'Ordre, et les petits malfrats ont alors fondé l'Ordre du Temple solaire, avec à leur tête, le Grand Maître Luc Jouret.

Doté d'un diplôme en physique, Jouret s'avéra un leader très charismatique, attirant bon nombre de recrues au cours de ses tournées en Suisse, en France et au Québec. Avec l'expansion du groupe, Jouret et Di Mambro ont établi trois catégories ou niveaux de membres. Amanta s'appliquait aux nouveaux membres attirés par Jouret lors de ses tournées de conférences. Le niveau supérieur, les Clubs Archedia, était réservé aux membres désireux d'approfondir les idées et enseignements de l'Ordre. Les plus qualifiés étaient introduits à l'Organisation internationale des Chevaliers de la Tradition solaire.

Jouret était toujours en tournée de conférences, se faisant appeler « Luc Jouret, Physicien, Révélateur des secrets de l'Amour et de la Biologie ». Les sessions sur « l'amour et la biologie » s'enchaînaient sans interruption avec des messages enflammés mêlant apocalypse et spiritualité – Jouret parlait d'éruptions volcaniques, de forêts disparues et d'autres désastres environnementaux, et il mettait en garde ses auditeurs : seule une petite poignée de fidèles physiquement et intellectuellement capables pourrait survivre à la catastrophe. La Tradition solaire cherchait les Élus, et elle les préparait à hériter du monde une fois que tous les autres seraient disparus.

Dans ses conférences, Jouret prétendait avoir été un templier dans une vie antérieure, et il affirmait pouvoir emmener avec lui les plus fidèles de ses disciples jusqu'à une lointaine planète orbitant autour de Sirius. Il disait également être la troisième incarnation de Jésus-Christ, et que sa fille avait été conçue immaculée. Avec le temps, Jouret et Di Mambro ont cristallisé la base philosophique du Temple du Soleil autour d'éléments divers: les templiers, la philosophie Nouvel Âge, le christianisme – et la paranoïa du *Jour d'après*… La vie est une illusion, enseignait-on aux membres. Et Jouret de prévenir: « La libération n'est pas là où les hommes la recherchent. » La fin était proche, le monde se consumerait dans une boule de feu, et seuls les plus fiables des membres échapperaient aux flammes. Entre-temps, Jouret s'engageait à mener le groupe vers les buts tant vantés qui firent la gloire des templiers:

1. Rétablir les justes notions d'autorité et de pouvoir dans le monde.
2. Affirmer la primauté du spirituel sur le temporel.
3. Redonner à l'homme conscience de sa dignité.
4. Aider le progrès de l'humanité.
5. Se réapproprier la Terre dans ses trois dimensions essentielles: corps, âme, esprit.
6. Travailler à l'unité de toutes les Églises, et au rapprochement du christianisme et de l'Islam.

Chaque cérémonie débutait avec la confession de ses péchés. Au lieu du caractère privé auquel nous avait habitués le catholicisme, l'on assistait à une méditation de groupe dirigée, rehaussée par des particules lumineuses qui semblaient venir tout droit du corps des participants, courtoisie de Di Mambro, expert en trucs vidéo.

Les événements pouvaient prendre une tournure plus étrange. Avant le début des cérémonies, Jouret cherchait la force dont il aurait besoin pour ses conférences dans une relation sexuelle avec un membre féminin de son groupe. Dans plusieurs de ces cérémonies, et sur l'ordre de Jouret, des entités spirituelles se matérialisaient dans l'air – aucun rapport avec les pouvoirs spirituels de Jouret, mais avec les coûteux appareils de projection électronique de Di Mambro. Le travail principal de ce dernier s'effectuait dans la coulisse, mais il aimait bien lui aussi avoir des relations sexuelles avec des membres féminins de l'Ordre, sans doute pour se donner l'énergie nécessaire pour faire fonctionner les projecteurs…

Au début des années 1990, l'OTS comptait plus de cinq cents membres – et c'est à ce moment-là que les ennuis ont commencé. Jouret avait conseillé aux membres de constituer des stocks d'armes en vue de bien se préparer pour la fin du monde, mais la police canadienne l'a accusé de possession d'armes illégales. Peu après qu'un membre de l'Ordre, Tony Dutoit, eut attaqué publiquement le Temple solaire, lui, sa femme Nicky et leur enfant ont été assassinés dans leur demeure de Morin Heights, au Québec – et avec une sauvagerie indescriptible : cinquante coups de couteau pour Dutoit, sa femme poignardée quatre fois à la poitrine, huit fois dans le dos, et une fois dans chaque sein ; quant à leur petit, il fut poignardé six fois, et son corps enveloppé dans un sac de plastique noir accroché à un piquet. L'enquête menée a révélé que Dutoit avait dit aux autres membres que les apparitions survenant au cours des cérémonies étaient un trucage.

Ce fut pour l'Ordre le début de la fin. Il y eut des défections, Jouret et Di Mambro se virent publiquement humiliés. C'en fut trop pour leur ego. Dans la nuit du 4 octobre 1994, des résidents de Chiery, en Suisse, ont appelé les pompiers : les flammes faisaient rage au Temple solaire. Le lendemain matin, dans les ruines fumantes, on a trouvé les corps de cinquante-trois membres, dont ceux de Jouret et Di Mambro. Des rapports d'autopsie ont montré que deux des victimes étaient mortes d'asphyxie, et que vingt et une autres s'étaient vu administrer des somnifères avant de recevoir une balle dans la tête. D'autres avaient des sacs de plastique autour de la tête, et plusieurs montraient des signes de lutte, ce qui écartait l'hypothèse d'un pacte de suicide collectif.

L'année suivante, toujours dans les ruines d'un chalet incendié des Alpes suisses, on a trouvé les corps carbonisés de seize autres membres. Les corps disposés en forme d'étoile indiquaient avec leurs pieds l'origine de l'incendie. Parmi les victimes, l'épouse et le fils de Jean Vuarnet, magnat de l'industrie du ski et des lunettes de soleil. Toutes les victimes avaient été abattues, poignardées, étouffées ou empoisonnées. Deux ans plus tard, cinq autres victimes furent découvertes à Saint-Casimir, au Québec, dans la demeure incendiée de Didier Queze, membre de l'Ordre. Quatre corps dans une des chambres de l'étage avaient été disposés en forme de croix, le cinquième, celui de la mère de Didier, était sur un canapé de la salle de séjour, un sac sur la tête.

Plus de soixante-quatorze membres de ce nouvel Ordre des Templiers y ont laissé leur vie. Des accusations de meurtre ont été portées contre un membre qui se trouvait également être chef d'orchestre, Michel Tabachnik, mais ce dernier fut acquitté et relâché. Aucune condamnation, et aucune des armes utilisées contre les victimes n'ont été retrouvées.

On en savait toutefois assez pour déclencher les plus folles spéculations – basées sur les plus minces indices. On a fait courir la rumeur dans des bulletins de nouvelles et sur Internet que le financement du Temple solaire avait été rendu possible par un trafic d'armes impliquant l'Europe et l'Amérique latine, donnant lieu à d'autres suppositions, comme celle d'un « complexe militaro-occulte » visant rien de moins que l'accomplissement des visées d'une « Loge maçonnique fasciste ». À moins bien sûr que le lecteur ne souscrive aux allégations de Radio-Canada, dont certains journalistes avaient découvert que l'organisation assurait ses entrées de fonds en blanchissant des millions de dollars par l'entremise de la sulfureuse Bank of Credit and Commerce International (BCCI). Fermée en 1991, la BCCI pratiquait volontiers les fausses factures, le courtage frauduleux, le mépris des règles des institutions bancaires et le blanchiment d'argent, le tout intriqué de façon tellement complexe que même de nos jours, on n'en est pas venu à bout (il faut insister là-dessus : tous les médias d'information accrédités, même Radio-Canada, ont systématiquement qualifié de « rumeurs » tout ce qui se rapportait à ces « autres » activités du Temple solaire).

Di Mambro et Jouret étaient des individus dérangés et dangereux, taillés dans la même étoffe que James Jones, à l'origine de centaines de morts lors du massacre de Jonestown, en 1978, et David Koresh, dont les « Davidiens » furent éradiqués lors d'un affrontement meurtrier avec le FBI, en 1993.

Que faire de ces leaders qui s'arrogent le droit de vie et de mort sur leurs disciples, et que faire s'ils décidaient d'imposer leur pouvoir à l'échelle mondiale ? La ligne de démarcation est de plus en plus floue entre sociétés du culte et sociétés secrètes, quand elles prennent de l'ampleur et gagnent en puissance.

Toute enquête sur la menace réelle que peuvent faire peser sur nous les sociétés secrètes à plus grande échelle devrait peut-être s'inspirer, pour commencer, du bref extrait d'un dialogue tiré d'un western de 1948 intitulé *Fort Apache.* Owen Thursday, incarné par Henry Fonda, est le lieutenant colonel qui vient d'arriver au fort, et bien sûr, John Wayne joue le rôle de son capitaine grincheux.

> *Thursday :* Les Apaches me semblent très mal en point, si j'en juge par quelques-uns des spécimens rencontrés en chemin.
>
> *Capitaine Yorke :* Si vous en avez vus, Monsieur, c'est que ce n'étaient pas des Apaches…

Comme les Apaches mentionnés par le capitaine, les groupes clandestins représentant une importante menace pour de larges secteurs de la société font tout, soit pour dissimuler, soit pour travestir leurs véritables intentions. Avec le résultat que les organisations les plus dangereuses sont les plus inconnues, ou alors qu'elles ont réussi à « se cacher en pleine lumière ». Sur cette base, « reconnaître » une société secrète est à la fois un oxymoron, et l'indice que le danger représenté, s'il existe, est plutôt mince.

Si l'on voulait tenter une taxinomie des risques liés à chacun des groupes connus, on pourrait en relever quatre types :

1. Les sociétés mi-réelles mi-fictives potentiellement clandestines.

2. Les organisations dont les buts avoués sont manifestement inoffensifs ou ne représentent aucune menace.
3. Les groupes qui, à ce que l'on sache, ne trament aucun complot.
4. Les organismes et ministères du gouvernement exerçant un pouvoir en dehors de leur sphère propre d'activités.

LES GROUPES MI-RÉELS MI-FICTIFS. Le plus célèbre d'entre eux, les Illuminati de Bavière, est celui qui a le plus attiré l'attention des chasseurs de complots au cours des deux derniers siècles. Son fondateur, Adam Weishaupt, ex-jésuite, n'en fut pas moins considéré comme juif par ses détracteurs de l'extrême-droite. Avant la dissolution de son groupe, d'abord décrétée par le gouvernement bavarois puis entérinée par lui-même reniant ses propres intuitions philosophiques, il avait réussi à emmener avec lui quelques esprits éminents.

La montée en puissance du groupe coïncide avec l'éclatement de la Révolution française, si apocalyptique en elle-même, que plusieurs observateurs conservateurs se sont empressés d'y voir la main d'une vaste conspiration. Ils refusent de voir que le peuple français, las et exaspéré par la vieille classe dominante, n'avait nullement besoin d'une quelconque assistance offerte par une quelconque société clandestine pour réussir son soulèvement.

Bien sûr, ils font valoir que le renversement de la monarchie n'aurait pu germer dans l'esprit d'une masse d'analphabètes (comme le disent d'autres sceptiques déniant à William Shakespeare la possibilité même de sa vaste érudition et niant qu'il ait pu produire autant d'œuvres). Il en découle donc selon eux que les révolutionnaires ont du être manipulés par une société secrète, dont la première de toutes, les Illuminati.

Désignés comme société secrète agissant dans l'ombre des maçons – et la preuve de leur puissance était lumineuse : la Révolution française ! – les Illuminati sont devenus la fixation des partisans de la théorie du complot. Aucun autre groupe que la John Birch Society, fondée en 1958, n'a plus déployé d'efforts pour accréditer cette idée. Rejoignant la position de l'antisémite Nesta H. Webster, tous ont défendu la thèse que les Illuminati avaient conçu la Révolution française pour arriver à leurs fins. Il est intéressant de voir que les uns et les autres font un gros oubli : la monarchie fut réinstallée au pouvoir après la chute de Napoléon, en 1815.

Le fondateur de la Birch Society, Robert Welch, est allé plus loin : d'après lui, l'ordre du jour des Illuminati avait été confisqué au début des années 1800 par la famille Rothschild, de manière à contrôler la politique étrangère des États-Unis. La réussite bancaire de la famille et sa structure hermétique fournissaient à Welch tous les ingrédients dont il avait besoin. Mis sur pied vers la fin du XVIIIe siècle par Mayer Rothschild, l'établissement financier a dû son succès à l'idée qu'eut le fondateur de placer ses cinq fils dans cinq centres urbains différents : Francfort, Vienne, Londres, Naples et Paris. Il a aussi organisé des mariages entre ses proches, ce qui a permis à la famille de verrouiller l'ensemble de ses opérations bancaires, assurant du coup le secret, voire la clandestinité de son fonctionnement. Une totale discrétion sur la richesse de la famille, ses réseaux d'affaires et ses nombreuses activités n'a pu qu'alimenter l'imagination fertile de gens comme Welch, qui a pu être étonné toutefois que des banquiers arborent comme blason familial quelque chose d'aussi agressif qu'un poing fermé tenant cinq flèches.

Le réseau des Rothschild expliquait aussi, aux yeux de Welch et d'autres, qu'une organisation aussi vaste et aussi puissante que les Illuminati ait pu échapper aux regards pendant plus de deux cents ans. De toute évidence, l'argent des Rothschild avait servi à quelque chose, mais Welch déclara que c'étaient leurs liens avec la maçonnerie qui étaient au cœur des tentatives pour étouffer l'affaire. D'autres commentateurs, comme l'incontournable Nesta H. Webster ou Joseph Katz, auteur de *Juifs et francs-maçons en Europe*, ont fait valoir que les Illuminati avaient pris le contrôle de la maçonnerie germanique et qu'ils avaient déménagé leur quartier général à Francfort. Là, les maçons avaient recruté d'importants leaders et financiers juifs, comme le rabbin Zvi Hirsh et le premier commis de Rothschild, Sigismund Geisenheimer, établissant de facto « une société secrète dans une société secrète ». Welch a mis tout le poids de son ancien pouvoir dans cette idée, fournissant assez de munitions pour que, un demi-siècle plus tard, les rumeurs fassent toujours des victimes.

L'idée qu'une société soit arrivée pendant deux siècles à masquer son existence, tout en manipulant la finance mondiale, la politique et les nombreux conflits, ne mérite pas une attention particulière. Comment, par exemple, les Illuminati auraient-ils réussi à maintenir le secret le plus absolu alors qu'ailleurs, dans la Mafia, plusieurs membres ont divulgué les plus grands secrets de l'organisation, allant même dans certains cas jusqu'à trahir les liens familiaux ? Les Illuminati auraient donc, eux, pendant deux cents ans, verrouillé toute information ?

Convaincu que les États-Unis étaient sous la menace des Illuminati, dont les visées de domination mondiale incluaient la trahison de la souveraineté américaine, son asservissement aux Nations Unies et à un gouvernement socialiste mondial, Welch a lancé en 1960 la campagne « Quittons les Nations Unies ! ». Il a conseillé à ses membres de former des groupes d'opposants qui, mêlant jeux d'influence et actions clandestines, « s'introduiraient dans les associations parents-enseignants, amèneraient leurs amis conservateurs à faire de même, et en prendraient le contrôle ». Welch était peut-être le seul à ne pas savoir que ce qu'il défendait, c'était une nouvelle société secrète, qui, sous couvert d'aide publique à l'éducation des jeunes, s'activait à vendre son propre ordre du jour international.

Rien ne prouve que les Illuminati ne sont pas disparus avec leur fondateur, qui a réprouvé puis abjuré ses propres principes. Tant qu'on n'aura pas de preuves solides du contraire, les Illuminati n'auront d'existence que dans l'imagination fertile des créateurs de jeux vidéo, et dans l'esprit de ceux qui pensent toujours atteindre la sagesse dans les pauvres divagations d'un Robert Welch pendant la guerre froide.

LES ORGANISATIONS INOFFENSIVES. Adoptant la tactique du « se cacher en pleine lumière », ces groupes rendent parfois public le nombre de leurs membres, affichent clairement leurs intentions, et déclarent travailler pour le bien supérieur de la société. Elles évitent aussi les pièges des sociétés secrètes « traditionnelles », dont les rituels d'initiation, les cérémonies mystiques et le serment du silence.

Pour le paranoïaque patenté, même cette belle latitude peut sembler suspecte, et des groupes allant de l'Armée du Salut au club d'investisseurs du voisinage vont sembler dangereux. Parmi les plus suspectes au cours des dernières années figure une organisation en particulier : le groupe Bilderberg.

Le nom de Bilderberg est souvent associé à la Commission trilatérale, fondée en 1973, et dont le but était de renforcer la coopération entre le Japon, l'Europe et l'Amérique du Nord – et au Conseil des Affaires étrangères, une cellule de réflexion vouée à développer une meilleure compréhension du monde par l'Amérique. Les accusations ont fusé de toutes parts : la Trilatérale était activement impliquée dans des programmes de domination du monde dans les domaines financier, militaire et diplomatique. Ceux qui s'inquiètent des visées de Bilderberg font valoir qu'il ne s'agit pas seulement de savoir comment s'exerce le contrôle, mais *qui* l'assume. Ils disent : les monarques des pays démocratiques comme l'Angleterre, la Suède, la Hollande et d'autres n'ont aucun rôle à jouer dans le processus politique, mais voilà précisément où intervient Bilderberg : il contourne la volonté des pays démocratiques, rappelant par certains côtés le droit divin des rois.

Les décisions prises lors des rencontres de Bilderberg incluent, paraît-il, une liste des candidats jugés aptes aux plus hautes fonctions des pays démocratiques ; sans l'appui de Bilderberg, prétend-on, aucun candidat à la présidence des États-Unis ou au poste de premier ministre en Angleterre, en Australie, au Canada et dans d'autres pays de tradition parlementaire ne peut penser arriver au pouvoir.

D'autres accusations ont été portées: tout y passe et rien de bien précis, comme celles d'une conspiration où les membres de la Trilatérale, de concert avec les Illuminati, les maçons et d'autres groupes souvent pointés du doigt, tireraient les ficelles sur la scène internationale. Plus déroutante, cette accusation de vouloir éliminer la guerre comme moyen de promouvoir des idées nationalistes partout en Europe, comme si de vouloir remplacer la guerre par la diplomatie constituait une activité dangereuse.

Il demeure quand même curieux pour une société à qui l'on prête tant de pouvoir d'influence, que la liste de ses membres soit publique, et que le lieu de ses rencontres, où, paraît-il, l'on établit l'ordre du jour de la domination mondiale, soit connu à l'avance.

Le groupe Bilderberg doit son existence et sa notoriété à l'habileté, au réseau et à la vision d'un homme qui, presque cinquante ans après sa mort, est toujours désigné comme son « éminence grise » : Joseph H. Retinger. Formé par les Jésuites, Retinger était doué d'un instinct politique hors pair, d'une intelligence vive et de beaucoup de charme – ce qui n'a pas manqué d'avoir son effet dans ses relations avec la bureaucratie de l'Église catholique. Il devint même le principal relais entre le pape et le général des Jésuites. Lors de ses funérailles, en 1960, l'un des participants chargés de faire son éloge a rappelé : « Je me souviens de Retinger aux États-Unis : il prenait son téléphone et obtenait tout de suite un rendez-vous avec le président ; en Europe, il avait ses entrées dans tous les cercles politiques existants : il inspirait la confiance, le don de soi et la loyauté. »

Ses premières orientations témoignent d'un esprit doté d'une forte conscience sociale. Jeune encore, dans les années 1920, il est allé travailler au Mexique pour mettre sur pied un mouvement syndical digne de ce nom, et pour convaincre le gouvernement mexicain de nationaliser les richesses pétrolières du pays contrôlées par les États-Unis. S'il faut en croire les bribes d'informations biographiques existantes, il avait l'étoffe des personnages légendaires. Durant la Deuxième Guerre mondiale, il était conseiller politique du général polonais Sikorski, et en 1943, à l'âge de 58 ans, il a été parachuté en territoire nazi, tout près de Varsovie, pour diriger des opérations de sabotage.

Les intérêts et les hauts faits de Retinger vont bien au-delà de l'Europe dévastée d'après-guerre : en 1949, il collabore au lancement du Conseil de l'Europe, qui a installé son quartier général à Strasbourg. En tant que membre du conseil de direction, Retinger s'est attelé à réaliser son rêve : tout faire pour que ne n'éclatent plus de guerres mondiales en Europe, comme celles de 1914-1918 et de 1939-1945, en mettant sur pied une union économique, politique et militaire. Une façon d'y arriver serait de s'aider d'organisations internationales dont les engagements à long terme pour le progrès pourraient neutraliser les conflits idéologiques de court terme, toujours sur le point d'éclater entre les divers gouvernements. N'importe quel observateur du marasme à l'origine de la Première Guerre mondiale pouvait en percevoir les avantages inestimables. Des organisations internationales tournées vers le long terme, et représentant les puissants intérêts d'une multitude de pays, pourraient aider à neutraliser la folie guerrière de court terme, souvent liée à toute une série de traités et d'engagements minés d'avance comme ceux qui avaient conduit à la Première Guerre mondiale.

Soutenu par la gauche européenne, et jouant de ses connexions de droite avec le Vatican, Retinger était le candidat idéal au lancement d'une telle organisation. Il l'a prouvé en 1954, quand il a persuadé le prince Bernhard de Hollande de tenir une rencontre secrète entre pays de l'OTAN. Lui-même investisseur important de la Royal Dutch Petroleum (de nos jours la compagnie Shell), le prince a choisi pour ses hôtes l'Hôtel Bilderberg, à Oosterbeek. Parmi les participants de la première rencontre figuraient le général américain Walter Bedell Smith, patron de la CIA, et des représentants de la famille Rockefeller, qui contrôlait le plus gros concurrent de Standard Oil: la compagnie Shell.

Chaque année depuis un demi-siècle, le groupe se réunit, déclenchant chaque fois les spéculations les plus folles à propos du ciel et de n'importe quoi qui nous tombe sur la tête. Des puissants (et les femmes en font de plus en plus partie) qui se réunissent dans des endroits luxueux pour tenir des discussions privées suscitent immanquablement les soupçons les plus noirs.

À droite, les critiques américains accusent les invités de Bilderberg de vouloir mettre en place un gouvernement mondial qui chamboulerait leurs droits et leurs libertés durement gagnés. Si ceux-là arrivent à leurs fins, mettent-ils en garde, les États-Unis se verront infliger un lourd système de sécurité sociale, et seront laissés sans défense à cause de législations antiarmes à feu draconiennes. À gauche, on imagine les hommes de Bilderberg contrôlant les monnaies, négociant des droits sur les ressources (mondiales) par-dessus la tête des syndicats, et raffermissant du coup leur emprise sur l'économie de la planète. Des sites Web à l'esprit plus ouvert – à moins qu'ils ne soient tout simplement un peu perdus – apportent leur soutien à l'une ou l'autre interprétation des visées de l'organisation.

Plus réalistes, des critiques sérieux du groupe Bilderberg ont exprimé leur inquiétude sur quatre plans différents:

> *Ces gens constituent de facto un gouvernement supranational.* Toutes les ONG disant représenter des intérêts internationaux méritent que l'on s'intéresse à leurs activités. D'autres groupes du genre: l'OPEC, les centres de recherches universitaires qui travaillent sur de nouvelles armes et les manipulations génétiques. Un peu d'esprit pratique et de confiance est toutefois ici conseillé. Vu le mépris affiché par les gouvernements démocratiques à l'endroit des problèmes du développement global à long terme et des solutions rapides qu'il faudrait y apporter, pourquoi devrait-on se surprendre qu'un groupe comme celui de Bilderberg se réunisse pour discuter des priorités et tâcher d'influer sur leur concrétisation?

Ils dirigent le cours des monnaies et imposent les taux de change à l'échelle de la planète. L'impact d'une manipulation des monnaies sur les marchés et les individus mérite en effet qu'on s'en inquiète. Mais est-il simplement raisonnable d'imaginer que des présidents et premiers ministres discutant de cette question se mettent d'accord sur un ordre du jour qui nuise à leurs propres électeurs, et donc à leurs chances d'être réélus ? Il semblerait plus logique – et potentiellement dangereux pour le public – que les banques centrales ou autres jouent dans le taux de change en privé plutôt qu'à l'occasion d'une conférence dont tout le monde connaît le lieu, le moment et le nom des participants. Réponse des fanatiques de la théorie du complot : les échéances électorales des leaders démocratiques sont elles-mêmes verrouillées par les Bilderberg, ce qui écarte toute possibilité d'objection que des leaders pourraient avoir face à des décisions collégiales prises durant la conférence. Admettons. Mais de vastes pans de la population mondiale, bien au fait des machinations survenues durant les élections présidentielles américaines de 2000 et de 2004, sont convaincus que si manipulation il y a eu, ses fauteurs sont sans doute davantage chez nous que chez les membres de l'organisation Bilderberg.

Ils choisissent les figures politiques qui vont devenir les prochains chefs d'État, et ils décident qui devra quitter le pouvoir. Que quelques dizaines d'hommes et de femmes puissent nommer ou tomber d'accord sur le prochain président des États-Unis, le prochain premier ministre de Grande-Bretagne ou le prochain sheik du Qatar est bien une perspective qui fait froid dans le dos. Il est quand même étonnant, si c'est le cas, que les dirigeants démissionnés acceptent leur sort avec autant de grâce et en silence. La rencontre du groupe Bilderberg qui s'est tenue à Stresa, en Italie, du 3 au 6 juin 2004, réunissait à ce que l'on dit le président américain George W. Bush, le premier ministre anglais Tony Blair et – surprise, surprise ! – le candidat à la vice-présidence des États-Unis, John Edwards, qui en tant que colistier de John Kerry, a perdu l'élection aux mains de Bush cinq mois plus tard. La décision de reporter Bush au pouvoir aurait-elle été prise un certain jour de juin en Italie ? Edwards aurait-il modestement accepté la décision, peut-être avec la promesse de se voir offrir un statut présidentiel en 2008 ? Il ne manque plus que Spielberg, dans cette affaire !

Ils décident quels pays vont déclarer la guerre à qui. Étant donné les conflits potentiels ayant pu survenir en Europe depuis une soixantaine d'années, la période de paix dont a joui l'Europe est sans précédent, et beaucoup du climat harmonieux qui y a prévalu doit être attribué à la vision du monde de Retinger. Les théoriciens de la conspiration rétorquent: le groupe de Bilderberg décide de la paix comme de la guerre – mais il faudrait expliquer que la plupart des conflits qui ont éclaté depuis sa création ont opposé des pays qui n'en sont pas membres, comme le Vietnam, l'Iran, l'Iraq, l'ex-Yougoslavie et d'autres. Le groupe de Bilderberg a peut-être un tout petit peu mis la main à la pâte, mais quand même…

On n'a pas fait taire toutes les critiques, mais on peut aussi obtenir quelque explication de la part des personnes visées par elles. Son fondateur, le prince Bernhard en personne, dit bien comprendre la source de ces inquiétudes: « Il est difficile, soumet-il, de recommander à des gens élevés dans le culte de la nation d'abandonner une partie de leur souveraineté aux mains d'un organisme supranational. »

Couplé à l'ampleur des sujets discutés et à la puissante influence de ses participants, ce renoncement nourrit toujours les soupçons de la part de gens normalement imperturbables. En consultant les documents que nous avons en main, il est aisé de se rendre compte que l'ordre du jour du groupe Bilderberg s'intéresse davantage à accroître ses pouvoirs et à enrichir ses membres qu'au bon fonctionnement du monde, aux énergies renouvelables, aux crises environnementales et à la faim dans le monde.

Réponse des membres du groupe: des discussions libres entre gens venant de tous les horizons doivent respecter un certain secret, si l'on souhaite parler ouvertement et en vérité. Ils remarquent aussi au passage que toutes les décisions politiques ou d'affaires prises au niveau des cabinets ministériels ou de conseils d'administration sont elles aussi soumises au secret. Ce qui est assez vrai. Mais c'est la dimension internationale du groupe Bilderberg qui dérange la plupart des gens, leur principale inquiétude pouvant s'exprimer ainsi: nous aimons croire qu'en tant que citoyens de sociétés prétendues démocratiques, nous gardons le contrôle, au moins périodique, sur des événements qui se passent chez nous, dans nos provinces ou nos pays respectifs, et nous hésitons, bien sûr, à abandonner ce pouvoir à des étrangers.

LES GROUPES QUI, À CE QUE L'ON SACHE, NE TRAMENT AUCUN COMPLOT. Tant qu'ils sont inscrits comme étudiants à Yale, les Skull and Bones n'ont aucune influence en dehors du campus. Mais que dire des relations entre membres une fois qu'ils occupent des postes dans le monde de la politique ou des affaires ? Les réseaux existent depuis l'époque des cavernes. Quel profit y aurait-il à surveiller et à tenter de contrôler les activités d'associations fraternelles, de groupes de femmes, de loges, d'associations caritatives, de bandes de scouts et de groupes de ce genre ? Mais que se passe-t-il si des membres de ces associations se rapprochent, cultivent toujours sur la scène internationale un secret qui faisait sourire à l'époque de leurs études ?

Imaginons des personnalités brillantes, venues de milieux privilégiés. Elles visent des postes de pouvoir de manière à poursuivre les buts et les valeurs de la société fermée qui était la leur, et à qui elles ont juré d'être fidèles jusqu'à la mort. Rappelons-nous ensuite les affaires des frères Bundy, les ancêtres Bush, l'origine très douteuse du Russell Trust et de la Union Banking Corporation, parmi d'autres escapades des Skull and Bones.

Il est très improbable que les quadragénaires Skull and Bones s'étendent toujours, nus dans un cercueil, pour se raconter leurs hauts faits sexuels (surtout à notre époque de mixité), ou qu'à l'occasion de leurs rencontres, ils pratiquent des rites secrets sans au moins sourire d'un air gêné. Mais l'on ne peut non plus balayer du revers de la main que des personnalités d'un tel calibre, ambitieuses et déterminées, fassent totalement fi de leurs liens lorsqu'ils planifient entre eux des stratégies financières ou politiques.

LES ORGANISMES ET MINISTÈRES DU GOUVERNEMENT EXERÇANT UN POUVOIR EN DEHORS DE LEUR SPHÈRE PROPRE D'ACTIVITÉS. Si des décisions sont prises qui affectent les sociétés démocratiques, il ne faudrait pas accuser des organisations secrètes porteuses de traditions séculaires, mais de puissants intérêts insérés dans la machine gouvernementale elle-même, dont les actions échappent à toute investigation sous prétexte de « sécurité nationale ».

Certes, ces organisations n'utilisent pas les pratiques des sociétés secrètes comme des rites compliqués d'initiation, mais qui de nos jours, dans un monde où l'ordinateur détecte l'ami ou l'ennemi dans une empreinte digitale ou dans l'iris, a vraiment besoin de mots de passe ou de signes ?

L'idée qu'un organisme fédéral comme le Conseil national de sécurité (CNS) des États-Unis soit mis sur le même pied que les Assassins ou Cosa Nostra peut choquer, mais à une plus grande échelle, il est prouvé que des décisions secrètes de cette organisation ont un impact beaucoup plus lourd que tous les actes prétendument perpétrés par l'ensemble de toutes les organisations habituellement ciblées par les maniaques de la conspiration : maçons, templiers, Rose-Croix, cabalistes, Illuminati et autres.

On a dit du CNS qu'il constituait « le dernier cri en matière de club privé à Washington, et que ses membres figuraient tous au *Who's Who* de ceux qui ont le pouvoir d'influencer l'histoire ». Fondé en 1947 par le président Truman pour avoir une prise directe sur les grands événements du monde, le CNS accrédite une liste de personnalités dont les carrières se sont entremêlées au cours des années, et qui sont impliquées dans les affaires relatives à la Défense, au Renseignement et aux relations diplomatiques.

Leur chef de file depuis le premier jour, membre de l'administration Nixon : Henry Kissinger, jamais élu, mais dont les quatre décennies d'activité dans tous les coups tordus de la politique internationale ont fait la personnalité la plus influente de notre époque.

À la différence d'autres organisations fédérales, le CNS offre à chacun un mandat ouvert, sa vague mission consistant à conseiller le président et à coordonner l'ensemble des affaires politiques et militaires. Le flou total, voulu comme tel, autour de personnalités comme Kissinger et de (sa cour) ses lécheurs de bottes, leur confère un inquiétant pouvoir de contrôle sur la politique américaine, qui par définition touche de nombreux secteurs de la vie internationale.

À cet égard, l'apogée du pouvoir de Kissinger a coïncidé avec les derniers soubresauts de la présidence de Nixon. Ébranlé par les révélations du Watergate, sachant ses jours comptés, Nixon a abandonné la direction du CNS. Et Kissinger de s'engouffrer dans la brèche : ayant pris la tête du groupe, et juste avant la démission de Nixon, il a placé les forces américaines en alerte rouge, privilège exclusif du président.

On pourrait voir là une aberration, une réponse insolite à une situation sans précédent, mais il demeure deux sujets d'inquiétude qui méritent considération. Le premier : bien connu pour ses coups tordus en politique international, Kissinger est celui qui a déclenché le bombardement illégal du Cambodge – et c'est le même qui a organisé le renversement d'un président démocratiquement élu, Salvador Allende, au Chili. Ce sont là des exemples troublants du pouvoir accordé au CNS, qui a pu faire fi de la constitution américaine en contournant les autorités officielles et en se soustrayant au principe de responsabilité.

L'autre est une question d'ouverture et de transparence. Les défenseurs du CNS et Kissinger vont faire valoir avec un tremblement dans la voix qu'en matière de sécurité nationale, certaines situations difficiles exigent le plus grand secret, sans que l'on se sente lié à une quelconque obligation de consultation ou de confirmation après que ces décisions ont été prises. C'est la réplique fréquente des PDG voulant justifier le secret des réunions du conseil d'administration auprès des actionnaires. Il se trouve cependant que les décisions du CNS ont souvent un effet global qui déborde, et de loin, le champ d'activités spécifique d'une grande compagnie. De toute évidence, on canaliserait plus efficacement ses énergies si le souci maniaque du prétendu pouvoir des templiers, des maçons, des Illuminati, du prieuré de Sion et d'autres organisations était appliqué à des groupes officiels connus, comme le

CNS, dont les pouvoirs et les abus potentiels sont vastes et très évidents à la fois.

Le monde chancelle sur ses bases. Son équilibre instable devrait vite nous faire réaliser une chose: rien n'est aussi immuable ou prévisible que ce que nos sens nous disent et que ce vers quoi nous orientent nos préférences. Les événements cosmiques insolites et les vagues déferlantes échappent non seulement à notre contrôle, mais à notre capacité à les détecter. On ne voit qu'ils arrivent et les dangers qu'ils représentent qu'*après* la catastrophe: ère glaciaire ou séisme monstrueux. En tout état de cause, nous prêtons à ces possibilités la même attention qu'à notre propre mort: une rumeur confirmée seulement après le fait.

Pour certains, ce sont les dangers venus du ciel, pour d'autres, ce qui inquiète, ce sont les menaces venant de groupes mystérieux dont l'existence peut se limiter aux spéculations et fantaisies d'auteurs ou de propriétaires de sites Internet particulièrement inventifs. À ce qu'il semble, on n'a jamais trop de sociétés secrètes pour projeter nos peurs, justifiées ou non. Pas plus qu'il ne semble possible de faire disparaître des groupes de l'ombre dont le dernier haut fait reconnu remonte à plusieurs siècles.

Chaque année, de nouvelles organisations secrètes sont créées. La plupart disparaissent rapidement – victimes de la dérision ou de l'implacable regard scientifique –, mais d'autres prolifèrent et survivent assez longtemps pour qu'un siècle ou deux plus tard, on impute à leurs créateurs des maux inimaginables aujourd'hui encore. Un exemple, pas si éloigné dans le temps, fera voir comment naissent les sociétés secrètes, quels événements contribuent à leur succès, et qui sont les individus qui les perpétuent.

En 1947, on a découvert sur un ranch situé près de Roswell, au Nouveau-Mexique, des débris d'on ne sait quoi qui ont rallumé les soupçons de ceux qui voient partout des conspirations gouvernementales inspirées par des sociétés secrètes. Cinquante ans plus tard, il y a toujours des millions d'Américains qui croient que c'étaient là les débris soit d'un vaisseau spatial venu d'une autre planète ou d'un avion militaire ultrasecret capable de performances exceptionnelles. À leurs yeux, ces deux hypothèses expliquent que le gouvernement ait fermement refusé de fournir quelque détail que ce soit. La vérité – les indices trouvés et la simple logique nous conduisent à cette conclusion – c'est qu'un ballon météo à usage militaire chargé de mesurer la température, la force des vents et autres éléments de la météorologie a été ramené au sol, comme on le fait toujours. La hâte des militaires à récupérer leur équipement peut s'expliquer – on ne voudrait pas qu'une chèvre un peu trop curieuse enfouisse des morceaux d'un coup de patte ou qu'un manœuvre travaillant dans un ranch s'empresse d'exposer son trésor dans le dortoir. Et la tournure d'esprit des militaires est imbattable quand il s'agit d'inventer des histoires pouvant faire la une et ainsi protéger la sécurité nationale, mais leur explication était vraisemblable, donc elle fut gobée.

Pas par tout le monde. Des histoires invraisemblables ont entouré cet événement par ailleurs banal, et des histoires extravagantes ont circulé et ont tenté d'expliquer pourquoi nous en savons si peu. D'où l'hypothèse d'une société secrète qui suit de près les mouvements de curiosité populaire, s'entoure de tout le secret nécessaire, retient des preuves et veille à ce que toute enquête publique ne puisse approcher d'« un peu trop près la vérité ». Dans ce cas-ci, nous parlons de la société Jason, prétendument mise sur pied pour dissimuler les preuves que des extraterrestres sont venus aux États-Unis, dont témoigne l'écrasement de la « soucoupe volante » de Roswell.

L'histoire veut que la société Jason, fondée par le président Eisenhower, soit composée de trente-deux personnalités, parfois liées à la CIA, chargées de tenir les citoyens américains et le monde en général à bonne distance de la vérité des faits conscernant Roswell, y compris le « fait » qu'on a retrouvé deux corps d'extraterrestres dans les débris de l'appareil. Douze membres de Jason, répondant au nom de code MJ-12, s'occupent des finances de la société, qui a la haute main sur la quasi-totalité du trafic de drogues dans le monde ; elle échappe donc à la curiosité du Congrès, qui autrement pourrait être informé de ses activités dans le cadre des vérifications des dépenses. Conséquence du financement par le moyen du trafic de drogues ? L'organisation est capable de repérer, et d'éliminer au besoin, les éléments vulnérables de la société américaine.

Le reste – tout ce qu'on impute ou attribue à Jason, tous les liens entre petits morceaux de diverses théories du complot pour en arriver à des conclusions qui non seulement débordent la totalité de leurs composantes, mais qui sont aussi totalement différentes – est un cas clinique.

C'est parce que le président Kennedy aurait découvert Jason, que des membres du MJ-12 liés à la CIA auraient été chargés de l'éliminer. Ces agents n'auraient pas accepté son idée de dévoiler au public américain l'existence d'extraterrestres, ainsi que des échantillons de leurs armes et de leur équipement, ce qui aurait coupé les vivres à l'organisation. C'est Jason qui a donc décidé de la mort du président Kennedy, et il existe d'ailleurs un film dans les coffres-forts de la société montrant le chauffeur de la limousine de Kennedy se retournant et donnant le coup de grâce au président tout en poursuivant sa route dans les rues de Dallas. Bizarre, non ? Mais est-ce plus fou que de défendre l'idée que des descendants de Jésus contrôlent le monde depuis deux mille ans sans que personne ne les ait jamais vus ? La folie est chose toute relative, après tout.

Les sociétés secrètes prospèrent quand leurs adhérents peuvent s'identifier à une personne en particulier dont les extraordinaires pouvoirs de double vue servent de flambeau. Ce leader en viendrait-il à mourir ? Sa mort violente fournira alors la preuve qu'il fut un martyr et qu'il était en possession d'informations qui lui ont coûté la vie – et c'est parfait comme ça… C'est ce qui est arrivé pour Jason – et avec quel retentissement ? Un dénommé Milton William Cooper disait avoir en sa possession un trésor de secrets gouvernementaux, et notamment sur l'affaire de Roswell et sur l'assassinat de Kennedy par son chauffeur. Il avait poussé l'enquête sur ces événements alors qu'il était agent de renseignement pour la marine américaine, et avait ainsi accès à des dossiers hyper-secrets.

À l'extrême droite de l'échiquier politique, et particulièrement chez ceux qui tombaient quotidiennement sur son émission de radio ou qui s'étaient essayés à lire son livre de 1991, *Behold a Pale Horse* (Light Technology Publications), on avait là un héros, « le plus grand patriote des États-Unis », titre qui lui fut conservé même après qu'il eut déclaré authentiques les *Protocoles des sages de Sion* (même s'il avait suggéré que l'on remplace « juifs » par « Illuminati »). Cooper appuyait ses dires en rappelant qu'il avait été autrefois membre de l'Ordre de Molay, grâce auquel il avait pu percer les secrets du pouvoir des francs-maçons.

Cooper a passé sa vie à dénoncer violemment les sociétés secrètes, qu'il voyait partout, affirmant chaque fois qu'il détenait des preuves incontestables de leur existence et de leurs méfaits. Il aurait quand même dû se procurer un bon atlas mondial. Quand il a attaqué le groupe Bilderberg, il a déclaré que son quartier général était à « La Haye, en Suisse », ajoutant que la Suisse était le seul pays européen qui avait échappé aux bombes et à l'invasion durant la Deuxième Guerre mondiale, attribuant ce fait (d'ailleurs discutable) à l'influence des membres de Bilderberg. Il aurait aussi eu besoin d'un bon calendrier, le groupe Bilderberg ayant été fondé presque dix ans après la fin de la Deuxième Guerre mondiale.

Quelles qu'aient été ses références maçonniques, il n'a jamais été expert du renseignement pour la marine. D'après des dossiers militaires officiels, il n'a jamais dépassé le grade de sous-officier de deuxième classe, et il fut alors rendu à la vie civile, en 1975. Vingt-cinq ans plus tard, terré dans un coin perdu de l'Arizona, Cooper fut abattu lors d'un échange de coups de feu avec des shérifs munis d'un mandat d'arrestation, entre autres pour évasion fiscale et attaque avec une arme dangereuse.

Depuis ce mois de novembre 2000, des histoires sont venues enrichir la cas Cooper et ses révélations. Il aurait été tué parce qu'il connaissait trop de secrets gouvernementaux. Son dossier militaire avait été vidé de tout document prouvant son travail dans le monde du renseignement. Et on avait enterré avec lui, insistent ses partisans, la vérité sur Roswell, l'assassinat de Kennedy, les attaques du 11 septembre 2001, le groupe Jason, les vraies raisons de la démission de Richard Nixon, et quoi d'autre encore…

L'on peut imaginer sans peine que le « martyr » Cooper et ses prétendues informations sur de noirs secrets de dangereux comploteurs pourront, après plusieurs générations, donner naissance à une fondation qui certifiera l'existence de plans secrets et d'activités malveillantes, en s'appuyant sur des « faits incontestables ». Et la légende attirera sans aucun doute les individus qui préfèrent croire que les malheurs du monde en général, et leur destin particulier, ne viennent pas des failles du système économique ou de leur propre manque d'initiative, mais qu'ils sont dus à des groupes de sorcières ou à des groupuscules de l'ombre fonctionnant avec des serments et des rituels secrets. Ils vont s'en remettre aux prétendues activités de sociétés secrètes en lesquelles ils souhaitent croire – quand ils n'en ont pas carrément besoin. Et la paix redescendra dans leur âme, leurs certitudes relevant purement et exclusivement du domaine de l'imagination.

EN GUISE DE CONCLUSION

Démons ou bêtise ?

QUAND JE ME SUIS MIS À CE LIVRE, j'espérais – que dis-je ? – je m'attendais à découvrir des complots séculaires tramés par des élites mondiales. J'espérais rencontrer des hommes de l'ombre friands de cachettes souterraines, en train de jouer avec les devises mondiales, de dissimuler les preuves de l'existence de visiteurs extraterrestres ou de confirmer le lieu exact de la sépulture du Christ. J'ai cherché des preuves auprès de brillants esprits posant les mêmes et éternelles questions sur le sens de l'univers, ou empilant richesses et pouvoirs à une échelle sans précédent dans le temps et dans l'espace. La plupart du temps, tout ce que j'ai rencontré, c'est une vague paranoïa exprimée en termes un peu infantiles, puisant à l'occasion dans des histoires racontées par les grands médias, davantage destinées à titiller le lecteur et à « vendre de la copie » qu'à vraiment l'informer avec de vraies nouvelles.

Au cœur de toute théorie du complot, il y a le mal, des puissances invisibles, des histoires pleines de demi-vérités, de la fabulation pure, et un stupide mélange de faits historiques et d'événements imaginaires. Mais si folles que soient ces suppositions, on prête l'oreille, car – particulièrement au sein des sociétés industrielles avancées – elles touchent une angoisse largement répandue liée à une perte de contrôle sur sa vie et à un sentiment amoindri de son individualité. Elles répondent parfois aux peurs qui nous habitent, et le simple fait de les exposer nous réconforte jusqu'à un certain point, si fantaisiste qu'en soit la présentation.

J'en suis venu à la conclusion qu'il est dangereux de puiser dans ces diverses théories si on ne leur applique pas une logique rigoureuse, car pendant ce temps, des menaces très concrètes échappent à notre attention. Tellement de gens autour de nous mettent un temps fou à débattre de théories ingénieuses impliquant des sociétés secrètes et oublient de vérifier sérieusement de fausses allégations menant à des désastres bien réels – ou aurions-nous déjà oublié les fameuses armes de destruction massives ? Au lieu d'avertir les lecteurs crédules de menaces très concrètes et de contribuer à les écarter, les théoriciens du complot ne réussissent, avec leurs histoires, qu'à aggraver leur sentiment d'impuissance face à des situations politiques et sociales graves.

Il arrive, oui – très sporadiquement – qu'un peu de lumière filtre de certains mythes. Il en va ainsi du lien évident entre les Assassins et al-Quaida. Mais une fois qu'on a compris les méthodes et structures du premier groupe, en quoi cela nous aide-t-il à lutter contre l'extrémisme des terroristes islamistes ? L'influence du CNS s'étend bien au-delà des frontières américaines, et la propension de ses membres à agir de manière unilatérale dans la poursuite des intérêts américains justifie amplement qu'on les ait à l'œil. Mais ce sont là des exceptions. Pour le reste, la fascination suscitée par les sociétés secrètes s'enracine davantage, selon toute apparence, dans notre goût du divertissement que dans notre intérêt pour des menaces globales hypothétiques brandies par elles.

Il a fallu attendre 1997, année de parution de l'ouvrage du réputé chercheur Carl Sagan, *The Demon-Haunted World : Science as a Candle in the Dark*[1] (New York, Ballantine Books), pour qu'on mette le doigt sur le cœur et l'essence du phénomène des sociétés secrètes. Sagan s'intéresse prioritairement à la permanente fascination de ses concitoyens américains pour les soucoupes

1. Un monde hanté par le démon : la science comme une lueur dans la nuit.

volantes et les démons extraterrestres qui leur serviraient de pilotes, notant au passage que 95 % des Américains sont scientifiquement illettrés et qu'ils cherchent à expliquer des incidents naturels avec des idées saugrenues. Et Sagan de conseiller : au lieu de bûcher sur des récits rocambolesques parlant d'alchimistes et de guides mystérieux de sociétés secrètes parfois millénaires, nous ferions mieux de nous occuper de réalités autrement plus terrifiantes et globales au sein desquelles nous vivons – voilà ce qu'il faudrait étudier, déchiffrer, évaluer. « Nous espérons que quelqu'un ou quelque chose vienne nous sortir de notre grisaille quotidienne, écrit-il, juste pour rallumer le sentiment de merveilleux qui s'emparait de nous quand nous étions petits. » Les sociétés secrètes nous font renouer avec notre enfance, ouverte à toutes les merveilles. Mais de trop y plonger risque de nous faire prendre des légendes pour la réalité, et ainsi de faire l'économie de la logique et de la raison. Trop souvent, nous préférons la superstition à l'analyse scientifique. Dénonçant ceux qui préfèrent le dogme rigide à la déduction rationnelle, Sagan dénonce la « fête de l'ignorance ». Et il met en garde : « Tôt ou tard, ce dangereux combustible fait d'ignorance et de sentiment de puissance va nous sauter au visage. Le jour où les gouvernements et les sociétés perdront leur esprit critique, les résultats pourront être catastrophiques, si compréhensifs que l'on se sente à l'égard des acheteurs de pacotille. »

Revoyant mes sources, les différentes approches, les preuves et les opinions émises sur les sociétés secrètes, je reste avec l'impression que depuis quelque temps déjà, les vendeurs de pacotille inondent un peu trop le marché…

NOTES

Introduction – Fadas, frayeurs et fanatiques

On présente un enfant couvert de pâtes, p. 10 : Marcus Minucius Felix, *L'Octavius*, n° 9, traduction M.A.P. de l'Académie royale de Lyon (http://www.catho.org/9.php?d=coa). Felix était chrétien. Le passage cité provient d'un dialogue imaginé entre un païen et un chrétien ; le premier répète simplement les récits qui circulent, chez les Romains, sur les activités des seconds.

Un instrument de torture comme symbole et identité, p. 13 : Les chrétiens avaient aussi comme symbole le poisson, un signe d'identité moins menaçant. Le poisson était toutefois depuis longtemps utilisé par diverses cultures de Chine, d'Inde, d'Égypte et de Grèce pour désigner la fertilité (encore une fois avec de fortes connotations sexuelles). Chez les chrétiens, son usage n'a jamais été aussi généralisé ni aussi unificateur que celui de la croix. A-t-on jamais vu un chrétien faire le signe du poisson ?

Kabbale, p. 15 : En français, le mot existe sous diverses graphies : kabbale, cabale, cabbale, qabbale, etc. L'anglais connaît les formes *qabbala*, *cabala*, *cabalah*, *cabbala*, *kabala*, *kabalah*, *kabbala*, *qabala* et *qabalah*. Dans notre langue, « kabbale » semble l'avoir remporté pour désigner l'une des traditions juives qui se consacrent à l'interprétation de la Torah.

1
Les Assassins. Rien n'est vrai, tout est permis

Pour l'orthographe des noms arabes, le traducteur s'en est remis au *Dictionnaire historique de l'Islam* de Janine et Dominique Sourdel (Paris, PUF, 1996, Quadrige/PUF/Dicos Poche, 2004, 1028 p.) ou, à défaut, au *Petit Robert, dictionnaire universel des noms propres.*

Hassan renomme la forteresse Alamut, p. 32 : On la connaît aussi sous les noms de *Guide de l'aigle* et *Nid du vautour.*

« [...] **est le créateur d'un vaste jardin dont il assure l'irrigation** », p. 32 : Description reprise par Thomas Keightley dans son ouvrage de 1837, *Secret Societies of the Middle Ages – The Assassins, the Templars & The Secret Tribunals of Westphalia* (Boston, Weiser Books, 2005), p. 74. La recherche de Keightley est irréprochable et il tire ses conclusions bien avant que le sujet soit dénaturé par les théories sensationnalistes d'Hollywood et des romanciers s'inspirant de faits réels.

Entre deux montagnes, dans une vallée, il avait fait fortifier le plus grand jardin et le plus beau qui fût jamais, plein de tous les fruits du monde, p. 33 : Marco Polo, *La description du monde*, édition, traduction et présentation par Pierre-Yves Badel, Paris, Librairie Générale Française (1998), « Le Livre de Poche », nº 4551, 2002, p. 117-121.

Ils sont les premiers que l'on connaisse sous le nom de *haschischins* ou Assassins, p. 35 : Une autre tentative d'explication du nom veut que le mot arabe *assãsin* se traduise par *gardiens (des secrets).* Le lien avec le haschich est cependant plus largement accepté. En fait, il pourrait s'agir d'un cas de définition par inversion, et *assãsin* dériverait alors des Assassins plutôt que l'inverse. Quoi qu'il en soit, le mot assassin a été presque exclusivement utilisé par les Européens pour désigner le groupe ; les musulmans les connaissaient plutôt sous le nom de *nizâriya*, francisé en nizaris, nizarites ou nizariens.

Thought Reform and the Psychology of Totalism, p. 37 : Robert Jay Lifton (Chapel Hill, University of North Carolina Press, 1989).

[...] **appelé aussi 'Alâ al-dîn (sommet de la foi)**, p. 40 : Rien à voir avec Aladin et sa lampe magique.

[...] **où on les connaît peu à peu sous le nom de *khojas***, p. 41 : Ne pas confondre les *khojas* avec les *thugs*, une secte d'étrangleurs de grands chemins qui terrorisaient des régions de l'Inde avant d'être traqués et pendus par les administrateurs coloniaux britanniques, en 1861.

2
Templiers, Illuminati et francs-maçons. Le centre secret du pouvoir

[...] **dont plusieurs signataires de la déclaration d'Indépendance américaine**, p. 43 : Le nombre de maçons qui auraient signé la déclaration d'Indépendance varie selon les sources. Certaines prétendent que la majorité des signataires étaient maçons. L'historien Jasper Ridley, qui a libre accès aux archives maçonniques, n'a pu confirmer le statut de membre que de neuf des cinquante-six signataires.

[...] **ne sont pas le fruit d'un idéal chevaleresque ou d'une totale abnégation à la foi chrétienne, mais d'un impératif féodal**, p. 45 : Pour l'essentiel, notre documentation sur les templiers provient de l'ouvrage de Keightley intitulé *Secret Societies of the Middle Ages*.

[...] « **doux de caractère, entièrement dévoué à la cause et sans merci au nom de la foi** [...] », p. 51 : Robert Payne, *The Dream of the Tomb : A History of the Crusade* (New York, Stein & Day, 1984), p. 64.

« [...] **qu'on ne trouve pas d'autres noms qui leur conviennent mieux que ces deux-là, puisqu'ils savent allier ensemble**

la douceur des uns à la valeur des autres», p. 53: *Livre de saint Bernard aux chevaliers du Temple. Louange de leur nouvelle milice*, chapitre IV – Vie des soldats du Christ, n°s 7 et 8, http://www.templiers.org/eloge-chapitre4.php, p. 1- 2, «publié grâce à l'aimable autorisation de l'Abbaye Saint Benoît de Port-Valais, 1897, Le Bouveret (VS), Suisse».

[...] offrent de se convertir au christianisme si les templiers renoncent au tribut, p. 55: F. W. Bussell, *Religions Thought and Heresy in the Middle Ages* (Londres, R. Scott, 1918), p. 796.

[...] il mourra dans d'interminables tortures, p. 56: Keightley, p. 206.

[...] les langues germaniques s'enrichissent, avec le mot *templehaus*, d'une nouvelle appellation pour désigner une maison de mauvaise réputation.: p. 57: La description des activités non officielles des templiers est empruntée à G. Mollat, *Les papes d'Avignon* (Paris, s.n.é., 1912), p. 233.

[...] s'engage entre eux, en 1159, une lutte à finir déclenchée par les templiers qui en ont censément après le présumé trésor de leurs rivaux, p. 57: Keightley, p. 219.

«inqualifiable apostasie de Dieu, détestable idolâtrie, exécrable vice, et plusieurs hérésies», p. 57: Nesta H. Webster, *Secret Societies & Subversive Movements* (Londres, Boswell Print & Co, 1924; réédité par A&B Publishers Group, 1998), p. 51. L'ouvrage de Webster a des prétentions savantes, mais les opinions racistes de l'auteure, spécialement son antisémitisme, colorent plusieurs de ses conclusions.

«[...] aient pu être assez oublieux de leur salut pour faire ces choses, nous refusons de prêter oreille à pareille insinuation», p. 58: Extrait du *Procès des Templiers* (1841) de Michelet, cité par Webster [NDT: Nous traduisons le passage]. Certains historiens soutiennent que les templiers auraient cédé leurs richesses au roi de France, ce qui rendrait inexplicables les mesures prises ultérieurement contre eux par le roi.

« Les flammes sont d'abord appliquées sur leurs pieds », p. 60 : Keightley, p. 326.

Pas moins de seize présidents américains ont fièrement déclaré leur appartenance maçonnique, p. 63 : Ce qui ne vaut pas nécessairement en ce qui a trait à la concentration du pouvoir. Dans cette catégorie, Skull & Bones pourrait bien tenir le haut du pavé.

« Si nos pensées, nos paroles, nos gestes peuvent être soustraits aux yeux des hommes […] **»**, p. 64 : Thomas Smith Webb, *The Freemasons Monitor or Illustrations of Masonry* (Salem, Mass., Cushing & Appleton, 1821), p. 66.

« Au creux des plus profondes ténèbres […] **»**, p. 70 : Marquis de Luchet, *Essai sur la secte des Illuminati* (Paris, 1789) [NDT : Nous traduisons le passage].

Malgré les protestations de Washington […], p. 72 : Diverses attributions, dont Albert Pike dans *Morals and Dogma : Of the Ancient and Accepted Scottish Rite of Freemasonry* (New York, Nuvision Publications, 2004). Extrait ici de TOTSE.com.

Parmi les symboles dessinés par le tracé des rues de Washington […], p. 72 : Il existe diverses interprétations pittoresques des symboles sataniques et franc-maçonniques que dessinerait le plan des rues de Washington, D.C.

[…] **l'initié sent la pointe d'un compas pressée contre sa poitrine** […], p. 74 : Il semble régner quelque confusion quant à ce rituel. Certaines provinces maçonniques continuent vraisemblablement de l'observer alors que d'autres en ont abandonné la pratique.

Récemment, leur image a été ternie par des révélations insinuant qu'à peine 25 % des huit milliards de dollars de leur fondation sans but lucratif seraient effectivement consacrés à des activités philanthropiques, p. 75 : *TORO*, « Black Shadow » (Été 2005), p. 41-45.

« *Frater*, ça veut dire frères […] **»**, p. 77 : *Ibid.*, p. 45.

Les coups doivent être tirés par Albert Eid, un homme de 77 ans, p. 79 : *Newsweek* (11 mars 2004). Eid a plaidé coupable à des accusations d'homicide involontaire et il a été condamné à cinq années de probation.

3
Le prieuré de Sion. gardiens du saint Graal

Un prieuré se définit comme un rejeton d'une abbaye ; le supérieur y est appelé *prieur*. Sion est le mot latin par lequel on désigne la colline du même nom sur laquelle David a fondé Jérusalem.

En dépit de la certitude des chrétiens en la matière, Marie-Madeleine n'était pas une putain de Jérusalem, p. 82 : Comme on l'a déjà observé, il existe de multiples variantes du conte voulant que Marie-Madeleine ait accouché en France. Cette version-ci puise à plusieurs sources, mais surtout à Jim Marrs, *Rule By Secrecy* (New York, HarperCollins, 2000).

Grâce à plusieurs avantages géographiques, Rhedae s'enorgueillit à l'époque d'une population de plus de trente mille habitants, p. 85 : Les détails relatifs au passé de Rennes-le-Château ont été obtenus sur le site Internet officiel de la ville : www.rennes-lechateau.com.

Plantard affecte parfois les manières et l'allure stéréotypées de la pègre française, p. 94 : Les détails sur la vie de Plantard sont tirés de « The Priory of Sion Hoax », publié dans le magazine *GNOSIS* (Printemps 1999), et de l'article de Jean-Luc Chaumeil, « Les Templiers de l'Apocalypse », dans l'*Observateur de Rennes* (15 juin 1997), p. 19-20.

Les archives de la Sûreté française confirment aisément le dernier, p. 94 : Cette précision a été fournie en réponse à une requête concernant une lettre de deux pages et demie, datée du 8 juin 1956, adressée par le maire d'Annemasse au sous-préfet de Saint-Julien-en-Genevois, et conservée dans le classeur contenant l'original des statuts du prieuré de Sion de 1956 [classeur numéro KM 94550] : « [...] nous avons dans nos archives une note de l'I.N.S.S.E., datée du 15 décembre 1954, nous avisant que Monsieur Pierre Plantard a été condamné le 17 décembre 1953 par la cour, à Saint-Julien-en-Genevois, à six mois d'emprisonnement pour "abus de confiance" en vertu des articles 406 et 408 du code pénal. » Les articles 406 et 408 de l'ancien code pénal correspondent aux articles 314-1, 314-2 et 314-3 de l'actuel code pénal. Ces articles sont regroupés au Livre III du code, sous l'intitulé « Crimes et délits contre la propriété » – vol, extorsion, chantage, fraude et détournement de fonds.

Evola se fait le chantre d'une philosophie proche de l'idéologie de la royauté de droit divin, p. 103 : Les enseignements d'Evola continuent de fasciner des groupes marginaux, dont des nombres substantiels de skinheads et de jeunes gens embrigadés dans la culture « gothique ». Pour des détails sur la vie et les enseignements d'Evola, voir *Black Sun : Aryan Cult, Esoteric Nazism and the Politics of Identity* (New York, New York University Press, 2001) de Nicholas Goodrick-Clark.

La correspondance saisie à l'église de Saunière, p. 105 : Les détails sur la vente de messes par correspondance à laquelle s'est adonné Saunière ont été empruntés à *Autopsie d'un mythe* de Jean-Jacques Bedu, publié en 1990.

Le mythe perdure, p. 106 : Une dernière précision sur l'histoire du prieuré de Sion. Deux des ouvrages les plus fouillés et les plus exhaustifs sur l'ensemble de la question qui nous occupe ici – *Secret Societies of the Middle Ages* (1837) de Keightley et *Secret Societies & Subversive Movements* (1924) de Webster – ne font aucune mention de la lignée mérovingienne ni du prieuré de Sion. Tous deux ont été publiés longtemps avant que Plantard affirme leur existence et leur influence sur les événements mondiaux. Les livres publiés sur ce dernier sujet depuis 1970, qui se piquent à de divers degrés d'historicité, sont évidemment légion.

4
Druides et gnostiques. Connaissance et âme éternelle

« Aux yeux des druides [...] Avant tout, il faut que ce soit le sixième jour de la lune [...] », p. 108 et 109 : *Histoire naturelle*, textes choisis et présentés d'après la traduction de Littré par Hubert Zehnacker, Paris, Gallimard (1999), « Folio », n° 390, p. 215 (XVI, n°s 249 et 250).

Ceux qui aspirent à devenir druides au moment où l'ascendant du mouvement est à son zénith, p. 110 : Pour ce passage, notre source est Manly P. Hall, *The Secret Teachings of All Ages – Readers Edition* (New York, Jeremy P. Tarcher/Penguin, 2003).

Aussi habile à observer et à recenser les structures sociales qu'il l'est à commander des armées, César [...], p. 113 : Jules César, *Guerre des Gaules* (Paris, Belles-Lettres, 1950, pour la traduction de L.-A. Constans ; Paris, Gallimard, 1981, pour la préface, la bibliographie et les cartes de Jean-Marie Duval), « Folio classique », n° 1315, 2005, VI, n° 13, p. 229-230.

Les adeptes de la secte gnostique dirigée par Carpocrate, p. 120 : Évêque de Constance sur l'île de Chypre, Épiphane (env. 310-403 après Jésus-Christ) est l'auteur de ce commentaire. Son zèle pour la vie monastique, la formation ecclésiastique et l'orthodoxie lui assurent une extraordinaire autorité et peuvent aussi l'inciter à exagérer certains des agissements les plus immoraux des gnostiques qu'il déteste indéniablement.

Adepte de Jean-Baptiste, Simon s'entoure de son propre cercle de disciples, et les premiers chefs chrétiens le perçoivent tout naturellement comme un rival potentiel, p. 121 : Les défenseurs de Simon allèguent que, comme il est Samaritain, les Juifs entretiennent à son égard de l'aversion, de la suspicion, et que ses paroles et intentions peuvent donc être de ce fait déformées. Cet héritage lui survit néanmoins dans les dictionnaires.

« Périsse ton argent et toi avec lui [...] », p. 121 : *Bible de Jérusalem*, Actes 8,20-22.

À mesure que le christianisme gagne en vigueur, il devient moins tolérant à l'endroit du gnosticisme, p. 124 : Webster, *Secret Societies & Subversive Movements*, p. 32.

Que les gnostiques soient alors ou non victimes de violences de la part des chrétiens, p. 124 : *Ibid.*, p. 32.

« Dans l'Antiquité, [...] écrit Jung, p. 125 : Carl Jung, *Aion, Collected Works*, vol. IX, tome 2 (Princeton, Princeton University Press, 1959), p. 10.

5
Kabbale. Origines de l'apocalypse

Pour la kabbale en général, voir Roland Goestschel, *La kabbale*, Paris, PUF, « Que sais-je ? », nº 1105, 2002; pour l'arbre séfirotique, voir Pierre Riffard, *Dictionnaire de l'ésotérisme*, Paris, Payot, « Bibliothèque scientifique », 1983 [NDT].

[...] par exemple dans ces extraits du premier chapitre d'Ézéchiel, p. 129 : *Bible de Jérusalem*, Ézéchiel 1,1-4.

Outre ces écrits bibliques, trois autres livres gouvernent l'ancienne philosophie kabbalistique, p. 131 : Eliphas Levi, *The Mysteries of the Qabalah : Or Occult Agreement of the Two Testaments* (New York, Samuel Weiser Inc., 1974; réédition Weiser Books, 2000), p. 123.

[...] les « païens » auraient bien pu être des Juifs cherchant à tourner en ridicule le christianisme pour leurs fins et leur amusement personnels, p. 132 : Hall fait allusion à cette théorie dans *The Secret Teachings of All Ages*, pour ensuite l'écarter. D'autres ne font pas montre d'autant d'assurance.

La base (Malkhut) de l'arbre séfirotique symbolise le monde avec toutes ses faiblesses et perfections. La cime (Keter) représente

Dieu, ou la Couronne suprême, p. 133 : L'orthographe et l'interprétation de l'arbre séfirotique varient selon les sources (Riffard, Goetschel, Mircea Eliade, André Chouraqui) [NDT].

Les neuf sefirot et les canaux qui les relient forment trois triangles au-dessus du Malkhut. Ils symbolisent le corps humain : le triangle du haut représente la tête ; celui du milieu, le tronc et les bras ; celui du bas, les jambes et les organes reproducteurs, p. 134 : Diverses écoles kabbalistiques mettent de l'avant d'autres méthodes d'interprétation de l'arbre séfirotique. L'une d'elles, par exemple, enseigne que les centres sont disposés sur trois colonnes. La colonne de gauche, appelée pilier de la Sévérité, représente le côté féminin. La colonne de droite, appelée pilier de la Miséricorde ou de la Clémence, représente l'aspect masculin. Le pilier central, appelé pilier de l'Équilibre, symbolise l'eurythmie entre les colonnes féminine et masculine.

Selon Webster, le sage idéal originel du *Zohar* a été « mêlé par les rabbins avec des superstitions barbares, p. 138 : *Secret Societies & Subversive Movements*, p. 11.

« **Un chandelier mural en argent [...] éclaire sa chambre** », p. 138 : *The Jewish Encyclopedia.*

De là, il n'y a qu'un pas pour associer le tout au saint Graal, censément possédé par les templiers, puis par les francs-maçons, ce qui inspire d'inédites interconnexions avec de nouvelles nébuleuses de complots secrets, p. 139-140 : *The Holy Blood and the Holy Grail* (*L'énigme sacrée*) développe avec gravité et force détail ce rapprochement entre kabbale et saint Graal.

Crowley meurt sans le sou en 1947, p. 141 : La renommée de Crowley ne s'est pas totalement éteinte, à tout le moins dans la culture populaire. Ainsi reconnaît-on son visage dans la foule, sur la couverture du 33 tours *Sergeant Pepper's Lonely Hearts Club Band* des Beatles. Et le guitariste principal de Led Zeppelin, Jimmy Page, habite le manoir de Crowley en Écosse, entouré de souvenirs lui ayant appartenu. Le plus surprenant est peut-être le résultat d'un sondage mené par la BBC en 2002 pour dresser la liste de *The 100 Greatest Britons* dans laquelle Crowley occupe le soixante-treizième rang, devançant Lloyd George, Chaucer, le maréchal Montgomery et sir Walter Raleigh.

Il se nomme Feivel Gruberger, p. 142 : Les détails relatifs à Feivel Gruberger/Philip Berg et aux origines du Kabbalah Center proviennent de plusieurs sources, dont un long article paru dans le *Daily Mail (UK)*, le 22 mai 2004.

6
Rosicruciens. La poursuite de la sagesse ésotérique

Pour ce chapitre, on peut se reporter à deux ouvrages de référence : Roland Edighoffer, *Les rose-croix*, 4e édition, Paris, PUF, « Que sais-je ? », nº 1982, 1994 ; Pierre A. Riffard, *L'ésotérisme. Qu'est-ce que l'ésotérisme ? Anthologie de l'ésotérisme occidental*, Paris, Robert Laffond, « Bouquins », (1990), 1996 [NDT].

Aucun de ces débats ne prend place pendant l'existence remarquablement longue de Rose-Croix, p. 148 : Même la date de publication de la *Fama* reste un sujet de controverse. Pour la plupart, les sources mentionnent l'année 1614, mais *The Catholic Encyclopedia* maintient que l'ouvrage a été publié en 1604. Cette dernière date est étrange dans la mesure où très exactement cent vingt années la séparent de la mort de Rose-Croix, un laps de temps qui a une portée certaine : c'est le nombre d'années pendant lesquelles le fondateur exige le secret après sa mort et, comme le reconnaîtra le lecteur d'ouvrages apparentés au roman d'Umberto Eco, *Le pendule de Foucault*, ce nombre concorde avec celui des cycles de secret qu'imposent les templiers.

[...] **l'homme savait « peu se servir d'une plume et que, manifestement, soit il copiait la signature soit on guidait sa main pour écrire »**, p. 151 : Tel que cité dans Manly P. Hall, *The Secret Teachings of All Ages*. On considère comme un classique du genre ce livre de

Hall publié une première fois en 1928 (et réédité par Penguin en 2003). L'ouvrage propose un examen approfondi du rôle de Bacon en tant qu'auteur véritable des œuvres de Shakespeare et constitue une source de premier ordre sur le débat concernant l'appartenance de Bacon à la rose-croix.

Est-il possible que le plus riche corpus individuel de littérature anglaise se résume à une série d'enveloppes contenant des messages clandestins rédigés en codes nébuleux?, p. 152: La source de ces prétentions (les autres sources et prétentions sont légion) est *The Secret Teaching of All Ages* de Hall, p. 543-551.

Dans la première partie de *Henri IV*, le mot « Francis » apparaît trente-trois fois sur une page, p. 152: Les multiples mentions de Francis surviennent à la scène 1 de l'acte IV.

Il ne faut pas considérer Bacon simplement comme un homme, mais plutôt comme une interface [...], p. 153: Hall, p. 548-549.

Contemporain de Lippard, Paschal Beverly Randolph se lie aussi avec Lincoln, p. 158: On trouvera des détails sur la vie de Randolph dans son livre *After Death, or Disembodied Man* (Boston, Rockwell & Rollins, 1868).

L'AMORC se donne beaucoup de peine pour se faire connaître non comme un ordre religieux, mais comme une « organisation d'enseignement charitable et sans but lucratif », p. 161: Comme on peut le lire sur le site Web de l'ordre rosicrucien, à l'adresse www.rosicrucian.org.

« **Nous ne proposons ni système de croyances ni décret dogmatique** », p. 162: site Web de l'AMORC [NDT: nous traduisons].

« **L'authentique rose-croix ne s'adonne pas aux jeux et signes de main secrets, aux réjouissances, aux vains étalages de richesse** », p. 163: R. S. Clymer, *The Rose Cross Order* (Quakertown, The Philosophical Publishing Co., 1929).

« Contrairement aux maçons, les rosicruciens n'ont pas de bague spéciale », p. 163 : R. S. Clymer, *The Fraternitatis Rosae Crucis* (Quakertown, The Philosophical Publishing Co., 1929).

Le très long article décousu de Johansson, prévient-on le lecteur, emprunte aux « discours prononcés par les grands maîtres et l'imperator à la World Peace Conference », p. 164 : Les données empruntées à l'article de Johansson viennent du *Rosicrucian Digest* (n° 1, 2005, p. 10).

7
Les Triades. Quand la culture justifie le crime

En ce qui concerne les Triades et les Tongs, j'ai une importante dette à l'égard de l'écrivain et enquêteur criminel James Dubro, qui a résumé de vastes pans de l'histoire de ces groupes dans son excellent ouvrage *Dragons of Crime : Inside the Asian Underworld* (Toronto, Octopus Publishing Group, 1992).

Les Chinois appellent habituellement leurs organisations *hei she hui*, traduit littéralement : les sociétés noires (ou secrètes, sinistres, mauvaises), p. 171. Le *Morning Post* (Chine méridionale), Édition de Macao (12 décembre 1999).

Les enquêteurs de la Gendarmerie Royale du Canada (GRC) affirment…, p. 173. Dossiers de la GRC sur les Triades : ecdp0062.doc.

Personne ne m'a demandé de retourner une partie des profits aux dirigeants de 14K, p. 177. Extrait des débats du Comité parlementaire conjoint australien sur l'Autorité nationale du crime (février 1995).

Un homme d'affaires de Hong Kong qui avait décidé de défier les menaces d'une Triade, p. 177. Jan Morris, *Hong Kong* (New York, Random House, 1988), p. 44.

En Grande Bretagne, le Service national d'information sur la criminalité, p. 179. Erri, *Evaluation of Chinese Triads in Great Britain.* Emergency Net NEWS Service (21 juillet, 1996).

En 1988, une étude du gouvernement australien, p. 179. *Le crime organisé asiatique en Australie*, Extrait des débats du Comité parlementaire conjoint australien sur l'Autorité nationale du crime (février 1995).

[...] une enquête américaine révélait que la domination des Triades..., p. 179. Déclaration de Steven W. Casteel, Administrateur adjoint à l'information, devant le Comité sénatorial américain sur la Justice (20 mai 2003).

« Les chefs des premiers gangs ont débarqué après la fin de la guerre du Vietnam... », p. 180. Entrevue accordée à l'auteur, le 6 août 2005.

8
Mafia Cosa Nostra. Combinards et hommes d'affaires

En l'an 1000 après J.-C., de nouvelles invasions..., p. 185. Toute cette partie s'inspire fortement de l'excellent ouvrage *Mafioso : A History of the Mafia from its origins to the Present Day*, de Gaia Servadio (New York, Stein & Day Publishers, 1976).

L'*omerta* est un code décrétant que..., p. 190. Rick Porello, *The Rise and Fall of the Cleveland Mafia* (Ft. Lee, NJ, Barricade Books, 1995).

Un porte-parole haut placé du gouvernement italien..., p. 191-192. Agence de nouvelles du gouvernement italien, Ministère de l'Intérieur (22 septembre 2004).

« Seul le sang ne trahit jamais... », p. 192. S. Accardo, cité par M. La Sorte, voir référence suivante.

« [...] bien qu'en 2004, le gouvernement italien ait laissé dire que... », p. 193. M. La Sorte, *The Calabrian 'Ndrangheta* (SUNY : *The 'Ndrangheta Looms Large*, décembre 2004).

« Quand il veut promouvoir la région… », p. 193. *Ibid.*

« […] il n'est pas exclu qu'arrivant dans un village calabrais, vous découvriez… », p. 194. *Ibid.* de P. Lunde, *Organized Crime* (New York, DK Publishing, 2004).

« Les micros du FBI ont alors enregistré… », p. 203. « Les enregistrements du FBI donnent un aperçu unique des méthodes d'accueil de la Mafia », le *Boston Globe* (27 mars 1990).

« D'Amato dirigeait la famille DeCavalcante… », 205. « Un mafieux témoigne : un chef de la pègre a été assassiné pour son homosexualité », *National Post* (2 mai 2003).

« […] une question de fierté personnelle », p. 207. Il est intéressant de savoir que Buchalter était juif, pas italien. Qu'il ait choisi de faire sa déclaration, et qu'il ait décidé d'être vu jusqu'à la fin comme un homme d'honneur est pour ainsi dire un hommage rendu au code d'honneur de la Mafia.

9
Les yakuzas. Traditions et amputations

« Les nobles, les courtisans, et mêmes les dames d'honneur… », p. 212. J.N. Leonard, *Early Japan*, New York, Time-Life Books, 1968, p. 58

« … outre le petit doigt écourté ou amputé », p. 214. Davis E. Kaplan et Alex Dubro, *yakuzas – the Explosive Account of Japan's Criminal Underworld* (Reading, Mass., Addison-Wesley, 1986).

Les *sokaiya* sont choisis pour leur style brutal, p. 217. Christopher Seymour, *yakuzas Diary – Doing Time in the Japanese Underworld* (New York, Atlantic Monthly Press, 1996).

10
Wicca. La Grande Déesse et le Dieu à cornes

« Sans les sorcières... », p. 223. Walter Stephens, *Demon Lovers: Witchcraft, Sex and the Crisis of Belief* (Chicago, University of Chicago, 2002, p. 100).

« Chandeleur, fêtée le 2 février... », p. 225. Ne s'applique donc pas aux pays situés au sud de l'équateur.

« Fut accompli, expliqua-t-il, ce qui ne peut être accompli que dans des circonstances extrêmes », p. 239. Philip Heselton, *Gerald Gardner and the Cauldron of Inspiration – An Investigation into the Sources of the Gardenarian Witchcraft* (Milverton, Capall Bann Publishing, 2003).

« ... les sorcières ont l'art de se payer votre tête... », p. 239. G.B. Gardner, *Witchcraft Today*, (San Francisco, Citadel Press, 1954/2000), p. 27.

11
Les Skull and Bones. Les dirigeants secrets des États-Unis

« Sur le mur situé à l'ouest... », p. 243, *Fleshing Out Skull & Bones* (Waterville, Oregon, TrineDay Press, 2003), p. 473.

« En 1989, Howard Altman, écrivain-éditeur américain... », p. 244. *Ibid.*, p. 33-36.

« Tout cela était vraisemblable », p. 244. Ron Rosenbaum, « More Scary Skull and Bones Tales », *The Observer*, New York, 2002.

« La suite valait bien l'humiliation subie », p. 249. Ron Rosenbaum, « The Last Secrets of Skull and Bones », *Esquire* (septembre 1977), p. 89.

« Cette nouvelle publication a vu le jour parce que... », p. 250. *Fleshing Out Skull and Bones*, p. 3-4.

« Prescott Sheldon Bush, de la promotion de Yale... », p. 251, *Ibid.*, p. 40.

« En fait, Thyssen est resté tétanisé par Hitler... », p. 252. Thyssen a tout raconté de cette transaction, sans en oublier les vraies raisons, dans ses mémoires intitulés *I Paid Hitler* (New York, Farrar & Rinehart, 1941).

« Pour ce dernier, il s'en est remis aux aciéries de Thyssen... », p. 253. Des enquêtes menées après la guerre sur le rôle de la famille Thyssen dans le réarmement de l'Allemagne nazie ont révélé que pour la seule année 1938, les pourcentages de l'apport de la famille Thyssen à la production nationale sont estimés, par produits, à :

50,8 % de fonte brute;

41,4 % de l'acier plat ordinaire;

36 % de l'acier plat lourd;

38,5 % des feuilles d'acier galvanisé;

45,5 % des canalisations en acier;

22,1 % du filage;

35 % des explosifs.

Source : *Elimination of German Sources for War*, Rapport du Congrès américain, Sous-comité chargé des questions militaires (2 juillet 1945, p. 507).

« La composante russe du lien financier...... », p. 253. Dossiers d'Averell Harriman, Librairie du Congrès (12 septembre, 1927).

« Les noms de son conseil d'administration sont révélateurs », p. 254. *Fleshing Out Skull & Bones*, p. 205 et 249.

« En 2003 fut publié le livre *Duty, Honor, Country...* », p. 256. Tiré de *Duty, Honor, Country – The Life and Legacy of Prescott Bush* (Nashville, Rutledge Hill Press, 2003), p. 72.

« Voici une liste non exhaustive des Skull and Bones... », p. 259. *Fleshing Out...*, p. 9.

« ... l'individu qui a rempli la paperasse nécessaire au... », p. 261. Ron Rosenbaum, *The Secret Parts of Fortune : Three Decades of Intense Investigations and Edgy Enthusiasms* (New York, Harper-Perennial, 2000), p. 155-167.

« Mais les coïncidences s'accumulent ! », p. 261. Joseph McBride, « George Bush, CIA Operative », *The Nation*, 16 juillet 1988.

« ... Zapata est le nom de code de la CIA pour désigner... », p. 262. Michael Beschloss, *The Crisis Years : Kennedy and Krushchev, 1960-1963* (New York, Edward Burlingame Books, 1991), p. 89.

« Une autre "coïncidence" ? L'assassinat du président Kennedy... », p. 262. Le document intégral, tel que fourni par Joseph McBride, se lit comme suit :

Date : 29 novembre 1963, au Directeur du Bureau des Renseignements et de la Recherche, Département d'État.

De la part de : John Edgar Hoover, sujet principal : l'assassinat du président Kennedy, le 22 novembre 1963.

Notre Bureau de Miami, le 23 novembre 1963, nous a fait part de ce qui suit : le Bureau du Coordonnateur des Affaires cubaines à Miami a noté que le Département d'État estime que certains groupes anticastristes mal avisés pourraient vouloir capitaliser sur la situation actuelle et tenter une opération militaire, croyant que l'assassinat du président John F. Kennedy pourrait marquer le début d'une nouvelle politique américaine, ce qui n'est pas le cas. Nos sources, ainsi que les informateurs bien au fait des affaires cubaines dans la région de Miami font savoir que le sentiment général de la communauté cubaine anti-Castro va de la surprise totale à l'incrédulité, et que même parmi ceux qui n'étaient pas entièrement d'accord avec la politique cubaine du président, le sentiment demeure que la mort du président représente une perte immense, non seulement pour les États-Unis, mais pour l'ensemble de l'Amérique latine. Les sources en question ne sont au courant d'aucune action clandestine contre Cuba.

Un informateur jugé fiable, et proche d'un petit groupe pro-Castro à Miami, rapporte que les individus en question redoutent que l'assassinat du président ne résulte en de fortes mesures répressives à leur encontre, et bien que sympathiques à la cause de Castro, ils regrettent la mort du président.

L'essentiel de ladite information a été fournie oralement à M. George Bush, de la CIA, et au capitaine William Edwards, de la DIA, le 23 novembre 1963, par M. W.T. Forsyth, de ce Bureau.

« J'ai minutieusement relu le mémorandum envoyé… », p. 262. La Cour fédérale des États-Unis du District de Columbia, Procès au civil 88-2600 GHR, Centre des Archives et de la recherche contre Central Intelligence Agency, Affidavit de George William Bush (22 septembre 1988).

« En août 2003, de Wit a rappelé… », p. 264. *Fishing Out…*, p. 212.

« Avec des actifs évalués à quatre millions de dollars en l'an 2000… », p. 265. Archives de l'Université Yale, *Light & Truth's Guide to Society Life at Yale.*

Il est intéressant de constater que la société secrète concurrente, Le Parchemin et la Clef, détient des sommes substantiellement supérieures, soit six millions de dollars.

12
Les Sociétés secrètes dans la culture populaire. Une fascination qui ne se dément pas

« De nos jours, les experts concluent – et avec raison, avons-nous conclu… », p. 278. Baigent *et alii, The Holy Blood and the Holy Grail* (Londres, Arrow Books, 1996, p. 198-203). Toutes les références sont tirées de cette édition.

« Les *Protocoles,* présentés comme un manuel d'instruction… », p. 279. Sur les *Protocoles*, les sources sont nombreuses. Celles qui sont ici sélectionnées viennent de Jim Marrs, *Rule by Secrecy* (New York, HarperCollins, 2000), p. 145-153. L'auteur figure parmi les alarmistes, mais en ce qui concerne le choix des contenus des *Protocoles*, son ouvrage, sur ce point au moins, est parfaitement fiable.

« L'Église catholique romaine est certes une cible idéale… », p. 282. Soit dit en passant, je n'ai aucun lien avec l'Église catholique – comme d'ailleurs avec quelque organisation religieuse.

13
Critiques, alarmistes et théoriciens du complot. À quel moment la paranoïa a-t-elle du sens ?

« Le réseau des Rothschild… », p. 295. Nos sources sont ici *Jews and FreeMasonry in Europe* (Boston, Harvard Press, 1970), et William T. Still, *New World Order : The Ancient Plan of Secret Societies*, (Lafayette, LA, Huntington House Publishers, 1990), p. 104-141.

« Lors de ses funérailles, en 1960… », p. 298. L'orateur était Sir Edward Beddington-Behrens, président du Mouvement européen à la Commission de l'Europe centrale et de l'Est. On trouve cette citation dans des dizaines de sites Internet, chacun annonçant la véritable histoire du groupe Bilderberg, rarement épelé de la bonne façon.

« On a dit du CNS qu'il constituait… », p. 304. Dan Dunsky, « *Two Degrees of Domination* », *The Globe and Mail*, Toronto, 25 juin 2005, p. D3.

« […] l'apogée du pouvoir de Kissinger a coïncidé… », p. 305. Une étude détaillée – et troublante – existe sur le CNS et les risques qu'il fait courir, dans l'excellent ouvrage de Davis J. Rothkopf, *Running the World : The Inside Story of the National Security Council and the Architects of Americain Power* (New York, PublicAffairs Books, 2005).

En guise de conclusion. Démons ou bêtise ?

« Nous rêvons tellement que quelqu'un ou quelque chose… », p. 313. *The Demon-Haunted World : Science as a Candle in the Dark*, p. 123.

« Sagan dénonce une « fête de l'ignorance… », p. 313, *Ibid.*, p. 209.

Table des matières

Ce livre a été imprimé au Québec en octobre 2007
sur du papier entièrement recyclé
sur les presses de l'imprimerie Gauvin.